The
Oxford Book
Of Latin Verse

Oxford University Press
Amen House, London, E.C. 4

Glasgow New York Toronto Melbourne
Wellington Bombay Calcutta
Madras Cape Town

Geoffrey Cumberlege
Publisher to the University

The
Oxford Book
Of Latin Verse

From the earliest fragments to the end
of the Vth Century A.D.

Chosen by

H. W. Garrod

Fellow of Merton College.

Oxford
At the Clarendon Press

FIRST PUBLISHED 1912
REPRINTED 1921, 1926
1934, 1940, 1947, 1952

PRINTED IN GREAT BRITAIN

PREFACE

THE plan of this book excludes epic and the drama, and in general so much of Roman poetry as could be included only by a licence of excerpt mostly dangerous and in poetry of any architectonic pretensions intolerable. If any one remarks as inconsistent with this plan the inclusion of the more considerable fragments of Ennius and the early tragedians, I will only say that I have not thought it worth while to be wiser here than Time and Fate, which have of their own act given us these poets in lamentable excerpt. A more real inconsistency may be found in my treatment of the didactic poets. It seemed a pity that Didactic Poetry—in some ways the most characteristic product of the Roman genius—should, in such a Collection as this, be wholly unrepresented. It seemed a pity: and it seemed also on the whole unnecessary. It seemed unnecessary, for the reason that many of the great passages of Lucretius, Vergil, and Manilius hang so loosely to their contexts that the poets themselves seem to invite the gentle violence of the excerptor. These passages are 'golden branches' set in an alien stock—*non sua seminat arbos*. The hand that would

v

pluck them must be at once courageous and circumspect. But they attend the fated despoiler:

> Ergo alte uestiga oculis et rite repertum
> carpe manu, namque ipse uolens facilisque sequetur
> si te fata uocant.

Even outside Didactic Poetry I have allowed myself an occasional disloyalty to my own rule against excerpts. I have, for example, detached one or two lyrics from the Tragedies of Seneca. And, again, from the long and sometimes tedious *Itinerarium* of Rutilius I have detached the splendid apostrophe to Rome which stands in the forefront of that poem. These are pieces without which no anthology of Latin poetry would be anything but grotesquely incomplete. And after all we should be the masters and not the slaves of our own rules.

Satire finds no place in this book. Horace is represented only by his lyrics. Juvenal and Persius are not represented at all. The *Satires* and *Epistles* of Horace are books of deep and wide influence. They have taught lessons in school which have been remembered in the world. They have made an appeal to natures which teaching more profound and spiritual leaves untouched. By their large temper and by their complete freedom from cant they have achieved a place in the regard of men from which they are not likely to be dislodged by any changes of literary fashion or any fury of the enemies of humane studies. I am content to leave them in this secure position, and not to intrude them into a Collection where Horace himself would have known them to be out of place. Indeed, he has himself said upon this subject all that needs to be said.[1] Persius similarly, in the Prologue to his *Satires*, excludes himself from the company of the great poets. Nor can I believe that Juvenal has any place among them. In the rhetoric of rancour he is a distinguished practitioner. But he wants two qualities essential to great poetry—truth and humanity. I say this because there are critics who speak of Juvenal as though he were Isaiah.

My Selection begins with fragments of the Saliar hymns, and ends with the invocation of Phocas to 'Clio, reverend wardress of Antiquity.' If I am challenged to justify these *termini*, I will say of the first of them that I could not begin earlier, and that it is commonly better to take the beginnings offered to us than to make beginnings for ourselves. The lower *terminus* is not so simple a matter. I set myself here two rules. First, I resolved to include no verse which, tried by what we call 'classical' standards, was metrically faulty. Secondly, I judged it wiser to exclude any poetry definitely Christian in character—a rule which, as will be seen, does not necessarily exclude all the work of Christian poets. Within these limits, I was content to go on so long as I could find verse instinct with any genuine poetic feeling. The author whose exclusion I most regret is Prudentius. If any one asks me, Where is Merobaudes? where Sedulius? where Dracontius? I answer that they are where they have always been—out of

[1] *Sat.* I. iv. 39 sqq.

PREFACE

account. Interesting, no doubt, in other ways, for the student of poetry they do not count. Prudentius counts. He has his place. But it is not in this Collection. It is among other memories, traditions, and aspirations, by the threshold of a world where Vergil takes solemn and fated leave of those whom he has guided and inspired:

Non aspettar mio dir più nè mio cenno.

I have spent a good deal of labour on the revision of texts: and I hope that of some poems, particularly the less known poems, this book may be found to offer a purer recension than is available elsewhere. I owe it to myself, however, to say that I have sometimes preferred the convenience of the reader to the dictates of a rigorous criticism. I have thought it, for example, not humane to variegate the text of an Anthology with despairing *obeli*: and occasionally I have covered up an indubitable lacuna by artifices which I trust may pass undetected by the general reader and unreproved by the charitable critic.

H. W. G.

Oxford, Sept. 2, 1912.

INTRODUCTION

I

LATIN poetry begins where almost all poetry begins—
in the rude ceremonial of a primitive people placating
an unknown and dreaded spiritual world. The
earliest fragments are priestly incantations. In one of
these fragments the Salii placate Leucesius, the god of
lightning. In another the Arval Brethen placate Mars
or Marmar, the god of pestilence and blight (*lues rues*).
The gods are most dreaded at the seasons most important
to a primitive people, seed-time, for example, and harvest.
The Salii celebrated Mars at seed-time—in the month
which bears his name, *mensis Martius*. The name of the
Arval Brethren betrays their relation to the gods who watch
the sown fields. The aim of this primitive priestly poetry
is to get a particular deity into the power of the worshipper.
To do this it is necessary to know his name and to use it.
In the Arval hymn the name of the god is reiterated—it
is a spell. Even so Jacob wished to know—and to use—
the name of the god with whom he wrestled. These
priestly litanies are accompanied by wild dances—the Salii
are, etymologically, 'the Dancing men'—and by the
clashing of shields. They are cast in a metre not unsuited
to the dance by which they are accompanied. This is the
famous Saturnian metre, which remained the metre of all
Latin poetry until the coming of the Greeks. Each verse
falls into two halves corresponding to the forward swing

and the recoil of the dance. Each half-verse exhibits three rhythmical beats answering to the beat of a three-step dance. The verse is in the main accentual. But the accent is hieratic. The hieratic accent is discovered chiefly in the first half of the verse: where the natural accent of a disyllabic word is neglected and the stress falls constantly on the final syllable.[1] This hieratic accent in primitive Latin poetry is important, since it was their familiar use of it which made it easy for the Romans to adapt the metres of Greece.

The first poets, then, are the priests. But behind the priests are the people—moved by the same religious beliefs and fears, but inclined, as happens everywhere, to make of their 'holy day' a 'holiday'. And hence a different species of poetry, known to us chiefly in connexion with the harvest-home and with marriage ceremonial—the so-called Fescennine poetry. This poetry is dictated by much the same needs as that of the priests. It is a charm against *fascinum*, 'the evil eye': and hence the name Fescennine. The principal constituent element in this Fescennine poetry was obscene mockery. This obscenity was magical. But just as it takes two to make a quarrel, so the obscene mockery of the Fescennine verses required two principals. And here, in the improvisations of the harvest-home, we must seek the origins of two important species of Latin poetry—drama and satire.

There was magic in the house as well as in the fields. Disease and Death demanded, in every household, incan-

---

[1] I follow here the 'orthodox', or popular, view. But see Notes, pp. 505–12.

tations. We still possess fragments of Saturnian verse which were employed as charms against disease. Magic dirges (*neniae*) were chanted before the house where a dead man lay. They were chanted by a *praefica*, a professional 'wise woman', who placated the dead man by reiterated praise of him. These chants probably mingled traditional formulae with improvisation appropriate to particular circumstances. The office of the *praefica* survived into a late period. But with the growth of Rationalism it very early came into disrepute and contempt. Shorter lived but more in honour was an institution known to us only from casually preserved references to it in Cato and Varro. This was the *Song in Praise of Famous Men* which was sung at banquets. Originally it was sung by a choir of carefully selected boys (*pueri modesti*), and no doubt its purpose was to propitiate the shades of the dead. At a later period the boy choristers disappear, and the *Song* is sung by individual banqueters. The ceremony becomes less religious in character, and exists to minister to the vanity of great families and to foster patriotism. In Cato's time the tradition of it survived only as a memory from a very distant past. Its early extinction must be explained by the wider use among the Romans of written memorials. Of these literary records nothing has survived to us: even of epitaphs preserved to us in inscriptions none is earlier than the age of Cato. So far as our knowledge of Latin literature extends we pass at a leap from what may be called the poetry of primitive magic [1] to Livius Andronicus'

---

[1] For what is said here of this poetry of primitive magic cf. Horace, *Epp.* II. i. 134 sqq.

translation of the *Odyssey*. Yet between the work of Livius and this magical poetry there must lie a considerable literary development of which we know nothing. Two circumstances may serve to bring this home to us. The first is that stage plays are known to have been performed in Rome as early as the middle of the fourth century. The second is that there existed in Rome in the time of Livius a school of poets and actors who were sufficiently numerous and important to be permitted to form a Guild or College.

The position of Livius is not always clearly understood. We can be sure that he was not the first Roman poet. Nor is it credible that he was the first Greek teacher to find his way to Rome from Southern Italy. To what does he owe his pre-eminence? He owes it, in the first place, to what may be called a mere accident. He was a school-master: and in his *Odyssey* he had the good fortune to produce for the schools precisely the kind of text-book which they needed: a text-book which was still used in the time of Horace. Secondly, Livius Andronicus saved Roman literature from being destroyed by Greek literature. We commonly regard him as the pioneer of Hellenism. This view needs correcting. We shall probably be nearer the truth if we suppose that Livius represents the reaction against an already dominant Hellenism. The real peril was that the Romans might become not too little but too much Hellenized, that they might lose their nationality as completely as the Macedonians had done, that they might employ the Greek language rather than their own for both poetry and history. From this peril Livius—and the patriotic nobles whose ideals he represented—saved Rome. It is significant that in his translation of the *Odyssey* he employs the old Saturnian measure. Naevius, a little later, retained the same metre for his epic upon the Punic Wars. In the epitaph which he composed for himself Naevius says that 'the Camenae', the native Italian muses, might well mourn his death, 'for at Rome men have forgotten to speak in Latin phrase'. He is thinking of Ennius, or the school which Ennius represents. Ennius' answer has been preserved to us in the lines in which he alludes scornfully to the *Punica* of Naevius as written 'in verses such as the Fauns and Bards chanted of old', the verses, that is, of the old poetry of magic. Ennius abandons the Saturnian for the hexameter. Livius and Naevius had used in drama some of the simpler Greek metres. It is possible that some of these had been long since naturalized in Rome—perhaps under Etrurian influence. But the abandonment of the Saturnian was the abandonment of a tradition five centuries old. The aims of Ennius were not essentially different from those of Livius and Naevius. But the peril of a Roman literature in the Greek language was past: and Ennius could afford to go further in his concessions to Hellenism. It had been made clear that both the Latin language and the Latin temper could hold their own. And when this was made clear the anti-Hellenic reaction collapsed. Cato was almost exactly contemporary with Ennius: and he had been the foremost representative of the reaction. But in his old age he cried 'Peccavi', and set himself to learn Greek.

Ennius said that he had three hearts, for he spoke three

tongues—the Greek, the Oscan, and the Latin. And Roman poetry has, as it were, three hearts. All through the Republican era we may distinguish in it three elements. There is the Greek, or aesthetic, element: all that gives to it form or technique. There is the primitive Italian element to which it owes what it has of fire, sensibility, romance. And finally there is Rome itself, sombre, puissant, and both in language and ideals conquering by mass. The effort of Roman poetry is to adjust these three elements. And this effort yields, under the Republic, three periods of development. The first covers the second century and the latter half of the third. In this the Hellenism is that of the classical era of Greece. The Italian force is that of Southern and Central Italy. The Roman force is the inspiration of the Punic Wars. The typical name in it is that of Ennius. The Roman and Italian elements are not yet sufficiently subdued to the Hellenic. And the result is a poetry of some moral power, not wanting in fire and life, but in the main clumsy and disordered. The second period covers the first half of the first century. The Hellenism is Alexandrian. The Italian influence is from the North of Italy—the period might, indeed, be called the Transpadane period of Roman poetry. The Roman influence is that of the Rome of the Civil Wars. The typical name in it is that of Catullus—for Lucretius is, as it were, a last outpost of the period before: he stands with Ennius, and the Alexandrine movement has touched him hardly at all. In this period the Italian (perhaps largely Celtic) genius is allied with Alexandrianism in revolt against Rome: and in it Latin poetry may be said to attain formal perfection. The third period is the Augustan. In it we have the final conciliation of the Greek, the Italian, and the Roman influences. The typical name in it is that of Vergil, who was born outside the Roman *ciuitas*, who looks back to Ennius through Catullus, to Homer through Apollonius.

It is significant here that it is with the final unification of Italy (which was accomplished by the enfranchisement of Transpadane Gaul) that Roman poetry reaches its culmination—and at the same time begins to decline. Of the makers of Roman poetry very few indeed are Roman. Livius and Ennius were 'semi-Graeci' from Calabria, Naevius and Lucilius were natives of Campania. Accius and Plautus—and, later, Propertius—were Umbrian. Caecilius was an Insubrian Gaul. Catullus, Bibaculus, Ticidas, Cinna, Vergil were Transpadanes. Asinius Gallus came from Gallia Narbonensis, Horace from Apulia. So long as there was in the Italian *municipia* new blood upon which it could draw, Roman poetry grew in strength. But as soon as the fresh Italian blood failed Roman poetry failed—or at any rate it fell away from its own greatness, it ceased to be a living and quickening force. It became for the first time what it was not before—imitative; that is to say it now for the first time reproduced without transmuting. Vergil, of course, 'imitates' Homer. But observe the nature of this 'imitation'. If I may parody a famous saying, there is nothing in Vergil which was not previously in Homer—*save Vergil himself*. But the post-Vergilian poetry is, taken in the mass, without individuality. There is, of course, after Vergil much in Roman poetry that is interesting or striking, much that is brilliant, graceful, or noble. But even so it is notable that much of the best work seems due to the infusion of a foreign strain. Of the considerable poets of the Empire, Lucan, Seneca, Martial are of Spanish birth: and a Spanish origin has been—perhaps hastily—conjectured for Silius. Claudian is an Alexandrian, Ausonius a Gaul.[1] Rome's rôle in the world is the absorption of outlying genius. In poetry as in everything else *urbem fecit quod prius orbis erat.*

If we are to understand the character, then, of Roman poetry in its best period, in the period, that is, which ends with the death of Augustus, we must figure to ourselves a great and prosaic people, with a great and prosaic language, directing and controlling to their own ends spiritual forces deeper and more subtle than themselves. Of these forces one is the Greek, the other may for convenience be called the Italian. In the Italian we must allow for a considerable intermixture of races: and we must remember that large tracts at least of Northern Italy, notably Transpadane Gaul and Umbria, have been penetrated by Celtic influence. No one can study Roman poetry at all deeply or sympathetically without feeling how un-Roman much of it really is: and again—despite its Hellenic forms and its constant study of Hellenism—how un-Greek. It is not Greek and not Roman, and we may call it Italian for want of a better name. The effects of this Italian quality in Roman poetry are both profound and elusive; and it is not easy to specify them in words. But it is important to seize them:

---

[1] Even of the Italian poets of the Empire few or none are Romans. Statius and Juvenal are Campanians, Persius is an Etrurian.

for unless we do so we shall miss that aspect of Roman poetry which gives it its most real title to be called poetry at all. Apart from it it is in danger of passing at its best for rhetoric, at its worst for prose.

Ennius is a poet in whom the Roman, as distinct from the Italian, temperament has asserted itself strongly. It has asserted itself most powerfully, of course, in the *Annals*. Even in the *Annals*, however, there is a great deal that is neither Greek nor Roman. There is an Italian vividness. The coloured phraseology is Italian. And a good deal more. But it is in the tragedies— closely as they follow Greek models—that the Italian element is most pronounced. Take this from the *Alexander* :

> adest, adest fax obuoluta sanguine atque incendio :
> multos annos latuit, ciues, ferte opem et restinguite.
> iamque mari magno classis cita
> texitur, exitium examen rapit :
> adueniet, fera ueliuolantibus
> navibus complebit manus litora.

Mr. Sellar has called attention to the 'prophetic fury' of these lines, their 'wild agitated tones'. They seem, indeed, wrought in fire. Nor do they stand alone in Ennius. Nor is their fire and swiftness Roman. They are preserved to us in a passage of Cicero's treatise *De Diuinatione* : and in the same passage Cicero applies to another fragment of Ennius notable epithets. He speaks of it as *poema tenerum et moratum et molle*. The element of *moratum*, the deep moral earnestness, is Roman. The other two epithets carry us outside the typically Roman temperament. Everybody remembers Horace's characterization of Vergil:

> molle atque facetum
> Vergilio annuerunt gaudentes rure Camenae.

Horace is speaking there of the Vergil of the Transpadane period: the reference is to the *Eclogues*. The Romans had *hard* minds. And in the *Eclogues* they marvelled primarily at the revelation of temperament which Horace denotes by the word *molle*. Propertius, in whose Umbrian blood there was, it has been conjectured, probably some admixture of the Celtic, speaks of himself as *mollis in omnes*. The *ingenium molle*, whether in passion, as with Propertius, or, as with Vergil, in reflection, is that deep and tender sensibility which is the least Roman thing in the world, and which, in its subtlest manifestations, is perhaps the peculiar possession of the Celt. The subtle and moving effects, in the *Eclogues*, of this *molle ingenium*, are well characterized by Mr. Mackail, when he speaks of the 'note of brooding pity' which pierces the 'immature and tremulous cadences' of Vergil's earliest period. This *molle ingenium*, that here quivers beneath the half-divined 'pain-of-the-world', is the same temperament as that which in Catullus gives to the pain of the individual immortally poignant expression. It is the same temperament, again, which created Dido. Macrobius tells us that Vergil's Dido is just the Medea of Apollonius over again. And some debt Vergil no doubt has to Apollonius. To the Attic drama his debt is far deeper; and he no doubt intended to invest the story of Dido with the same kind of interest as that which attaches to, say, the Phaedra of Euripides.

Yet observe. Vergil has not *hardness* enough. He has not the unbending righteousness of the tragic manner. The rather hard moral grandeur of the great Attic dramatists, their fine spiritual steel, has submitted to a strange softening process. Something melting and subduing, something neither Greek nor Roman, has come in. We are passed out of classicism: we are moving into what we call romanticism. Aeneas was a brute. There is nobody who does not feel that. Yet nobody was meant to feel that. We were meant to feel that Aeneas was what Vergil so often calls him, *pius*. But the Celtic spirit—for that is what it is—is overmastering. It is its characteristic that it constantly girds a man—or a poet—and carries him whither he would not. The fourth *Aeneid* is the triumph of an unconscionable Celticism over the whole moral plan of Vergil's epic.

I will not mention Lesbia by the side of Dido. The Celtic spirit too often descends into hell. But I will take from Catullus in a different mood two other examples of the Italic romanticism. Consider these three lines:

usque dum tremulum mouens
cana tempus anilitas
omnia omnibus annuit,

—'till that day when gray old age shaking its palsied head nods in all things to all assent.' That is not Greek nor Roman. It is the unelaborate magic of the Celtic temperament. Keats, I have often thought, would have 'owed his eyes' to be able to write those three lines. He hits sometimes a like matchless felicity:

> She dwells with Beauty, Beauty that must die,
> And Joy, whose hand is ever at his lips
> Bidding adieu.

But into the effects which Catullus just happens upon by a luck of temperament Keats puts more of his life-blood than a man can well spare.

Take, again, this from the *Letter to Hortalus*. Think not, says Catullus, that your words have passed from my heart,

> ut missum sponsi furtiuo munere malum
>   procurrit casto uirginis e gremio,
> quod miserae oblitae molli sub ueste locatum,
>   dum aduentu matris prosilit, excutitur ;
> atque illud prono praeceps agitur decursu,
>   huic manat tristi conscius ore rubor,

—' as an apple, sent by some lover, a secret gift, falls from a maid's chaste bosom. She placed it, poor lass, in the soft folds of her robe and forgot it. And when her mother came towards her out it fell ; fell and rolled in headlong course. And vexed and red and wet with tears are her guilty cheeks !'

That owes something, no doubt, to Alexandria. But in its exquisite sensibility, its supreme delicacy and tenderness, it belongs rather to the romantic than to the classical literatures.

Molle atque facetum : the deep and keen fire of mind, the quick glow of sensibility—that is what redeems literature and life alike from dullness. The Roman, the typical Roman, was what we call a ' dull man '. But the Italian has this fire. And it is this that so often redeems Roman

INTRODUCTION

literature from itself. We are accustomed to associate the word *facetus* with the idea of 'wit'. It is to be connected, it would seem, etymologically with *fax*, 'a torch'. Its primitive meaning is 'brightness', 'brilliance': and if we wish to understand what Horace means when he speaks of the element of '*facetum*' in Vergil, perhaps 'glow' or 'fire' will serve us better than 'wit'. *Facetus, facetiae, infacetus, infacetiae* are favourite words with Catullus. With *lepidus, illepidus, uenustus, inuenustus* they are his usual terms of literary praise and dispraise. These words hit, of course, often very superficial effects. Yet with Catullus and his friends they stand for a literary ideal deeper than the contexts in which they occur: and an ideal which, while it no doubt derives from the enthusiasm of Alexandrian study, yet assumes a distinctively Italian character. Poetry must be *facetus*: it must glow and dance. It must have *lepor*: it must be clean and bright. There must be nothing slipshod, no tarnish. 'Bright is the ring of words when the right man rings them.' It must have *uenustas*, 'charm', a certain melting quality. This ideal Roman poetry never realizes perhaps in its fullness save in Catullus himself. In the lighter poets it passes too easily into an ideal of mere cleverness: until with Ovid (and in a less degree Martial) *lepor* is the whole man. In the deeper poets it is oppressed by more Roman ideals.

The *facetum ingenium*, as it manifests itself in satire and invective, does not properly here concern us: it belongs to another order of poetry. Yet I may be allowed to illustrate from this species of composition the manner in which the Italian spirit in Roman poetry asserts for itself a dominating

xxi

and individual place. *Satura quidem tota nostra est*, says Quintilian. We know now that this is not so: that Quintilian was wrong, or perhaps rather that he has expressed himself in a misleading fashion. Roman Satire, like the rest of Roman literature, looks back to the Greek world. It stands in close relation to Alexandrian Satire—a literature of which we have hitherto been hardly aware. Horace, when he asserted the dependence of Lucilius on the old Attic Comedy, was nearer the truth than Quintilian. But the influence of Attic Comedy comes to Lucilius (and to Horace and to Juvenal and to Persius) by way of the Alexandrian satirists. From the Alexandrians come many of the stock themes of Roman Satire, many of its stock characters, much of its moral sentiment. The *captator*, the μεμψίμοιρος, the *auarus* are not the creation of Horace and Juvenal. The seventh satire of Juvenal is not the first 'Plaint of the Impoverished Schoolmaster' in literature. Nor is Horace *Sat.* II. viii the earliest 'Dinner with a Nouveau-Riche'. In all this, and in much else in Roman Satire, we must recognize Alexandrian influence. Yet even so we can distinguish clearly—much more clearly, indeed, than in other departments of Latin poetry—the Roman and the primitive Italian elements. 'Ecquid is homo habet aceti in pectore?' asks Pseudolus in Plautus. And Horace, in a well-known phrase, speaks of *Italum acetum*, which the scholiast renders by 'Romana mordacitas'. This 'vinegar' is the coarse and biting wit of the Italian countryside. It has its origin in the casual ribaldry of the *uindemiatores*: in the rudely improvized dramatic contests of the harvest-home. Transported to the city it becomes a permanent part of

INTRODUCTION

Roman Satire. Roman Satire has always one hero—the average *paterfamilias*. Often he is wise and mild and friendly. But as often as not he is merely the *uindemiator*, thinly disguised, pert and ready and unscrupulous, ' slinging vinegar ' not only at what is morally wrong but at anything which he happens either to dislike or not to understand. The vices of his—often imaginary—antagonist are recounted with evident relish and with parade of detail.

It is not only in Satire that we meet this *Italum acetum*. We meet it also in the poetry of personal invective. This department of Roman poetry would hardly perhaps reward study—and it might very well revolt the student—if it were not that Catullus has here achieved some of his most memorable effects. In no writer is the *Italum acetum* found in so undiluted a sort. And he stands in this perhaps not so much for himself as for a Transpadane school. The lampoons of his compatriot Furius Bibaculus were as famous as his own. Vergil himself—if, as seems likely, the *Catalepton* be a genuine work of Vergil—did not escape the Transpadane fashion. In fact the Italian aptitude for invective seems in North Italy, allied with the study of Archilochus, to have created a new type in Latin literature—a type which Horace essays not very successfully in the *Epodes* and some of the *Odes*. The invective of Catullus has no humbug of moral purpose. It has its motive in mere hate. Yet Catullus knew better than any one how subtle and complex an emotion is hate. Two poems will illustrate better than anything I could say his power here : and will at the same time make clear what I mean when I distinguish the Italian from the Roman temperament in Latin poetry.

INTRODUCTION

Let any one take up the eleventh poem of Catullus:

> cum suis uiuat ualeatque moechis,
> quos simul complexa tenet trecentos,
> nullam amans uere sed identidem omnium
>   ilia rumpens.

There is invective. There is the lash with a vengeance. Yet the very stanza that follows ends in a sob:

> nec meum respectet, ut ante, amorem,
> qui illius culpa cecidit uelut prati
> ultimi flos, praetereunte postquam
>   tactus aratrost.

Turn now for an inverse effect to the fifty-eighth poem:

> Caeli, Lesbia nostra, Lesbia illa,
> illa Lesbia, quam Catullus unam
> plus quam se atque suos amauit omnes . . .

Note the dragging cadences, the pathetic iteration, the scarce-concealed agony of longing. Yet this five-line poem ends in a couplet of intolerable obscenity.

There once more you have the unpredictable Celtic temperament—obscenity of wrath dissolving in the tenderness of unbidden tears, fond regret stung suddenly to a rage foul and unscrupulous.

But let me here guard against a misapprehension. The more closely we study Roman poetry the more clearly do we become aware of the presence in it of a non-Roman element: and the more does it seem as though this non-Roman element were the originative force, as though it were to this that Roman poetry owes most of that in it which we regard as essentially poetical. The quickening force in the best Roman poetry is the Italian blood. Yet we speak of this poetry as Roman : and it is not without reason that we do so. If it was to a great extent made by Italians, it was made by Italians who were already Romanized. Indeed the Italian and the Roman elements are never so separate or so disparate in actuality as they appear in literary analysis. The Italian spirit worked always under the spell of Rome, and not under any merely external compulsion. And the spell of Rome is over the whole of Roman poetry. The Italians were only a nation *through Rome* : and a great poetry must have behind it a great life : it must express a great people, their deeds and their ideals. Roman poetry does, beyond almost any other poetry, bear the impress of a great nation. And after all the *language* of this poetry is the language of the Romans. It is said of it, of course, that it is an unpoetical language. And it is true that it has not the dance and brightness of Greek : that it is wanting in fineness and subtlety : that it is defective in vocabulary. All this is true. Yet the final test of the poetical character of a language is the poetry that is written in it. The mere sound of Roman poetry is the sound of a great nation. And here let us remember what we ought never to forget in reading Roman poetry. It was not made to be read. It was made to be spoken. The Roman for the most part did not read. He was read to. The difference is plain enough. Indeed it is common to hear the remark about this or that book, that ' It is the kind of book that ought to be read aloud '. Latin books *were* read aloud. And this practice must have reacted, however obscurely, upon the writing of them. Some tinge of rhetoric was inevitable. And here I am led to a new theme.

II

Perhaps no poetry of equal power and range is so deeply infected with rhetoric as the Roman. A principal cause of this is, no doubt, the language. But there are other causes, and we shall most easily penetrate these if we consider what I may call the environment of Roman poetry.

Two conditions in Rome helped to foster literary creation among a people by temperament unimaginative. Of these the first is an educational system deliberately and steadily directed towards the development of poetical talent. No nation ever believed in poetry so deeply as the Romans. They were not a people of whom we can say, as we can of the Greeks, that they were *born to* art and literature. Those of them who attained to eminence in art and literature knew this perfectly well. They knew by how laborious a process they had themselves arrived at such talent as they achieved. The characteristic Roman triumphs are the triumphs of material civilization. But the Romans were well aware that a material civilization cannot be either organized or sustained without the aid of spiritual forces, and that among the most important of the spiritual forces that hold together the fabric of nationality are art and literature. With that large common sense of theirs which, as they grew in historical experience, became more and more spiritual, they perceived early, and they gauged profoundly, the importance of accomplishments not native to their genius. They knew what had happened to the 'valiant kings' who 'lived before Agamemnon'—and why. The same could easily happen to a great empire. That is partially, of course, a utilitarian consideration. But the Romans believed also, and deeply, in the power of literature—and particularly of poetry—to humanize, to moralize, to mould character, to inspire action. It was this faith which, as Cicero tells us, lay behind the great literary movement associated with the circle of Scipio Africanus. It was this faith which informed the Augustan literature. Horace was a man of the world—or he liked to think himself one. He was no dreamer. Yet when he speaks of the influence of high poetry upon the formation of character he speaks with a grave Puritanism worthy of Plato. These practical Romans had a practicality deeper than ours. The average Englishman, when he is told that 'the battle of Waterloo was won by the sonnets of Wordsworth', is puzzled and even offended. Nothing of Eton and its playing-fields? Nothing of Wellington and his Guards? What have sonnets in common with soldiering? But the Roman knew of himself that sonnets are a kind of soldiering. And much as he admired deeds, he knew that there is no deed greater than 'the song that nerves a nation's heart.'

These are not mere words: and this was not, in the Roman, an idle faith. It was a practical faith; that is to say, he acted upon it. Upon this faith was based, at any rate in the early period of Roman history, the whole of the Roman system of education. The principal business of the Roman schoolmaster was to take the great poets and interpret them 'by reading and comment'. Education was practically synonymous with the study of the poets. The poets made a man brave, the poets made a man eloquent,

the poets made him—if anything could make him—poetical.
It is hardly possible to over-estimate the obscure benefit to the
national life of a discipline in which the thought and language
of the best poetry were the earliest formative influences.

The second of the two conditions which favoured literary creation in Rome was a social system which afforded
to a great and influential class the leisure for literary studies
and the power to forward them. These two conditions
are, roughly, synchronous in their development. Both take
rise in the period of the Punic Wars. The Punic Wars
not only quickened but they deepened and purified Roman
patriotism. They put the history of the world in a new
light to the educated Roman. The antagonism of Greek
and Roman dropped away. The wars with Pyrrhus were
forgotten. The issue was now no longer as between Greece
and Rome, but as between East and West. The Roman
saw in himself the last guardian of the ideals of Western
civilization. He must hand on the torch of Hellenic culture. Hence, while in other countries Literature *happens*,
as the sun and the air happen—as a part of the working of
obscure natural forces—in Rome it is from the beginning
a premeditated self-conscious organization. This organization has two instruments—the school of the *grammaticus*
and the house of the great noble. Here stands Philocomus,
here Scipio.

In the period of the Punic Wars this organization is only
rudimentary. By no means casual, it is none the less as
yet uninfected by officialism. The transition from the age of
Scipio to the age of Augustus introduced two almost insen-
sible modifications :

xxviii

INTRODUCTION

(1) In the earlier period the functions of the *grammaticus* and the *rhetor* were undifferentiated. The *grammaticus*, as he was known later, was called then *litteratus* or *litterator*. He taught both poetry and rhetoric. But Suetonius tells us that the name denoted properly an 'interpres poetarum': and we may infer that in the early period instruction in rhetoric was only a very casual adjunct of the functions of the *litterator*. At what precise date the office of the *litterator* became bifurcated into the two distinct professions of *grammaticus* and *rhetor* we cannot say. It seems likely that the undivided office was retained in the smaller Italian towns after it had disappeared from the educational system of Rome. The author of *Catelepton* V, who may very well be Vergil, appears to have frequented a school where poetry and rhetoric were taught in conjunction. Valerius Cato and Sulla, the former certainly, the latter probably, a Transpadane, were known as *litteratores*. But the *litterator* gradually everywhere gave place to the *grammaticus* : and behind the *grammaticus*, like Care behind the horseman, sits spectrally the *rhetor*.

(2) The introduction of the *rhetor* synchronizes with the transition from the private patron to the patron-as-government-official. And by an odd accident both changes worked in one and the same direction. That the system of literary patronage was in many of its effects injurious to the Augustan literature is a thesis which was once generally allowed. But it was a thesis which could easily take exaggerated expression. And against the view which it presents there has recently been a not unnatural reaction. A moderate representative of this reaction is the late Professor

INTRODUCTION

Nettleship. ' The intimacy', says Nettleship[1], 'which grew up between Octavianus and some of the great writers of his time did not imply more than the relation which . . . often existed between a poor poet and his powerful friend. For as the men of nobler character among the Roman aristocracy were mostly ambitious of achieving literary success themselves, and were sometimes really successful in achieving it : as they had formed a high ideal of individual culture . . . aiming at excellence in literature and philosophy as well as in politics and the art of war, so they looked with a kindly eye on the men of talent and genius who with less wealth and social resources than their own were engaged in the great work of improving the national literature.'

There is much here which is truly and tellingly said. We ought never to forget that the system of patronage sprang from a very lofty notion of patriotism and of the national welfare. It implies a clear and fine recognition among the great men of affairs of the principle that a nation's greatness is not to be measured, and cannot be sustained, by purely material achievements. It is true, again, that the system of patronage did not originate with Augustus or the Augustans. Augustus was a patron of letters just as Scipio had been—because he possessed power and taste and a wide sense of patriotic obligation. So much is true, or fairly true. But if it is meant, as I think it is, that the literary patronage of the Princeps was the same in kind as, and different only in degree from, that exercised by the great men of the Republican period—if that is meant, then we have gone beyond what is either true or plausible.

[1] *Ancient Lives of Vergil*, p. 26.

INTRODUCTION

I am not concerned here, let me say, with the *moral* effects of literary patronage. I am concerned only with its literary effects. Nor will I charge these to Augustus alone. He was but one patron — however powerful — among many. He did not create the literature which carries his name. Nevertheless it seems impossible to doubt that it was largely moulded under his personal influence, and that he has left upon it the impress of his own masterful and imperial temper. Suetonius in a few casual paragraphs gives us some insight into his literary tastes and methods. He represents him as from his youth up a genuine enthusiast for literature : ' Eloquentiam studiaque liberalia (i. e. *grammatice* and rhetoric) ab aetate prima et cupide et laboriosissime exercuit.' Even upon active military service he made a point of reading, composing, and declaiming daily. He wrote a variety of prose works, and ' poetica summatim attigit ', he dabbled in poetry. There were still extant in Suetonius' time two volumes of his poetry, the one a collection of *Epigrammata*, the other — more interesting and significant — a hexameter poem upon *Sicily*.[1] Moreover Augustus 'nursed in all ways the literary talent of his time '. He listened ' with charity and long-suffering ' to endless recitations ' not only of poetry and of history but of orations and of dialogues '. We are somewhat apt, I fancy, to associate the practice of recitation too exclusively with the literary circles of the time of Nero, Domitian, and Trajan. Yet it is quite clear that already in the Augustan age this

---

[1] In his *Sicily* Augustus handled a theme of wide patriotic interest : and it is more than likely, I think, that Vergil in the *Aeneid* owed, or affected to owe, a good deal to this poem.

practice had attained system and elaboration. From the silence of Cicero in his Letters (the Epistles of Pliny furnish a notable contrast) we may reasonably infer that the custom was not known to him. It is no doubt natural in all ages that poets and orators should inflict their compositions upon their more intimate friends. No one of us in a literary society is safe even to-day from this midnight peril. But even of these informal recitations we hear little until the Augustan age. Catullus' friend Sestius perhaps recited his orations in this fashion : but the poem [1] admits a different interpretation. And it is significant that we are nowhere told that Cicero declaimed to his friends the speeches of the second action against Verres. Those speeches were not delivered in court. They were published after the flight of Verres. If custom had tolerated it we may be sure that Cicero would not have been slow to turn his friends into a jury.

The formal recitation, recitation as a 'function', would seem to be the creation of the Principate. It was the product in part, no doubt, of the Hellenizing movement which dominated all departments of literary fashion. But we may plausibly place its origin not so much in the vanity of authors seeking applause, or in that absence of literary vanity which courts a frank criticism, as in the relations of the wealthy patron and his poor but ambitious client. The patron, in fact, did not subscribe for what he had not read—or heard. The endless recitations to which Augustus listened were hardly those merely of his personal friends. He listened, as Suetonius says, 'benigne et patienter'. But it was the

---

[1] Catullus, xliv.

1. *Fragments of the Saliar Hymns*

i

DIVOM templa cante,
diuom deo supplicate.

ii

QVOME tonas, Leucesie,
prae tet tremonti.
quor libet, Curis,
decstumum tonare?

iii

CONSE, ulod oriese :
omnia tuere,
adi, Patulci, coi isse :
Sancus Ianes Cerus es.
Duonus Ianus ueuet
po melios, eu, recum.

THE ARVAL BROTHERHOOD

2. *Against Plague upon the Harvest*

Incertae Aetatis.

ENOS, Lases, iuuate,
enos, Lases, iuuate,
enos, Lases, iuuate.
neue lue rue, Marmar, sins incurrere in pleoris,
neue lue rue, Marmar, sins incurrere in pleoris,
neue lue rue, Marmar, sers incurrere in pleoris.

satur fu, fere Mars : limen sali : sta berber,
satur fu, fere Mars : limen sali : sta berber,
satur fu, fere Mars : limen sali : sta berber,
 semunis alternei aduocapit conctos,
 semunis alternei aduocapit conctos,
 semunis alternei aduocapit conctos.
  enos, Marmor, iuuato,
  enos, Marmor, iuuato,
  enos, Marmor, iuuato.
   triumpe, triumpe, triumpe, triumpe, triumpe.

ANONYMOUS

3.   *Charms*

  i. Against the Gout

         Incertae Aetatis.

E GO tui memini,
 medere meis pedibus :
terra pestem teneto,
salus hic maneto
in meis pedibus.

  ii. At the Meditrinalia

N OVOM uetus uinum bibo,
 nouo ueteri morbo medeor.

4. *An Ancient Lullaby*

         Incertae Aetatis.

L ALLA, lalla, lalla :
 i, aut dormi aut lacta.

2

ANONYMOUS

5.   *Epitaphs of the Scipios*

i

CORNELIVS Lucius Scipio Barbatus,
    Gnaiuod patre prognatus fortis uir sapiensque,
quoius forma uirtutei parisuma fuit,
consol, censor, aidilis quei fuit apud nos,
Taurasia, Cisauna, Samnio cepit,
subigit omne Loucanam opsidesque abdoucsit.

ii

HONC oino ploirime cosentiont Romai
    duonoro optumo fuise uiro
Lucium Scipione.   filios Barbati
consol, censor, aidilis hic fuet apud nos :
hic cepit Corsica Aleriaque urbe,
dedet Tempestatebus aide meretod.

iii

QVEI apice insigne Dialis flaminis gesistei,
    mors perfecit tua ut essent omnia breuia,
honos fama uirtusque, gloria atque ingenium.
quibus sei in longa licuiset utier tibi uita,
facile facteis superases gloriam maiorum.
qua re lubens te in gremiu Scipio, recipit
terra, Publi, prognatum Publio, Corneli.

iv

MAGNA sapientia multasque uirtutes
    aeuitate quam parua posidet hoc saxsum.
quoiei uita defecit, non honos, honore,
is hic situs, quei nunquam uictus est uirtutei,
annos gnatus uiginti is Diteist mandatus,
ne quairatis honore quei minus sit mactus.

3

L. LIVIVS ANDRONICVS

284-204 B.C. (?)

6.   *Fragments of the Odyssey*

i

VIRVM mihi, Camena, insece uersutum.

ii

Mea puera quid uerbi ex tuo ore supera fugit?

iii

Mea puer quid uerbi ex tuo ore audio?
neque enim te oblitus sum, Laertie noster.

iv

Simul ac dacrimas de ore noegeo detersit.

v

Namque nullum peius macerat hemonem
quamde mare saeuom: uires quoi sunt magnae,
topper eas confringunt importunae undae.

vi

Topper citi ad aedis uenimus Circai.
simul duona eorum portant ad naues:
milia alia in isdem inserinuntur.

vii

In Pylum deuenies aut ibi ommentans.

viii

Inferus an superus tibi fert deus funera, Vlixes?

ix

Cum socios nostros mandisset impius Cyclops.

x

At celer hasta uolans perrumpit pectora ferro

4

L. LIVIVS ANDRONICVS

7. *Dramatic Fragments*

i

TVM autem lasciuum Nerei simum pecus
iudens ad cantum classem lustratur choro.

ii

Ipsus se in terram saucius fligit cadens.

iii

Quin quod parere uos maiestas mea procat,
toleratis templo, letoque hanc deducitis?

iv

Nam praestatur uirtuti laus, sed gelu multo ocius
uento tabescit.

v

Confluges ubi conuentu campum totum inumigant.

vi

Florem anculabant Liberi ex carchesiis.

vii

Quo Castalia per struices saxeas lapsu accidit.

viii

Quem ego nefrendem alui lacteam inmulgens opem.

ix

Puerarum manibus confectum pulcerrime.

x

Iamne oculos specie laetauisti optabili?

270–199 B.C. (?)

8. *Fragments of the Bellum Poenicum*

i

NOVEM Iouis concordes filiae sorores.

ii

Postquam auem aspexit in templo Anchisa,
sacra in mensa penatium ordine ponuntur,
immolabat auream uictimam pulcram.

iii

Amborum uxores
noctu Troiad exibant capitibus opertis,
flentes ambae, abeuntes lacrimis cum multis.

iv

Blande et docte percontat, Aenea quo pacto
Troiam urbem liquisset.

v

Deinde pollens sagittis inclutus Arquitenens
sanctus Ioue prognatus Pythius Apollo.

vi

Transit Melitam
Romanus exercitus, insulam integram urit,
populatur, uastat, rem hostium concinnat.

vii

Sin illos deserant fortissimos uiros,
magnum stuprum populo fieri per gentis.

viii

Seseque ei perire mauolunt ibidem
quam cum stupro redire ad suos populares.

ix

Fato Metelli Romae fiunt consules.

6

CN. NAEVIVS

9.   *Dramatic Fragments*

i

LAETVS sum laudari me abs te, pater, a laudato uiro.

ii

Vos qui regalis corporis custodias
agitatis, ite actutum in frondiferos locos,
ingenio arbusta ubi nata sunt, non obsita.

iii

Cedo, qui rem uestram publicam tantam amisistis tam cito?
proueniebant oratores nouei, stulti adulescentuli.

iv

                    Ego semper pluris feci
potioremque habui libertatem multo quam pecuniam.

v

                    Si quidem loqui uis,
non perdocere multa longe promicando oratiost.

vi

Quasi in choro ludens datatim dat se et communem facit:
alii adnutat, alii adnictat, alium amat, alium tenet,
alibi manus est occupata, alii pede percellit pedem,
anulum dat alii spectandum, a labris alium inuocat,
cum alio cantat, at tamen alii suo dat digito litteras.

10.   *His Own Epitaph*

IMMORTALES mortales si foret fas flere,
flerent diuae Camenae Naeuium poetam.
itaque, postquam est Orchi traditus thesauro,
obliti sunt Romai loquier lingua Latina.

T. MACCIVS PLAVTVS

254-184 B.C.

11.   *His Own Epitaph*

POSTQVAM est mortem aptus Plautus, Comoedia
    luget,
scaena est deserta, dein Risus Ludus Iocusque
et Numeri innumeri simul omnes conlacrumarunt.

MARCIVS VATES

250-200 B.C. (?)

12.   *Precepts*

i

POSTREMVS dicas, primus taceas.

ii

Quamuis nouentium duonum negumate.

13.   *Vaticinium*

250-200 B.C. (?)

AQVAM Albanam, Romane, caue lacu teneri,
    caue in mare manare flumine sinas suo.
emissam agris rigabis, dissipatam riuis
exstingues: tum tu insiste muris hostium audax,
memor, quam per tot annos obsides urbem,
ex ea tibi his quae iam nunc panduntur fatis
uictoriam oblatam.   bello perfecto
donum peramplum uictor ad mea templa
portato: patria sacra, quorum cura dudum est
omissa, endostaurata, ut adsolet, facito.

8

Q. ENNIVS

FROM THE ANNALS

239-169 B.C.

14. *The Vision of Ilia*

ET cita cum tremulis anus attulit artubus lumen.
talia tum memorat lacrimans exterrita somno :
'Eurydica prognata, pater quam noster amauit,
uires uitaque corpus meum nunc deserit omne.
nam me uisus homo pulcher per amoena salicta
et ripas raptare locosque nouos : ita sola
postilla, germana soror, errare uidebar
tardaque uestigare et quaerere te neque posse
corde capessere : semita nulla pedem stabilibat.
exim compellare pater me uoce uidetur
his uerbis : "O gnata, tibi sunt ante gerendae
aerumnae, post ex fluuio fortuna resistet."
haec effatus pater, germana, repente recessit
nec sese dedit in conspectum corde cupitus,
quamquam multa manus ad caeli caerula templa
tendebam lacrumans et blanda uoce uocabam.
uix aegro cum corde meo me somnus reliquit.'

15. *Romulus and Remus*

CVRANTES magna cum cura tum cupientes
regni dant operam simul auspicio augurioque.
. . . Remus auspicio se deuouet atque secundam
solus auem seruat. at Romulus pulcher in alto
quaerit Auentino, seruat genus altiuolantum.
certabant urbem Romam Remoramne uocarent.
omnibus cura uiris uter esset induperator.

9

expectant, ueluti consul cum mittere signum
uolt omnes auidi spectant ad carceris oras,
quam mox emittat pictis e faucibus currus :
sic expectabat populus atque ore timebat
rebus, utri magni uictoria sit data regni.
interea sol albus recessit in infera noctis.
exin candida se radiis dedit icta foras lux
et simul ex alto longe pulcherruma praepes
laeua uolauit auis.   simul aureus exoritur sol,
cedunt de caelo ter quattuor corpora sancta
auium, praepetibus sese pulchrisque locis dant.
conspicit inde sibi data Romulus esse priora,
auspicio regni stabilita scamna solumque.

16. *The Speech of Pyrrhus*

NEC mi aurum posco nec mi pretium dederitis :
non cauponantes bellum sed belligerantes,
ferro, non auro, uitam cernamus utrique,
uosne uelit an me regnare era quidue ferat Fors
uirtute experiamur.   et hoc simul accipe dictum :
quorum uirtuti belli fortuna pepercit,
eorundem libertati me parcere certum est.
dono, ducite, doque uolentibus cum magnis dis.

17. *Character of a Friend of Servilius* [1]

HAECCE locutus uocat, quocum bene saepe libenter
mensam sermonesque suos rerumque suarum
omne iter impertit magnam cum lassus diei
partem fuisset de summis rebus regundis
consilio indu foro lato sanctoque senatu,
cui res audacter magnas paruasque iocumque

[1] Said to be intended by the poet for a portrait of himself.

eloqueretur et incaute malaque et bona dictu
euomeret si qui uellet tutoque locaret,
quocum multa uolup sibi fecit clamque palamque,
ingenium cui nulla malum sententia suaset
ut faceret facinus leuis aut malus, doctus, fidelis,
suauis homo, facundus, suo contentus, beatus,
scitus, secunda loquens in tempore, commodus, uerbum
paucum, multa tenens antiqua, sepulta uetustas
quae facit ; et mores ueteresque nouosque tenentem,
multorum ueterum leges diuumque hominumque,
prudentem, qui dicta loquiue tacereue posset,
hunc inter pugnas conpellat Seruilius sic.

18. *M. Cornelius Cethegus*

ADDITVR orator Cornelius suauiloquenti
ore Cethegus Marcus Tuditano collega
Marci filius . . .
. . . is dictust ollis popularibus olim
qui tum uiuebant homines atque aeuum agitabant
flos delibatus populi suadaeque medulla.

19. *Caelius resists the Onset of the Istri*

VNDIQVE conueniunt uelut imber tela tribuno :
configunt parmam, tinnit hastilibus umbo,
aerato sonitu galeae, sed nec pote quisquam
undique nitendo corpus discerpere ferro :
semper abundantes hastas frangitque quatitque.
totum sudor habet corpus multumque laborat,
nec respirandi fit copia : praepete ferro
Histri tela manu iacientes sollicitabant.

Q. ENNIVS

20.   *Toga Cedit Armis*

POSTQVAM Discordia taetra
belli ferratos postes portasque refregit,
pellitur e medio sapientia, ui geritur res,
spernitur orator bonus, horridus miles amatur.
haut doctis dictis certantes nec maledictis
miscent inter sese inimicitiam agitantes,
non ex iure manum consertum, sed magis ferro
rem repetunt regnumque petunt, uadunt solida ui.

21.   *Lesser Fragments of the Annals*

i

MVSAE, quae pedibus magnum pulsatis Olympum.

ii

Te, sale nata, precor, Venus, et genitrix patris nostri,
ut me de caelo uisas cognata parumper.

iii

Pectora fida tenet desiderium, simul inter
sese sic memorant: O Romule, Romule die,
qualem te patriae custodem di genuerunt!
O pater, O genitor, O sanguen dis oriundum,
tu produxisti nos intra luminis oras.

iv

Omnes mortales uictores, cordibus uiuis
laetantes, uino curatos, somnus repente
in campo passim mollissimus perculit acris.

12

Q. ENNIVS

v

At tuba terribili sonitu taratantara dixit.
incedunt arbusta per alta, securibus caedunt,
percellunt magnas quercus, exciditur ilex,
fraxinus frangitur atque abies consternitur alta,
pinus proceras peruortunt : omne sonabat
arbustum fremitu siluai frondosai.

vi

    Multa dies in bello conficit unus :
et rursus multae fortunae forte recumbunt :
haudquaquam quemquam semper fortuna secuta est.

vii

Vnus homo nobis cunctando restituit rem,
non enim rumores ponebat ante salutem.
ergo postque magisque uiri nunc gloria claret.

viii

Concurrunt ueluti uenti cum spiritus Austri
imbricitor Aquiloque suo cum flamine contra
indu mari magno fluctus extollere certant.

ix

Iuppiter hic risit tempestatesque serenae
riserunt omnes risu Iouis omnipotentis.

x

Et tum sicut equus qui de praesepibus fartus
uincla suis magnis animis abrupit et inde
fert sese campi per caerula laetaque prata,
celso pectore saepe iubam quassat simul altam,
spiritus ex anima calida spumas agit altas.

Dramatic Fragments

22.   *Alcmaeon*

VNDE haec, unde haec flamma exoritur?
      incede, adsunt, me expetit agmen.
fer mi auxilium, pestem abige a me,
flammiferam hanc uim quae me excruciat.
caerulea incinctae angui incedunt,
circumstant cum ardentibus taedis.
      eccum intendit crinitus Apollo
arcum auratum luna innixus:
Diana facem iacit a laeua.

23.   *Andromache*

QVID petam praesidi aut exequar, quoue nunc
      auxilio exili aut fugae freta sim?
arce et urbe orba sum: quo accedam, quo applicem,
cui nec arae patriae domi stant, fractae et disiectae iacent,
      fana flamma deflagrata, tosti alti stant parietes
deformati atque abiete crispa . . .
o pater, o patria: o Priami domus,
saeptum altisono cardine templum,
uidi ego te adstantem ope barbarica
tectis caelatis laqueatis
auro ebore instructam regifice . . .
haec omnia uidi inflammari,
Priamo ui uitam euitari,
Iouis aram sanguine turpari.

Q. ENNIVS

24. *Cassandra*

i

MATER optuma, tu multo mulier melior mulierum,
missa sum superstitiosis hariolationibus,
meque Apollo fatis fandis dementem inuitam ciet.
uirgines uereor aequalis, patris mei meum factum pudet,
optumi uiri.   mea mater, tui me miseret, mei piget :
optumam progeniem Priamo peperisti extra me ; hoc dolet ;
men obesse, illos prodesse, me obstare, illos obsequi.
adest, adest fax obuoluta sanguine atque incendio,
multos annos latuit, ciues, ferte opem et restinguite.

iamque mari magno classis cita
texitur, exitium examen rapit :
adueniet, fera ueliuolantibus
nauibus complebit manus litora . . .
eheu uidete :
iudicauit inclitum iudicium inter deas tris aliquis :
quo iudicio Lacedaemona mulier Furiarum una adueniet.

25. *ii*

MEA mater grauida parere se ardentem facem
uisa est in somnis Hecuba ; quo facto pater
rex ipse Priamus somnio mentis metu
perculsus curis sumptus suspirantibus
exsacrificabat hostiis balantibus.
tum coniecturam postulat pacem petens
ut se edoceret obsecrans Apollinem
quo sese uertant tantae sortes somnium.
ibi ex oraclo uoce diuina edidit
Apollo puerum primus Priamo qui foret
postilla natus temperaret tollere :
eum esse exitium Troiae, pestem Pergamo.

15

26.   *Telamon*

EGO deum genus esse semper dixi et dicam caelitum,
    sed eos non curare opinor quid agat humanum genus:
nam si curent, bene bonis sit, male malis, quod nunc abest ...
sed superstitiosi uates inpudentesque harioli,
aut inertes aut insani aut quibus egestas imperat,
qui sibi semitam non sapiunt, alteri monstrant uiam,
quibus diuitias pollicentur, ab iis drachumam ipsi petunt.
de his diuitiis sibi deducant drachumam, reddant cetera.

27.   *Telamon*

EGO cum genui tum morituros sciui et ei rei sustuli;
    praeterea ad Troiam cum misi ob defendendam Graeciam,
scibam me in mortiferum bellum, non in epulas mittere.

28.   *Molestum Otium*

                        OTIO qui nescit utier
plus negoti habet quam cum est negotium in negotio;
nam cui quod agat institutumst (is) in illo negotio
id agit, (id) studet, ibi mentem atque animum delectat suum.
otioso in otio homini animus nescit quid uelit.
hoc idem est: em neque domi nunc nos nec militiae sumus:
imus huc, hinc illuc, cum illuc uentum est, ire illuc lubet.
incerte errat animus, praeter propter uitam uiuitur.

29.   *Medeae Nutrix*

VTINAM ne in nemore Pelio securibus
    caesa accedisset abiegna ad terram trabes,
neue inde nauis inchoandi exordium
coepisset, quae nunc nominatur nomine
Argo, quia Argiui in ea delecti uiri
uecti petebant pellem inauratam arietis
Colchis imperio regis Peliae per dolum.
nam numquam era errans mea domo efferret pedem
Medea animo aegro amore saeuo saucia.

30.   *From the Iphigenia*

AGAM.

QVID noctis uidetur in altisono
    caeli clipeo ?

SENEX.
                Temo superat
stellas sublimen agens etiam atque
etiam noctis iter.

31.   *Epitaph for Scipio Africanus*

HIC est ille situs cui nemo ciuis neque hostis
    quibit pro factis reddere opis pretium.

32.   *The Same*

A SOLE exoriente supra Maeotis paludes
    nemo est qui factis aequiperare potest.
si fas endo plagas caelestum ascendere cuiquam est,
    mi soli caeli maxima porta patet.

Q. ENNIVS

33.   *Scipio to Ennius*

ENNI poeta, salue, qui mortalibus
uersus propinas flammeos medullitus.

34.   *His own Epitaph*

ASPICITE, o ciues, senis Enni imaginis formam.
hic uestrum panxit maxima facta patrum.
nemo me lacrimis decoret nec funera fletu
faxit.   cur?   uolito uiuos per ora uirum.

M. PACVVIVS

220–130 B.C.

35.   *Fortune*

FORTVNAM insanam esse et caecam et brutam perhibent philosophi,
saxoque instare in globoso praedicant uolubili:
id quo saxum impulerit fors, eo cadere Fortunam autumant.
insanam autem esse aiunt, quia atrox incerta instabilis siet:
caecam ob eam rem esse iterant, quia nil cernat quo sese
adplicet:
brutam, quia dignum atque indignum nequeat internoscere.
sunt autem alii philosophi, qui contra Fortuna negant
ullam miseriam esse, temeritatem esse omnia autumant.
id magis ueri simile esse usus reapse experiundo edocet:
uelut Orestes modo fuit rex, factust mendicus modo.

36.   *The Greeks set sail from Troy*

SIC profectione laeti piscium lasciuiam
intuemur, nec tuendi satietas capier potest.
interea prope iam occidente sole inhorrescit mare,
tenebrae conduplicantur noctisque et nimbum obcaecat nigror,
flamma inter nubes coruscat, caelum tonitru contremit,
grando mixta imbri largifico subita praecipitans cadit,
undique omnes uenti erumpunt, saeui existunt turbines,
feruit aestu pelagus.

37.   *Genitabile Caelum*

HOC uide circum supraque quod complexu continet
        terram
solisque exortu capessit candorem, occasu nigret,
id quod nostri caelum memorant, Grai perhibent aethera:
quidquid est hoc, omnia animat format alit auget creat
sepelit recipitque in sese omnia, omniumque idem est pater,
indidemque eadem aeque oriuntur de integro atque eodem
        occidunt.

38.   *Speech*

O FLEXANIMA atque omnium regina rerum Oratio.

39.   *Womanish Tears*

CONQVERI fortunam aduersam, non lamentari decet:
id uiri est officium, fletus muliebri ingenio additus.

40.   *His Own Epitaph*

ADVLESCENS tam etsi properas, hoc te saxulum
rogat ut se aspicias, deinde, quod scriptum est, legas.
hic sunt poetae Pacuui Marci sita
ossa.   hoc uolebam, nescius ne esses.   uale.

L. ACCIVS

170-86 B.C.

41.   *Tarquin's Dream*

TARQVINIVS

QVONIAM quieti corpus nocturno impetu
    dedi sopore placans artus languidos :
uisust in somnis pastor ad me adpellere
pecus lanigerum eximia pulchritudine,
duos consanguineos arietes inde eligi
praeclarioremque alterum immolare me :
deinde eius germanum cornibus conitier,
in me arietare, eoque ictu me ad casum dari :
exin prostratum terra, grauiter saucium,
resupinum in caelo contueri maxime
mirificum facinus : dextrorsum orbem flammeum
radiatum solis linquier cursu nouo.

HARIOLVS

Rex, quae in uita ursurpant homines, cogitant curant uident,
quaeque agunt uigilantes agitantque, ea si cui in somno
    accidunt,
minus mirandum est, di rem tantam haut temere improuiso
    offerunt.
proin uide ne, quem tu esse hebetem deputas aeque ac pecus,
is sapientia munitum pectus egregie gerat
teque regno expellat : nam id quod de sole ostentum est tibi,
populo commutationem rerum portendit fore
perproquinquam.   haec bene uerruncent populo ! nam quod
    dexterum
cepit cursum ab laeua signum praepotens, pulcherrume
auguratum est rem Romanam publicam summam fore.

L. ACCIVS

42. *The Argo seen by a Shepherd who has never seen a Ship*

             TANTA moles labitur
fremibunda ex alto ingenti sonitu et spiritu.
prae se undas uoluit, uertices ui suscitat:
ruit prolapsa, pelagus respargit reflat.
ita dum interruptum credas nimbum uoluier,
dum quod sublime uentis expulsum rapi
saxum aut procellis, uel globosos turbines
existere ictos undis concursantibus:
nisi quas terrestris pontus strages conciet,
aut forte Triton fuscina euertens specus
supter radices penitus undante in freto
molem ex profundo saxeam ad caelum euehit.

43. *Shorter Fragments*

i

VIRTVTI sis par, dispar fortunis patris.

ii

Probae etsi in segetem sunt deteriorem datae
fruges, tamen ipsae suapte natura enitent.

iii

Probis probatus potius quam multis forem.

iv

Nam is demum miser est, cuius nobilitas miserias nobilitat.

v

Multi iniqui et infideles regno, pauci beniuoli.

vi

Oderint dum metuant.

ANONYMOUS

150 B.C. (?)

44.   *Epitaph of Claudia*

HOSPES, quod deico paullum est, asta ac pellege.
heic est sepulcrum hau pulcrum pulcrai feminae:
nomen parentes nominarunt Claudiam.
suom mareitum corde deilexit souo:
gnatos duos creauit: horunc alterum
in terra linquit, alium sub terra locat.
sermone lepido, tum autem incessu commodo.
domum seruauit. lanam fecit. dixi. abei.

POMPILIVS

fl. 100 B.C.

45.   *His Poetical Lineage*

PACVI discipulus dicor, porro is fuit Enni,
Ennius Musarum: Pompilius clueor.

VALERIVS AEDITVVS

fl. 100 B.C.

46.   *The Lamp of Love*

QVID faculam praefers, Phileros, quae nil opus nobis?
ibimus sic: lucet pectoris flamma satis:
istam nam potis est uis saeua extinguere uenti,
aut imber caelo candidus praecipitans:
at contra hunc ignem Veneris, nisi si Venus ipsa,
nullast quae possit uis alia opprimere.

22

Q. LVTATIVS CATVLVS

Cons. 102 B.C.

47.   *Lost : A Heart*

AVFVGIT mi animus ; credo, ut solet, ad Theotimum
    deuenit. sic est : perfugium illud habet.
quid ? quasi non interdixem ne illunc fugitiuom
    mitteret ad se intro, sed magis eiceret !
ibimus quaesitum.   uerum ne ipsei teneamur
    formido.   quid ago ? da, Venus, consilium.

48.   *The Rising Sun of Roscius*

CONSTITERAM exorientem Auroram forte salutans,
    cum subito a laeua Roscius exoritur.
pace mihi liceat, caelestes, dicere uestra :
    mortalis uisust pulcrior esse deo.

PORCIVS LICINVS

fl. 100 B.C.

49.   *Ignis Homo Est*

CVSTODES ouium tenerae propaginis, agnum,
    quaeritis ignem ? ite huc.   quaeritis ? ignis homost.
si digito attigero, incendam siluam simul omnem,
    omne pecus flammast, omnia qua uideo.

50.   *Terence corrupted by his Patrons*

DVM lasciuiam nobilium et laudes fucosas petit,
    dum Africani uocem diuinam haurit auidis auribus,
dum ad Philum se cenitare et Laelium pulchrum putat,
dum se amari ab his concredit, crebro in Albanum uenit,
suis postlatis rebus ad summam inopiam redactus est.

23

itaque ex conspectu omnium abit ut Graeciae in terram
    ultumam,
mortuost Stymphali, Arcadiae in oppido : nil Publius
Scipio profuit, nihil illei Laelius, nil Furius,
tres per id tempus qui agitabant facile nobilissumei :
eorum ille opera ne domum quidem habuit conducticiam,
saltem ut esset quo referret obitum domini seruolus.

LAEVIVS

fl. 100 B.C.

51.   *From the Erotopaegnia*

i

TV, Andromacha, per ludum manu
  lasciuola, ac tenellula
capiti meo, trepidans libens,
insolita plexti munera.

ii

CORPORE tenuato pectoreque
  undique obeso ac mente exsensa
tardigeniclo senio obpressum.

iii

VENVS amoris altrix genetrix cuppiditatis, mihi
  quae diem serenum hilarula praepandere cresti
opseculae tuae ac ministrae,
etsi ne utiquam, quid foret expauita grauis dura fera asperaque famultas, potui domnio in ac-
    cipere superbo.

M. FVRIVS BIBACVLVS

52.   *The Garden of Valerius Cato*

SI quis forte mei domum Catonis,
   depictas minio assulas, et illos
custodis uidet hortulos Priapi,
miratur quibus ille disciplinis
tantam sit sapientiam assecutus,
quem tres cauliculi, selibra farris,
racemi duo tegula sub una
ad summam prope nutriant senectam.

53.   *The Reward of the Scholar*

CATONIS modo, Galle, Tusculanum
   tota creditor urbe uenditabat
mirati sumus unicum magistrum,
summum grammaticum, optumum poetam
omnes soluere posse quaestiones,
unum deficere expedire nomen :
en cor Zenodoti, en iecur Cratetis !

25

ORACVLVM
MARCIO VATI ATTRIBVTVM

54. 76 B.C. (?)

AMNEM, Troiugena, Cannam fuge, defuge Cannam:
neue alienigenae cogant te conserere unquam
in campo Diomedis manus. sed tu neque credes
ante mihi donec compleris sanguine campum
multaque milia caesorum tibi deferat amnis
in pontum ex gremio terrai frugiferai :
quaeque colunt terras pisces uolucresque feraeque
his fuat esca caro tua. Iuppiter haec mihi fatust.

M. TVLLIVS CICERO

106-43 B.C.

55. ## *De Consulatu Suo*

PRINCIPIO aetherio flammatus Iuppiter igni
uertitur et totum conlustrat lumine mundum
menteque diuina caelum terrasque petessit,
quae penitus sensus hominum uitasque retentat,
aetheris aeterni saepta atque inclusa cauernis.
et si stellarum motus cursusque uagantis
nosse uelis, qua et sint signorum in sede locatae,
quae uerbo ex falsis Graiorum uocibus errant,
re uera certo lapsu spatioque feruntur,
omnia iam cernes diuina mente notata.
nam primum astrorum uolucris te consule motus
concursusque graui stellarum ardore micantis

26

tu quoque, cum tumulos Albano in monte niualis
lustrasti et laeto mactasti lacte Latinas,
uidisti et claro tremulos ardore cometas;
multaque misceri nocturna strage putasti,
quod ferme dirum in tempus cecidere Latinae,
cum claram speciem concreto lumine luna
abdidit et subito stellanti nocte perempta est.
quid uero, ut Phoebi fax, tristis nuntia belli,
quae magnum ad columen flammato ardore uolabat,
praecipitis caeli partis obitusque petessit?
aut cum terribili perculsus fulmine ciuis
luce serenanti uitalia lumina liquit?
aut cum se grauido tremefecit corpore tellus?
iam uero uariae nocturno tempore uisae
terribilis formae bellum motusque monebant,
multaque per terras uates oracla furenti
pectore fundebant tristis minitantia casus:
quidue ea quae lapsu ceciderunt aera uetusto?
haec, fora perpetuis signis clarisque frequentans,
ipse deum genitor caelo terrisque canebat.
aut ea Torquato quae quondam et consule Cotta
Lydius ediderat Tyrrhenae gentis haruspex?
omnia fixa tuus glomerans determinat annus.
nam pater altitonans stellanti nixus Olympo
ipse suos quondam tumulos ac templa petiuit
et Capitolinis iniecit sedibus ignis.
tum species ex aere uetus uenerataque Nattae
concidit elapsaeque uetusto numine leges,
et diuom simulacra peremit fulminis ardor.
hic siluestris erat Romani nominis altrix,
Martia, quae paruos Mauortis semine natos
uberibus grauidis uitali rore rigabat:
quae tum cum pueris flammato fulminis ictu

concidit atque auolsa pedum uestigia liquit.
tum quis non artis scripta ac monumenta uolutans
uoces tristificas chartis promebat Etruscis ?
Lucmones, genus Etrusca de stirpe profectum,
uoluier ingentem cladem pestemque monebant,
tum legum exitium constanti uoce ferebant,
templa deumque adeo flammis urbemque iubebant
eripere et stragem horribilem caedemque uereri ;
atque haec fixa graui fato ac fundata teneri,
nei posta excelsum ad columen formata decore
sancta Iouis species claros spectaret in ortus :
tum fore ut occultos populus sanctusque senatus
cernere conatus posset, si solis ad ortum
conuorsa inde patrum sedes populique uideret.
haec tardata diu species multumque morata
consule te tandem celsa est in sede locata ;
atque una fixi ac signati temporis hora
Iuppiter excelsa clarabat sceptra columna
et clades patriae flamma ferroque parata
uocibus Allobrogum patribus populoque patebat.
rite igitur ueteres, quorum monumenta tenetis,
qui populos urbisque modo ac uirtute regebant,
rite etiam uostri, quorum pietasque fidesque
praestitit ac longe uicit sapientia cunctos,
praecipue coluere uigenti numine diuos.
haec adeo penitus cura uidere sagaci,
otia qui stadiis laeti tenuere decoris
inque Academia umbrifera nitidoque Lyceo
sudarunt claras fecundi pectoris artis.
e quibus ereptum, primo iam a flore iuuentae,
te patria in media uirtutum mole locauit.
tu tamen anxiferas curas requiete relaxans,
quod patriae uacat, his studiis nobisque sacrasti.

56. *Marius*

HIC Iouis altisoni subito pinnata satelles
  arboris e trunco serpentis saucia morsu
subrigit, ipsa feris transfigens unguibus, anguem
semianimum et uaria grauiter ceruice micantem;
quem se intorquentem lanians rostroque cruentans,
iam satiata animo, iam duros ulta dolores,
abicit ecflantem et laceratum adfligit in undas,
seque obitu a solis nitidos conuertit ad ortus.
hanc ubi praepetibus pinnis lapsuque uolantem
conspexit Marius, diuini numinis augur,
faustaque signa suae laudis reditusque notauit,
partibus intonuit caeli pater ipse sinistris:
sic aquilae clarum firmauit Iuppiter omen.

Translations from the Greek

57. *From the Odyssey*

O DECVS Argolicum, quin puppim flectis, Vlixes,
  auribus ut nostros possis agnoscere cantus?
nam nemo haec umquam est transuectus caerula cursu,
quin prius adstiterit uocum dulcedine captus,
post, uariis auido satiatus pectore Musis,
doctior ad patrias lapsus peruenerit oras.
nos graue certamen belli clademque tenemus
Graecia quam Troiae diuino numine uexit,
omneque quod celat frugum uix indiga tellus.

58. *From Sophocles*

O MVLTA dictu grauia, perpessu aspera,
quae corpore exanclata atque animo pertuli!
nec mihi Iunonis terror inplacabilis
nec tantum inuexit tristis Eurystheus mali,
quantum una uaecors Oenei partu edita.
haec me inretiuit ueste furiali inscium,
quae laterei inhaerens morsu lacerat uiscera,
urgensque grauiter pulmonum haurit spiritus:
iam decolorem sanguinem omnem exsorbuit.
sic corpus clade horribili absumptum extabuit:
ipse inligatus peste interemor textili.
hos non hostilis dextra, non Terra edita
moles Gigantum, non biformato impetu
Centaurus ictus corpori inflixit meo,
non Graia uis, non barbara ulla inmanitas,
non saeua terris gens relegata ultimis,
quas peragrans undique omnem ecferitatem expuli,
sed feminae uir feminea interemor manu.
o nate, uere hoc nomen usurpa patri,
neu me occidentem matris superet caritas.
huc adripe ad me manibus abstractam piis:
iam cernam mene an illam potiorem putes.
perge, aude, nate! inlacrima patris pestibus,
miserere: gentes nostras flebunt miserias.
heu, uirginalem me ore ploratum edere,
quem uidit nemo ulli ingemescentem malo!
ecfeminata uirtus adflicta occidit.
accede, nate, adsiste, miserandum aspice
euiscerati corpus laceratum patris!
uidete, cuncti, tuque, caelestum sator,
iace, obsecro, in me uim coruscam fulminis!

nunc nunc dolorum anxiferi torquent uertices,
nunc serpit ardor.   o ante uictrices manus,
o pectora, o terga, o lacertorum tori,
uestrone pressu quondam Nemeaeus leo
frendens efflauit grauiter extremum halitum?
haec dextra Lernam taetra mactata excetra
pacauit, haec bicorporem adflixit manum,
Erymanthiam haec uastificam abiecit beluam,
haec e Tartarea tenebrica abstractum plaga
tricipitem adduxit Hydra generatum canem,
haec interemit tortu multiplicabili
draconem, auriferam optutu adseruantem arborem.
multa alia uictrix nostra lustrauit manus,
nec quisquam e nostris spolia cepit laudibus.

59.   *From Euripides*

MORTALIS nemo est quem non attingit dolor
morbique multi : sunt humandi liberi,
rursum creandi, morsque est finita omnibus.
quae generei humano angorem nequicquam adferunt :
reddenda terrae est terra, tum uita omnibus
metenda, ut fruges : sic iubet necessitas.

C. HELVIVS CINNA

fl. 50 B.C.

60. An Astronomical Poem written upon Mallow Leaves

HAEC tibi Arateis multum uigilata lucernis
carmina, quis ignis nouimus aetherios,
leuis in aridulo maluae descripta libello
Prusiaca uexi munera nauicula.

M. TVLLIVS LAVREA

fl. 40 B.C.

61. *Magic Waters in the Garden of Cicero's Villa*

QVO tua, Romanae uindex clarissime linguae,
  silua loco melius surgere iussa uiret
atque Academiae celebratam nomine uillam
  nunc reparat cultu sub potiore Vetus,
hoc etiam apparent lymphae non ante repertae,
  languida quae infuso lumina rore leuant.
nimirum locus ipse sui Ciceronis honori
  hoc dedit, hac fontes cum patefecit ope,
ut, quoniam totum legitur sine fine per orbem,
  sint plures oculis quae medeantur aquae.

Q. TVLLIVS CICERO

102-43 B.C.

62. *Astronomical Fragment*

FLVMINA uerna cient obscuro lumine Pisces
  curriculumque Aries aequat noctisque diique,
cornua quem condunt florum praenuntia Tauri;
aridaque aestatis Gemini primordia pandunt,
longaque iam minuit praeclarus lumina Cancer,
languificosque Leo proflat ferus ore calores.
post modium quatiens Virgo fugat orta uaporem:
autumni reserat portas aequatque diurna
tempora nocturnis dispenso sidere Libra:
effetos ramos denudat flamma Nepai:
pigra Sagittipotens iaculatur frigora terris:

bruma gelu glaciat iubarem spirans Capricorni,
quem sequitur nebulas rorans liquor altus Aquari.
tanta supra circaque uigescunt lumina mundi;
at dextra laeuaque ciet rota fulgida Solis
mobile curriculum et Lunae simulacra feruntur.

C. IVLIVS CAESAR

100–44 B.C.

63.   *Terence*

TV quoque tu in summis, o dimidiate Menander,
poneris, et merito, puri sermonis amator.
lenibus atque utinam scriptis adiuncta foret uis
comica, ut aequato uirtus polleret honore
cum Graecis, neue hac despectus parte iaceres!
unum hoc maceror aureolo tibi desse, Terenti.

C. LICINIVS MACER CALVVS

82–47 B.C.

64.   *Fragments of Epithalamia*

i

LILIVM uaga candido
nympha quod secet ungui.

ii

Vesper it ante iubar quatiens.

iii

Et leges sanctas docuit et cara iugauit
corpora conubiis et magnas condidit urbes.

65.   *The Death of Quintilia*

FORSITAN hoc etiam gaudeat ipsa cinis.

T. LVCRETIVS CARVS

95-54 B.C.

66.   *Exordium*

AENEADVM genetrix, hominum diuumque uoluptas,
alma Venus, caeli subter labentia signa
quae mare nauigerum, quae terras frugiferentis
concelebras, per te quoniam genus omne animantum
concipitur uisitque exortum lumina solis :
te, dea, te fugiunt uenti, te nubila caeli
aduentumque tuum, tibi suauis daedala tellus
summittit flores, tibi rident aequora ponti
placatumque nitet diffuso lumine caelum.
nam simul ac species patefactast uerna diei
et reserata uiget genitabilis aura fauoni,
aeriae primum uolucres te, diua, tuumque
significant initum perculsae corda tua ui.
inde ferae pecudes persultant pabula laeta
et rapidos tranant amnis : ita capta lepore
te sequitur cupide quo quamque inducere pergis.
denique per maria ac montis fluuiosque rapaces
frondiferasque domos auium camposque uirentis
omnibus incutiens blandum per pectora amorem
efficis ut cupide generatim saecla propagent.
quae quoniam rerum naturam sola gubernas
nec sine te quicquam dias in luminis oras
exoritur neque fit laetum neque amabile quicquam,
te sociam studeo scribendis uersibus esse
quos ego de rerum natura pangere conor
Memmiadae nostro, quem tu, dea, tempore in omni
omnibus ornatum uoluisti excellere rebus.
quo magis aeternum da dictis, diua, leporem.
effice ut interea fera moenera militiai
per maria ac terras omnis sopita quiescant.

34

nam tu sola potes tranquilla pace iuuare
mortalis, quoniam belli fera moenera Mauors
armipotens regit, in gremium qui saepe tuum se
reicit aeterno deuictus uulnere amoris,
atque ita suspiciens tereti ceruice reposta
pascit amore auidos inhians in te, dea, uisus,
eque tuo pendet resupini spiritus ore.
hunc tu, diua, tuo recubantem corpore sancto
circumfusa super, suauis ex ore loquelas
funde petens placidam Romanis, incluta, pacem.
nam neque nos agere hoc patriai tempore iniquo
possumus aequo animo nec Memmi clara propago
talibus in rebus communi desse saluti.
quod superest, uacuas auris animumque sagacem
semotum a curis adhibe ueram ad rationem,
ne mea dona tibi studio disposta fideli,
intellecta prius quam sint, contempta relinquas.
nam tibi de summa caeli ratione deumque
disserere incipiam et rerum primordia pandam,
unde omnis natura creet res auctet alatque,
quoue eadem rursum natura perempta resoluat,
quae nos materiem et genitalia corpora rebus
reddunda in ratione uocare et semina rerum
appellare suemus et haec eadem usurpare
corpora prima, quod ex illis sunt omnia primis.
    Humana ante oculos foede cum uita iaceret
in terris oppressa graui sub religione,
quae caput a caeli regionibus ostendebat
horribili super aspectu mortalibus instans,
primum Graius homo mortalis tollere contra
est oculos ausus primusque obsistere contra:
quem neque fama deum nec fulmina nec minitanti
murmure compressit caelum, sed eo magis acrem

irritat animi uirtutem, effringere ut arta
naturae primus portarum claustra cupiret.
ergo uiuida uis animi peruicit, et extra
processit longe flammantia moenia mundi
atque omne immensum peragrauit mente animoque :
unde refert nobis uictor quid possit oriri,
quid nequeat, finita potestas denique cuique
quanam sit ratione atque alte terminus haerens.
quare religio pedibus subiecta uicissim
obteritur, nos exaequat uictoria caelo.

Illud in his rebus uereor, ne forte rearis
impia te rationis inire elementa uiamque
indugredi sceleris.   quod contra saepius illa
religio peperit scelerosa atque impia facta :
Aulide quo pacto Triuiai uirginis aram
Iphianassai turparunt sanguine foede
ductores Danaum delecti, prima uirorum.
cui simul infula uirgineos circumdata comptus
ex utraque pari malarum parte profusast,
et maestum simul ante aras adstare parentem
sensit et hunc propter ferrum celare ministros
aspectuque suo lacrimas effundere ciuis,
muta metu terram genibus summissa petebat :
nec miserae prodesse in tali tempore quibat
quod patrio princeps donarat nomine regem ;
nam sublata uirum manibus tremebundaque ad aras
deductast, non ut sollemni more sacrorum
perfecto posset claro comitari Hymenaeo,
sed casta inceste nubendi tempore in ipso
hostia concideret mactatu maesta parentis,
exitus ut classi felix faustusque daretur—
tantum religio potuit suadere malorum.

Tutemet a nobis iam quouis tempore uatum

36

terriloquis uictus dictis desciscere quaeres.
quippe etenim quam multa tibi iam fingere possunt
somnia quae uitae rationes uertere possint
fortunasque tuas omnis turbare timore !
et merito.   nam si certam finem esse uiderent
aerumnarum homines, aliqua ratione ualerent
religionibus atque minis obsistere uatum.
nunc ratio nulla est restandi, nulla facultas,
aeternas quoniam poenas in morte timendumst.
ignoratur enim quae sit natura animai,
nata sit an contra nascentibus insinuetur,
et simul intereat nobiscum morte dirempta,
an tenebras Orci uisat uastasque lacunas,
an pecudes alias diuinitus insinuet se :
Ennius ut noster cecinit qui primus amoeno
detulit ex Helicone perenni fronde coronam,
per gentis Italas hominum quae clara clueret :
etsi praeterea tamen esse Acherusia templa
Ennius aeternis exponit uersibus edens,
quo neque permanent animae neque corpora nostra,
sed quaedam simulacra modis pallentia miris ;
unde sibi exortam semper florentis Homeri
commemorat speciem lacrimas effundere salsas
coepisse et rerum naturam expandere dictis.
quapropter bene cum superis de rebus habenda
nobis est ratio, solis lunaeque meatus
qua fiant ratione, et qua ui quaeque gerantur
in terris, tum cum primis ratione sagaci
unde anima atque animi constet natura uidendum
et quae res nobis uigilantibus obuia mentis
terrificet morbo adfectis somnoque sepultis,
cernere uti uideamur eos audireque coram,
morte obita quorum tellus amplectitur ossa.

Nec me animi fallit Graiorum obscura reperta
difficile inlustrare Latinis uersibus esse,
multa nouis uerbis praesertim cum sit agendum
propter egestatem linguae et rerum nouitatem ;
sed tua me uirtus tamen et sperata uoluptas
suauis amicitiae quemuis sufferre laborem
suadet et inducit noctes uigilare serenas
quaerentem dictis quibus et quo carmine demum
clara tuae possim praepandere lumina menti,
res quibus occultas penitus conuisere possis.

    Hunc igitur terrorem animi tenebrasque necessest
non radii solis neque lucida tela diei
discutiant, sed naturae species ratioque.

67.   *The Rule of Reason*

SVAVE, mari magno turbantibus aequora uentis,
  e terra magnum alterius spectare laborem ;
non quia uexari quemquamst iucunda uoluptas,
sed quibus ipse malis careas quia cernere suaue est :
suaue etiam belli certamina magna tueri
per campos instructa tua sine parte pericli.
sed nil dulcius est, bene quam munita tenere
edita doctrina sapientum templa serena,
despicere unde queas alios passimque uidere
errare atque uiam palantis quaerere uitae,
certare ingenio, contendere nobilitate,
noctes atque dies niti praestante labore
ad summas emergere opes rerumque potiri.
o miseras hominum mentis, o pectora caeca !
qualibus in tenebris uitae quantisque periclis
degitur hoc aeui quodcumquest ! nonne uidere

nil aliud sibi naturam latrare, nisi utqui
corpore seiunctus dolor absit, menti' fruatur
iucundo sensu cura semota metuque?
ergo corpoream ad naturam pauca uidemus
esse opus omnino, quae demant cumque dolorem.
delicias quoque uti multas substernere possint
gratius interdum, neque natura ipsa requirit,
si non aurea sunt iuuenum simulacra per aedes
lampadas igniferas manibus retinentia dextris,
lumina nocturnis epulis ut suppeditentur,
nec domus argento fulget auroque renidet
nec citharae reboant laqueata aurataque tecta.
cum tamen inter se prostrati in gramine molli
propter aquae riuum sub ramis arboris altae
non magnis opibus iucunde corpora curant,
praesertim cum tempestas arridet et anni
tempora conspergunt uiridantis floribus herbas.
nec calidae citius decedunt corpore febres,
textilibus si in picturis ostroque rubenti
iacteris, quam si in plebeia ueste cubandum est.
quapropter quoniam nil nostro in corpore gazae
proficiunt neque nobilitas nec gloria regni,
quod superest, animo quoque nil prodesse putandum;
si non forte tuas legiones per loca campi
feruere cum uideas belli simulacra cientis,
subsidiis magnis Epidauri constabilitas,
feruere cum uideas classem lateque uagari
ornatas armis stlattas pariterque animatas,
his tibi tum rebus timefactae religiones
effugiunt animo pauidae; mortisque timores
tum uacuum pectus linquunt curaque solutum.
quod si ridicula haec ludibriaque esse uidemus,
re ueraque metus hominum curaeque sequaces

nec metuunt sonitus armorum nec fera tela,
audacterque inter reges rerumque potentis
uersantur neque fulgorem reuerentur ab auro
nec clarum uestis splendorem purpureai,
quid dubitas quin omni' sit haec rationi' potestas,
omnis cum in tenebris praesertim uita laboret?
nam ueluti pueri trepidant atque omnia caecis
in tenebris metuunt, sic nos in luce timemus
interdum, nilo quae sunt metuenda magis quam
quae pueri in tenebris pauitant finguntque futura.

68.   *Magna Mater*

           IN curru biiugos agitare leones
hanc ueteres Graium docti cecinere poetae,
aeris in spatio magnam pendere docentes
tellurem neque posse in terra sistere terram:
adiunxere feras, quia quamuis effera proles
officiis debet molliri uicta parentum:
muralique caput summum cinxere corona,
eximiis munita locis quia sustinet urbis;
quo nunc insigni per magnas praedita terras
horrifice fertur diuinae matris imago.
hanc uariae gentes antiquo more sacrorum
Idaeam uocitant matrem Phrygiasque cateruas
dant comites, quia primum ex illis finibus edunt
per terrarum orbem fruges coepisse creari.
gallos attribuunt, quia, numen qui uiolarint
matris et ingrati genitoribus inuenti sint,
significare uolunt indignos esse putandos,
uiuam progeniem qui in oras luminis edant.
tympana tenta tonant palmis et cymbala circum
concaua, raucisonoque minantur cornua cantu,

et Phrygio stimulat numero caua tibia mentis,
telaque praeportant uiolenti signa furoris,
ingratos animos atque impia pectora uulgi
conterrere metu quae possint numini' diuae.
ergo cum primum magnas inuecta per urbis
munificat tacita mortalis muta salute,
aere atque argento sternunt iter omne uiarum
largifica stipe ditantes ninguntque rosarum
floribus umbrantes matrem comitumque caterua.
hic armata manus, Curetas nomine Grai
quos memorant Phrygios, inter se forte quod armis
ludunt in numerumque exsultant sanguine laeti
terrificas capitum quatientes numine cristas,
Dictaeos referunt Curetas qui Iouis illum
uagitum in Creta quondam occultasse feruntur,
cum pueri circum puerum pernice chorea
armati in numerum pulsarent aeribus aera,
ne Saturnus eum malis mandaret adeptus
aeternumque daret matri sub pectore uulnus.
propterea magnam armati matrem comitantur,
aut quia significant diuam praedicere ut armis
ac uirtute uelint patriam defendere terram
praesidioque parent decorique parentibus esse.
quae bene et eximie quamuis disposta ferantur,
longe sunt tamen a uera ratione repulsa.
omnis enim per se diuum natura necessest
immortali aeuo summa cum pace fruatur
semota ab nostris rebus seiunctaque longe.
nam priuata dolore omni, priuata periclis,
ipsa suis pollens opibus, nil indiga nostri,
nec bene promeritis capitur neque tangitur ira.
hic siquis mare Neptunum Cereremque uocare
constituit fruges et Bacchi nomine abuti

mauult quam laticis proprium proferre uocamen,
concedamus ut hic terrarum dictitet orbem
esse deum matrem, dum uera re tamen ipse
religione animum turpi contingere parcat.

69.   *Epicurus and the Fear of Death*

E TENEBRIS tantis tam clarum extollere lumen
qui primus potuisti inlustrans commoda uitae,
te sequor, o Graiae gentis decus, inque tuis nunc
ficta pedum pono pressis uestigia signis,
non ita certandi cupidus quam propter amorem
quod te imitari aueo ; quid enim contendat hirundo
cycnis, aut quidnam tremulis facere artubus haedi
consimile in cursu possint et fortis equi uis ?
tu, pater, es rerum inuentor, tu patria nobis
suppeditas praecepta, tuisque ex, inclute, chartis,
floriferis ut apes in saltibus omnia libant,
omnia nos itidem depascimur aurea dicta,
aurea, perpetua semper dignissima uita.
nam simul ac ratio tua coepit uociferari
naturam rerum, diuina mente coorta,
diffugiunt animi terrores, moenia mundi
discedunt, totum uideo per inane geri res.
apparet diuum numen sedesque quietae
quas neque concutiunt uenti nec nubila nimbis
aspergunt neque nix acri concreta pruina
cana cadens uiolat semperque innubilus aether
integit, et large diffuso lumine rident.
omnia suppeditat porro natura neque ulla
res animi pacem delibat tempore in ullo.
at contra nusquam apparent Acherusia templa
nec tellus obstat quin omnia dispiciantur,
sub pedibus quaecumque infra per inane geruntur.

his ibi me rebus quaedam diuina uoluptas
percipit atque horror, quod sic natura tua ui
tam manifesta patens ex omni parte retecta est.

    Et quoniam docui cunctarum exordia rerum
qualia sint et quam uariis distantia formis
sponte sua uolitent aeterno percita motu,
quoue modo possint res ex his quaeque creari,
hasce secundum res animi natura uidetur
atque animae claranda meis iam uersibus esse
et metus ille foras praeceps Acheruntis agendus,
funditus humanam qui uitam turbat ab imo
omnia suffundens mortis nigrore neque ullam
esse uoluptatem liquidam puramque relinquit.
nam quod saepe homines morbos magis esse timendos
infamemque ferunt uitam quam Tartara leti
et se scire animae naturam sanguinis esse
aut etiam uenti, si fert ita forte uoluntas,
nec prorsum quicquam nostrae rationis egere,
hinc licet aduertas animum magis omnia laudis
iactari causa quam quod res ipsa probetur.
extorres idem patria longeque fugati
conspectu ex hominum, foedati crimine turpi,
omnibus aerumnis adfecti denique uiuunt,
et quocumque tamen miseri uenere parentant
et nigras mactant pecudes et manibu' diuis
inferias mittunt multoque in rebus acerbis
acrius aduertunt animos ad religionem.
quo magis in dubiis hominem spectare periclis
conuenit aduersisque in rebus noscere qui sit;
nam uerae uoces tum demum pectore ab imo
eliciuntur et eripitur persona mala re.
denique auarities et honorum caeca cupido,
quae miseros homines cogunt transcendere finis

iuris et interdum socios scelerum atque ministros
noctes atque dies niti praestante labore
ad summas emergere opes, haec uulnera uitae
non minimam partem mortis formidine aluntur.
turpis enim ferme contemptus et acris egestas
semota ab dulci uita stabilique uidetur
et quasi iam leti portas cunctarier ante;
unde homines dum se falso terrore coacti
effugisse uolunt longe longeque remosse,
sanguine ciuili rem conflant diuitiasque
conduplicant auidi, caedem caede accumulantes;
crudeles gaudent in tristi funere fratris
et consanguineum mensas odere timentque.
consimili ratione ab eodem saepe timore
macerat inuidia: ante oculos illum esse potentem,
illum aspectari, claro qui incedit honore,
ipsi se in tenebris uolui caenoque queruntur.
intereunt partim statuarum et nominis ergo;
et saepe usque adeo, mortis formidine, uitae
percipit humanos odium lucisque uidendae,
ut sibi consciscant maerenti pectore letum
obliti fontem curarum hunc esse timorem,
hunc uexare pudorem, hunc uincula amicitiai
rumpere et in summa pietatem euertere fraude.
nam iam saepe homines patriam carosque parentis
prodiderunt, uitare Acherusia templa petentes.
nam ueluti pueri trepidant atque omnia caecis
in tenebris metuunt, sic nos in luce timemus
interdum, nilo quae sunt metuenda magis quam
quae pueri in tenebris pauitant finguntque futura.
hunc igitur terrorem animi tenebrasque necessest
non radii solis neque lucida tela diei
discutiant, sed naturae species ratioque.

T. LVCRETIVS CARVS

70.   *The Powers of Hell*

DENIQVE si uocem rerum natura repente
   mittat et hoc alicui nostrum sic increpet ipsa:
'quid tibi tanto operest, mortalis, quod nimis aegris
luctibus indulges? quid mortem congemis ac fles?
nam si grata fuit tibi uita anteacta priorque
et non omnia pertusum congesta quasi in uas
commoda perfluxere atque ingrata interiere:
cur non ut plenus uitae conuiua recedis
aequo animoque capis securam, stulte, quietem?
sin ea quae fructus cumque es periere profusa
uitaque in offensast, cur amplius addere quaeris,
rursum quod pereat male et ingratum occidat omne,
non potius uitae finem facis atque laboris?
nam tibi praeterea quod machiner inueniamque,
quod placeat, nil est: eadem sunt omnia semper.
si tibi non annis corpus iam marcet et artus
confecti languent, eadem tamen omnia restant,
omnia si pergas uiuendo uincere saecla,
atque etiam potius, si numquam sis moriturus,'
quid respondemus, nisi iustam intendere litem
naturam et ueram uerbis exponere causam?
grandior hic uero si iam seniorque queratur
atque obitum lamentetur miser amplius aequo,
non merito inclamet magis et uoce increpet acri?
'aufer abhinc lacrimas, balatro, et compesce querelas:
omnia perfunctus uitai praemia marces,
sed quia semper aues quod abest, praesentia temnis,
imperfecta tibi elapsast ingrataque uita
et nec opinanti mors ad caput adstitit ante
quam satur ac plenus possis discedere rerum.

T. LVCRETIVS CARVS

nunc aliena tua tamen aetate omnia mitte
aequo animoque, agedum, iam aliis concede : necessest.'
iure, ut opinor, agat, iure increpet inciletque.
cedit enim rerum nouitate extrusa uetustas
semper, et ex aliis aliud reparare necessest :
nec quisquam in barathrum nec Tartara deditur atra.
materies opus est ut crescant postera saecla ;
quae tamen omnia te uita perfuncta sequentur ;
nec minus ergo ante haec quam tu cecidere, cadentque.
sic alid ex alio numquam desistet oriri,
uitaque mancipio nulli datur, omnibus usu.
respice item quam nil ad nos anteacta uetustas
temporis aeterni fuerit, quam nascimur ante.
hoc igitur speculum nobis natura futuri
temporis exponit post mortem denique nostram.
numquid ibi horribile apparet, num triste uidetur
quicquam, non omni somno securius exstat ?

Atque ea nimirum quaecumque Acherunte profundo
prodita sunt esse, in uita sunt omnia nobis.
nec miser impendens magnum timet aere saxum
Tantalus, ut famast, cassa formidine torpens ;
sed magis in uita diuum metus urget inanis
mortalis casumque timent quem cuique ferat fors ;
nec Tityon uolucres ineunt Acherunte iacentem
nec quod sub magno scrutentur pectore quicquam
perpetuam aetatem possunt reperire profecto ;
quamlibet immani proiectu corporis exstet,
qui non sola nouem dispessis iugera membris
obtineat, sed qui terrai totius orbem,
non tamen aeternum poterit perferre dolorem
nec praebere cibum proprio de corpore semper ;
sed Tityos nobis non est in amore iacentem
quem uolucres lacerant : at quem exest anxius angor

46

aut alia quauis scindunt cuppedine curae.
Sisyphus in uita quoque nobis ante oculos est
qui petere a populo fascis saeuasque securis
imbibit et semper uictus tristisque recedit.
nam petere imperium quod inanest nec datur umquam,
atque in eo semper durum sufferre laborem,
hoc est aduerso nixantem trudere monte
saxum quod tamen e summo iam uertice rursum
uoluitur et plani raptim petit aequora campi.
deinde animi ingratam naturam pascere semper
atque explere bonis rebus satiareque numquam,
quod faciunt nobis annorum tempora, circum
cum redeunt fetusque ferunt uariosque lepores,
nec tamen explemur uitai fructibus umquam,
hoc, ut opinor, id est, aeuo florente puellas
quod memorant laticem pertusum congerere in uas,
quod tamen expleri nulla ratione potestur.
Cerberus et furiae iam uero et lucis egestas
Tartarus horriferos eructans faucibus aestus,
quid? neque sunt usquam nec possunt esse profecto.
sed metus in uita poenarum pro male factis
est insignibus insignis, scelerisque luella,
carcer et horribilis de saxo iactu' deorsum,
uerbera, carnifices, robur, pix, lammina, taedae;
quae tamen etsi absunt, at mens sibi conscia factis
praemetuens adhibet stimulos terretque flagellis,
nec uidet interea qui terminus esse malorum
possit nec quae sit poenarum denique finis,
atque eadem metuit magis haec ne in morte grauescant.
hic Acherusia fit stultorum denique uita.

    Hoc etiam tibi tute interdum dicere possis
'lumina sis oculis etiam bonus Ancu' reliquit
qui melior multis quam tu fuit, improbe, rebus:

inde alii multi reges rerumque potentes
occiderunt, magnis qui gentibus imperitarunt :
ille quoque ipse, uiam qui quondam per mare magnum
strauit iterque dedit legionibus ire per altum
ac pedibus salsas docuit super ire lacunas
et contempsit equis insultans murmura ponti,
lumine adempto animam moribundo corpore fudit :
Scipiadas, belli fulmen, Carthaginis horror,
ossa dedit terrae proinde ac famul infimus esset :
adde repertores doctrinarum atque leporum,
adde Heliconiadum comites ; quorum unus Homerus
sceptra potitus eadem aliis sopitu' quietest :
denique Democritum postquam matura uetustas
admonuit memores motus languescere mentis,
sponte sua leto caput obuius obtulit ipse :
ipse Epicurus obit decurso lumine uitae,
qui genus humanum ingenio superauit et omnis
restinxit stellas exortus ut aetherius sol.
tu uero dubitabis et indignabere obire ?
mortua cui uita est prope iam uiuo atque uidenti,
qui somno partem maiorem conteris aeui
et uigilans stertis nec somnia cernere cessas
sollicitamque geris cassa formidine mentem
nec reperire potes tibi quid sit saepe mali, cum
ebrius urgeris multis miser undique curis
atque animi incerto fluitans errore uagaris.'

71. *The World's Conquerors*

QVIS potis est dignum pollenti pectore carmen
   condere pro rerum maiestate hisque repertis?
quisue ualet uerbis tantum qui fingere laudes
pro meritis eius possit qui talia nobis
pectore parta suo quaesitaque praemia liquit?
nemo, ut opinor, erit mortali corpore cretus.
nam si, ut ipsa petit maiestas cognita rerum,
dicendum est, deus ille fuit, deus, inclute Memmi,
qui princeps uitae rationem inuenit eam quae
nunc appellatur sapientia, quique per artem
fluctibus e tantis uitam tantisque tenebris
in tam tranquillo et tam clara luce locauit.
confer enim diuina aliorum antiqua reperta.
namque Ceres fertur fruges Liberque liquoris
uitigeni laticem mortalibus instituisse;
cum tamen his posset sine rebus uita manere,
ut fama est aliquas etiam nunc uiuere gentis.
at bene non poterat sine puro pectore uiui;
quo magis hic merito nobis deus esse uidetur,
ex quo nunc etiam per magnas didita gentis
dulcia permulcent animos solacia uitae.
Herculis antistare autem si facta putabis,
longius a uera multo ratione ferere.
quid Nemeaeus enim nobis nunc magnus hiatus
ille leonis obesset et horrens Arcadius sus?
denique quid Cretae taurus Lernaeaque pestis
hydra uenenatis posset uallata colubris?
quidue tripectora tergemini uis Geryonai?
tanto opere officerent quid aues Stymphala colentes,
et Diomedis equi spirantes naribus ignem
Thracis Bistoniasque plagas atque Ismara propter?

aureaque Hesperidum seruans fulgentia mala,
asper, acerba tuens, immani corpore serpens
arboris amplexus stirpem quid denique obesset
propter Atlanteum litus pelageque sonora,
quo neque noster adit quisquam nec barbarus audet?
cetera de genere hoc quae sunt portenta perempta,
si non uicta forent, quid tandem uiua nocerent?
nil, ut opinor: ita ad satiatem terra ferarum
nunc etiam scatit et trepido terrore repleta est
per nemora ac montis magnos siluasque profundas;
quae loca uitandi plerumque est nostra potestas.
at nisi purgatumst pectus, quae proelia nobis
atque pericula sunt ingratis insinuanda?
quantae tum scindunt hominem cuppedinis acres
sollicitum curae quantique perinde timores?
quidue superbia spurcitia ac petulantia? quantas
efficiunt clades? quid luxus desidiaeque?
haec igitur qui cuncta subegerit ex animoque
expulerit dictis, non armis, nonne decebit
hunc hominem numero diuum dignarier esse?
cum bene praesertim multa ac diuinitus ipsis
immortalibu' de diuis dare dicta suerit
atque omnem rerum naturam pandere dictis.

72. *Primitive Man*

AT genus humanum multo fuit illud in aruis
durius, ut decuit, tellus quod dura creasset,
et maioribus et solidis magis ossibus intus
fundatum, ualidis aptum per uiscera neruis,
nec facile ex aestu nec frigore quod caperetur
nec nouitate cibi nec labi corporis ulla:

multaque per caelum solis uoluentia lustra
uulgiuago uitam tractabant more ferarum,
nec robustus erat curui moderator aratri
quisquam, nec scibat ferro molirier arua
nec noua defodere in terram uirgulta neque altis
arboribus ueteres decidere falcibu' ramos :
quod sol atque imbres dederant, quod terra crearat
sponte sua, satis id placabat pectora donum ;
glandiferas inter curabant corpora quercus
plerumque ; et quae nunc hiberno tempore cernis
arbuta puniceo fieri matura colore,
plurima tum tellus etiam maiora ferebat :
multaque praeterea nouitas tum florida mundi
pabula dura tulit, miseris mortalibus ampla :
at sedare sitim fluuii fontesque uocabant,
ut nunc montibus e magnis decursus aquai
claru' citat late sitientia saecla ferarum :
denique nota uagi siluestria templa tenebant
nympharum, quibus e scibant umori' fluenta
lubrica proluuie larga lauere umida saxa,
umida saxa, super uiridi stillantia musco,
et partim plano scatere atque erumpere campo :
necdum res igni scibant tractare neque uti
pellibus et spoliis corpus uestire ferarum,
sed nemora atque cauos montis siluasque colebant
et frutices inter condebant squalida membra,
uerbera uentorum uitare imbrisque coacti :
nec commune bonum poterant spectare neque ullis
moribus inter se scibant nec legibus uti :
quod cuique obtulerat praedae fortuna, ferebat
sponte sua sibi quisque ualere et uiuere doctus :
et Venus in siluis iungebat corpora amantum,
conciliabat enim uel mutua quamque cupido

uel uiolenta uiri uis atque impensa libido
uel pretium, glandes atque arbuta uel pira lecta:
et manuum mira freti uirtute pedumque
consectabantur siluestria saecla ferarum
missilibus saxis et magno pondere clauae,
multaque uincebant, uitabant pauca latebris ;
saetigerisque subus pariles siluestria membra
nuda dabant terrae nocturno tempore capti,
circum se foliis ac frondibus inuoluentes :
nec plangore diem magno solemque per agros
quaerebant pauidi palantes noctis in umbris,
sed taciti respectabant somnoque sepulti,
dum rosea face sol inferret lumina caelo :
a paruis quod enim consuerant cernere semper
alterno tenebras et lucem tempore gigni,
non erat ut fieri posset mirarier umquam
nec diffidere ne terras aeterna teneret
nox in perpetuum detracto lumine solis ;
sed magis illud erat curae, quod saecla ferarum
infestam miseris faciebant saepe quietem :
eiectique domo fugiebant saxea tecta
spumigeri suis aduentu ualidique leonis
atque intempesta cedebant nocte pauentes
hospitibus saeuis instrata cubilia fronde.

Nec nimio tum plus quam nunc mortalia saecla
dulcia linquebant languentis lumina uitae.
unus enim tum quisque magis deprensus eorum
pabula uiua feris praebebat, dentibus haustus,
et nemora ac montis gemitu siluasque replebat
uiua uidens uiuo sepeliri uiscera busto.
et quos effugium seruarat corpore adeso,
posterius tremulas super ulcera taetra tenentes
palmas horriferis accibant uocibus Orcum,

52

donec eos uita priuarant uermina saeua
expertis opis, ignaros quid uulnera uellent.
at non multa uirum sub signis milia ducta
una dies dabat exitio nec turbida ponti
aequora lidebant nauis ad saxa uirosque.
hic temere incassum frustra mare saepe coortum
saeuibat leuiterque minas ponebat inanis,
nec poterat quemquam placidi pellacia ponti
subdola pellicere in fraudem ridentibus undis,
improba nauigiis ratio cum caeca iacebat.
tum penuria deinde cibi languentia leto
membra dabat, contra nunc rerum copia mersat.
illi imprudentes ipsi sibi saepe uenenum
uergebant, uinum damni sollertia sumpsit.

73.   *Origin of Belief in God*

NVNC quae causa deum per magnas numina gentis
peruulgarit et ararum compleuerit urbis
suscipiendaque curarit sollemnia sacra,
quae nunc in magnis florent sacra rebu' locisque,
unde etiam nunc est mortalibus insitus horror
qui delubra deum noua toto suscitat orbi
terrarum et festis cogit celebrare diebus,
non ita difficilest rationem reddere uerbis.
quippe etenim iam tum diuum mortalia saecla
egregias animo facies uigilante uidebant
et magis in somnis mirando corporis auctu.
his igitur sensum tribuebant propterea quod
membra mouere uidebantur uocesque superbas
mittere pro facie praeclara et uiribus amplis ;
aeternamque dabant uitam, quia semper eorum
suppeditabatur facies et forma manebat,

et tamen omnino quod tantis uiribus auctos
non temere ulla ui conuinci posse putabant;
fortunisque ideo longe praestare putabant,
quod mortis timor haud quemquam uexaret eorum,
et simul in somnis quia multa et mira uidebant
efficere et nullum capere ipsos inde laborem.
praeterea caeli rationes ordine certo
et uaria annorum cernebant tempora uerti,
nec poterant quibus id fieret cognoscere causis.
ergo perfugium sibi habebant omnia diuis
tradere et illorum nutu facere omnia flecti;
in caeloque deum sedis et templa locarunt,
per caelum uolui quia sol et luna uidetur,
luna dies et nox et noctis signa seuera
noctiuagaeque faces caeli flammaeque uolantes,
nubila sol imbres nix uenti fulmina grando
et rapidi fremitus et murmura magna minarum.

O genus infelix humanum, talia diuis
cum tribuit facta atque iras adiunxit acerbas!
quantos tum gemitus ipsi sibi, quantaque nobis
uulnera, quas lacrimas peperere minoribu' nostris!
nec pietas ullast uelatum saepe uideri
uertier ad lapidem atque omnis accedere ad aras
nec procumbere humi prostratum et pandere palmas
ante deum delubra nec aras sanguine multo
spargere quadrupedum nec uotis nectere uota,
sed mage pacata posse omnia mente tueri.
nam cum suspicimus magni caelestia mundi
templa super stellisque micantibus aethera fixum,
et uenit in mentem solis lunaeque uiarum,
tunc aliis oppressa malis in pectora cura
illa quoque expergefactum caput erigere infit,
nequae forte deum nobis immensa potestas

sit, uario motu quae candida sidera uerset.
temptat enim dubiam mentem rationis egestas,
ecquaenam fuerit mundi genitalis origo,
et simul ecquae sit finis, quoad moenia mundi
solliciti motus hunc possint ferre laborem,
an diuinitus aeterna donata salute
perpetuo possint aeui labentia tractu
immensi ualidas aeui contemnere uiris.
praeterea cui non animus formidine diuum
contrahitur, cui non correpunt membra pauore,
fulminis horribili cum plaga torrida tellus
contremit et magnum percurrunt murmura caelum?
non populi gentesque tremunt, regesque superbi
corripiunt diuum percussi membra timore,
nequid ob admissum foede dictumue superbe
poenarum graue sit soluendi tempus adultum?
summa etiam cum uis uiolenti per mare uenti
induperatorem classis super aequora uerrit
cum ualidis pariter legionibus atque elephantis,
non diuum pacem uotis adit ac prece quaesit
uentorum pauidus paces animasque secundas,
nequiquam, quoniam uiolento turbine saepe
correptus nilo fertur minus ad uada leti?
usque adeo res humanas uis abdita quaedam
obterit et pulchros fascis saeuasque securis
proculcare ac ludibrio sibi habere uidetur.
denique sub pedibus tellus cum tota uacillat
concussaeque cadunt urbes dubiaeque minantur,
quid mirum si se temnunt mortalia saecla
atque potestates magnas mirasque relinquunt
in rebus uiris diuum, quae cuncta gubernent?

C. VALERIVS CATVLLVS

84–54 B.C.

√74.   *A Hymn to Diana*

DIANAE sumus in fide
  puellae et pueri integri :
  Dianam pueri integri
  puellaeque canamus.
o Latonia, maximi
  magna progenies Iouis,
  quam mater prope Deliam
  deposiuit oliuam,
montium domina ut fores
  siluarumque uirentium
  saltuumque reconditorum
  amniumque sonantum :
tu Lucina dolentibus
  Iuno dicta puerperis,
  tu potens Triuia et notho's
  dicta lumine Luna.
tu cursu, dea, menstruo
  metiens iter annuum,
  rustica agricolae bonis
  tecta frugibus exples.
sis quocumque tibi placet
  sancta nomine, Romulique
  antique ut solita's bona
  sospites ope gentem.

56

C. VALERIVS CATVLLVS

√75.　　　　*Hymen, O Hymenaee*

IVVENES

VESPER adest, iuuenes, consurgite : Vesper Olympo
　exspectata diu uix tandem lumina tollit.
surgere iam tempus, iam pinguis linquere mensas,
iam ueniet uirgo, iam dicetur hymenaeus.
Hymen O Hymenaee, Hymen ades O Hymenaee !

VIRGINES

Cernitis, innuptae, iuuenes ? consurgite contra ;
nimirum Oetaeos ostendit noctifer ignes.
sic certest ; uiden ut perniciter exsiluere ?
non temere exsiluere, canent quod uisere par est.
Hymen O Hymenaee, Hymen ades O Hymenaee !

IVVENES

Non facilis nobis, aequales, palma parata est,
aspicite, innuptae secum ut meditata requirunt.
non frustra meditantur, habent memorabile quod sit,
nec mirum, penitus quae tota mente laborant.
nos alio mentes, alio diuisimus aures,
iure igitur uincemur, amat uictoria curam.
quare nunc animos saltem committite uestros,
dicere iam incipient, iam respondere decebit.
Hymen O Hymenaee, Hymen ades O Hymenaee !

VIRGINES

Hespere, qui caelo fertur crudelior ignis ?
qui natam possis complexu auellere matris,
complexu matris retinentem auellere natam,
et iuueni ardenti castam donare puellam.
quid faciunt hostes capta crudelius urbe ?
Hymen O Hymenaee, Hymen ades O Hymenaee !

C. VALERIVS CATVLLVS

IVVENES

Hespere, qui caelo lucet iucundior ignis?
qui desponsa tua firmes conubia flamma,
quae pepigere uiri, pepigerunt ante parentes,
nec iunxere prius quam se tuus extulit ardor.
quid datur a diuis felici optatius hora?
Hymen O Hymenaee, Hymen ades O Hymenaee!

VIRGINES

Hesperus e nobis, aequales, abstulit unam.

· · · · · · · ·

Namque tuo aduentu uigilat custodia semper,
nocte latent fures, quos idem saepe reuertens,
Hespere, mutato comprendis nomine Eous.
Hymen O Hymenaee, Hymen ades O Hymenaee!

IVVENES

· · · · · · ·
· · · · · · · ·

at libet innuptis ficto te carpere questu.
quid tum, si carpunt, tacita quem mente requirunt?
Hymen O Hymenaee, Hymen ades O Hymenaee!

VIRGINES

Vt flos in saeptis secretus nascitur hortis,
ignotus pecori, nullo contusus aratro,
quem mulcent aurae, firmat sol, educat imber;
multi illum pueri, multae optauere puellae:
idem cum tenui carptus defloruit ungui,
nulli illum pueri, nullae optauere puellae:
sic uirgo, dum intacta manet, dum cara suis est;
cum castum amisit polluto corpore florem,
nec pueris iucunda manet, nec cara puellis.
Hymen O Hymenaee, Hymen ades O Hymenaee!

C. VALERIVS CATVLLVS

IVVENES

Vt uidua in nudo uitis quae nascitur aruo,
numquam se extollit, numquam mitem educat uuam,
sed tenerum prono deflectens pondere corpus,
iam iam contingit summum radice flagellum,
hanc nulli agricolae, nulli coluere iuuenci :
at si forte eadem est ulmo coniuncta marito,
multi illam agricolae, multi coluere iuuenci :
sic uirgo dum intacta manet, dum inculta senescit ;
cum par conubium maturo tempore adepta est,
cara uiro magis et minus est inuisa parenti.

et tu ne pugna cum tali coniuge uirgo,
non aequom est pugnare, pater cui tradidit ipse,
ipse pater cum matre, quibus parere necesse est.
uirginitas non tota tua est, ex parte parentum est,
tertia pars patrist, pars est data tertia matri,
tertia sola tua est : noli pugnare duobus,
qui genero sua iura simul cum dote dederunt.
Hymen O Hymenaee, Hymen ades O Hymenaee!

76. *Attis*

SVPER alta uectus Attis celeri rate maria,
Phrygium ut nemus citato cupide pede tetigit,
adiitque opaca siluis redimita loca deae,
stimulatus ibi furenti rabie, uagus animis,
deuolsit ilei acuto sibi pondera silice.
itaque ut relicta sensit sibi membra sine uiro,
etiam recente terrae sola sanguine maculans,
niueis citata cepit manibus leue typanum,
typanum tuom, Cybelle, tua, mater, initia,
quatiensque terga taurei teneris caua digitis,
canere haec suis adorta est tremebunda comitibus :
agite ite ad alta, Gallae, Cybeles nemora simul,

simul ite, Dindimenae dominae uaga pecora,
aliena quae petentes uelut exules loca,
sectam meam exsecutae duce me mihi comites,
rapidum salum tulistis truculentaque pelagi,
et corpus euirastis Veneris nimio odio;
hilarate Erae citatis erroribus animum.
mora tarda mente cedat: simul ite, sequimini
Phrygiam ad domum Cybelles, Phrygia ad nemora deae,
ubi cymbalum sonat uox, ubi tympana reboant,
tibicen ubi canit Phryx curuo graue calamo,
ubi capita Maenades ui iaciunt hederigerae,
ubi sacra sancta acutis ululatibus agitant,
ubi sueuit illa diuae uolitare uaga cohors,
quo nos decet citatis celerare tripudiis.
simul haec comitibus Attis cecinit notha mulier,
thiasus repente linguis trepidantibus ululat,
leue tympanum remugit, caua cymbala recrepant,
uiridem citus adit Idam properante pede chorus.
furibunda simul anhelans uaga uadit animam agens
comitata tympano Attis per opaca nemora dux,
ueluti iuuenca uitans onus indomita iugi:
rapidae ducem secuntur Gallae properipedem.
itaque, ut domum Cybelles tetigere lassulae,
nimio e labore somnum capiunt sine Cerere.
piger his labante languore oculos sopor operit:
abit in quiete molli rabidus furor animi.
sed ubi oris aurei Sol radiantibus oculis
lustrauit aethera album, sola dura, mare ferum,
pepulitque noctis umbras uegetis sonipedibus,
ibi Somnus excitum Attin fugiens citus abiit:
trepidante eum recepit dea Pasithea sinu.
ita de quiete molli rapida sine rabie
simul ipse pectore Attis sua facta recoluit,

liquidaque mente uidit sine queis ubique foret,
animo aestuante rusum reditum ad uada tetulit.
ibi maria uasta uisens lacrimantibus oculis,
patriam allocuta maestast ita uoce miseriter :
'patria o mei creatrix, patria o mea genetrix,
ego quam miser relinquens, dominos ut herifugae
famuli solent, ad Idae tetuli nemora pedem,
ut aput niuem et ferarum gelida stabula forem,
et aprum uias adirem, furibunda latibula,
ubinam aut quibus locis te positam, patria, reor ?
cupit ipsa pupula ad te sibi dirigere aciem,
rabie fera carens dum breue tempus animus est.
egone a mea remota haec ferar in nemora domo ?
patria, bonis amicis, genitoribus abero ?
abero foro, palaestra, stadio et gymnasiis ?
miser a miser, querendum est etiam atque etiam, anime.
quod enim genus figuraest, ego non quod obierim ?
ego enim uir, ego adolescens, ego ephebus, ego puer,
ego guminasei fui flos, ego eram decus olei :
mihi ianuae frequentes, mihi limina tepida,
mihi floridis corollis redimita domus erat,
linquendum ubi esset orto mihi sole cubiculum.
ego nunc deum ministra et Cybeles famula ferar ?
ego Maenas, ego mei pars, ego uir sterilis ero ?
ego uiridis algida Idae niue amicta loca colam ?
ego uitam agam sub altis Phrygiae columinibus,
ubi cerua siluicultrix, ubi aper nemoriuagus ?
iam iam dolet quod egi, iam iamque paenitet.'
roseis ut huic labellis sonitus citus abiit,
geminas deorum ad auris noua nuntia referens,
ibi iuncta iuga resoluens Cybele leonibus
laeuumque pecoris hostem stimulans ita loquitur :
'agedum' inquit 'age ferox i, face ut hunc furor agitet,

face uti furoris ictu reditum in nemora ferat,
mea libere nimis qui fugere imperia cupit.
age caede terga cauda, tua uerbera patere,
face cuncta mugienti fremitu loca retonent,
rutilam ferox torosa ceruice quate iubam.'
ait haec minax Cybelle religatque iuga manu.
ferus ipse sese adhortans rapidum incitat animo,
uadit, fremit, refringit uirgulta pede uago.
at ubi umida albicantis loca litoris adiit,
tenerumque uidit Attin prope marmora pelagei,
facit impetum : ille demens fugit in nemora fera :
ibi semper omne uitae spatium famula fuit.
dea, magna dea, Cybelle, dea, domina Dindimei,
procul a mea tuos sit furor omnis, hera, domo :
alios age incitatos, alios age rabidos.

77.   *Iunia weds with Manlius*

        COLLIS o Heliconiei
          cultor, Vraniae genus,
        qui rapis teneram ad uirum
        Virginem, O Hymenaee Hymen,
          Hymen O Hymenaee ;

        Cinge tempora floribus
          suaue olentis amaraci,
          flammeum cape laetus, huc
        Huc ueni, niueo gerens
          luteum pede soccum.

        Excitusque hilari die,
          nuptialia concinens
          uoce carmina tinnula,
        Pelle humum pedibus, manu
          pineam quate taedam.

Namque Iunia Manlio,
  qualis Idalium colens
  uenit ad Phrygium Venus
Iudicem, bona cum bona
  nubet alite uirgo,

Floridis uelut enitens
  myrtus Asia ramulis
  quos Amadryades deae
Ludicrum sibi rosido
  nutriuntur honore.

Quare age, huc aditum ferens,
  perge linquere Thespiae
  rupis Aonios specus;
Nympha quos super irrigat
  frigerans Aganippe.

Ac domum dominam uoca
  coniugis cupidam noui,
  mentem amore reuinciens
Vt tenax hedera huc et huc
  arborem implicat errans.

Vosque item simul integrae
  uirgines, quibus aduenit
  par dies, agite in modum
Dicite, O Hymenaee Hymen,
  Hymen O Hymenaee.

Vt lubentius, audiens
  se citarier ad suum
  munus, huc aditum ferat
Dux bonae Veneris, boni
  coniugator amoris.

Quis deus magis est amat-
    is petendus amantibus?
    quem colent homines magis
Caelitum, O Hymenaee Hymen,
    Hymen O Hymenaee?

Te suis tremulus parens
    inuocat, tibi uirgines
    zonula soluunt sinus.
Te timens cupida nouos
    captat aure maritus.

Tu fero iuueni in manus
    floridam ipse puellulam
    dedis a gremio suae
Matris, O Hymenaee Hymen,
    Hymen O Hymenaee.

Nil potest sine te Venus,
    fama quod bona comprobet,
    commodi capere, at potest
Te uolente.   quis huic deo
    comparier ausit?

Quae tuis careat sacris,
    non queat dare praesides
    terra finibus: at queat
Te uolente.   quis huic deo
    comparier ausit?

Claustra pandite ianuae:
    uirgo adest. uiden ut faces
    splendidas quatiunt comas?

. . . . .
   . . . . . .

. . . . .

. . . . . .

    tardet ingenuus pudor :
Quem tamen magis audiens,
    flet quod ire necesse est.

Flere desine.   non tibi, Au-
    runculeia, periculum est,
    ne qua femina pulcrior
Clarum ab Oceano diem
    uiderit uenientem.

Talis in uario solet
    diuitis domini hortulo
    stare flos hyacinthinus.
Sed moraris, abit dies,
    prodeas noua nupta.

Prodeas noua nupta, si
    iam uidetur, et audias
    nostra uerba.   uiden ? faces
Aureas quatiunt comas :
    prodeas noua nupta.

Non tuus leuis in mala
    deditus uir adultera,
    probra turpia persequens,
A tuis teneris uolet
    secubare papillis.

Lenta qui uelut adsitas
    uitis implicat arbores,
    implicabitur in tuum
Complexum.   sed abit dies :
    prodeas noua nupta.

Quae tuo ueniunt hero,
  quanta gaudia, quae uaga
  nocte, quae medio die
Gaudeat.   sed abit dies:
  prodeas noua nupta.

Tollite, O pueri, faces:
  flammeum uideo uenire.
  ite concinite in modum.
' Io Hymen Hymenaee io,
  io Hymen Hymenaee.'

Nupta, tu quoque quae tuus
  uir petet caue ne neges,
  ni petitum aliunde eat.
Io Hymen Hymenaee io
  io Hymen Hymenaee.

En tibi domus ut potens
  et beata uiri tui.
  quae tibi sine seruiat
(Io Hymen Hymenaee io,
  io Hymen Hymenaee)

Vsque dum tremulum mouens
  cana tempus anilitas
  omnia omnibus annuit.
Io Hymen Hymenaee io,
  io Hymen Hymenaee.

Transfer omine cum bono
  limen aureolos pedes,
  rasilemque subi forem.
Io Hymen Hymenaee io,
  io Hymen Hymenaee.

C. VALERIVS CATVLLVS

Aspice unus ut accubans
    uir tuus Tyrio in toro,
    totus immineat tibi.
Io Hymen Hymenaee io,
    io Hymen Hymenaee.

Illi non minus ac tibi
    pectore uritur intimo
    flamma, sed penite magis
Io Hymen Hymenaee io,
    io Hymen Hymenaee.

Mitte brachiolum teres,
    praetextate, puellulae.
    iam cubile adeat uiri.
Io Hymen Hymenaee io,
    io Hymen Hymenaee.

Vos bonae senibus uiris
    cognitae bene feminae,
    collocate puellulam.
Io Hymen Hymenaee io,
    io Hymen Hymenaee.

Iam licet uenias, marite.
    uxor in thalamo tibi est,
    ore floridulo nitens
Alba parthenice uelut
    luteumue papauer.

At, marite, ita me iuuent
    caelites, nihilo minus
    pulcer es, neque te Venus
Neglegit.   sed abit dies
    perge, ne remorare.

Non diu remoratus es.
   iam uenis. bona te Venus
   inuerit, quoniam palam
Quae cupis capis et bonum
   non abscondis amorem.

Ille pulueris Africei
   siderumque micantium
   subducat numerum prius,
Qui uostri numerare uolt
   multa milia ludei.

Ludite ut lubet et breui
   liberos date. non decet
   tam uetus sine liberis
Nomen esse, sed indidem
   semper ingenerari.

Torquatus uolo paruulus
   matris e gremio suae
   porrigens teneras manus,
Dulce rideat ad patrem
   semihiante labello.

Sit suo similis patri
   Manlio et facile inscieis
   noscitetur ab omnibus :
Sic pudicitiam suo
   matris indicet ore.

Talis illius a bona
   matre laus genus approbet,
   qualis unica ab optima
Matre Telemacho manet
   fama Penelopeo.

C. VALERIVS CATVLLVS

Claudite ostia uirgines.
　　lusimus satis.　at bonei
　　coniuges, bene uiuite et
Munere assidue ualentem
　　exercete iuuentam.

78.　*To Cornelius Nepos: A Dedication*

QVOI dono lepidum nouum libellum
　arido modo pumice expolitum?
Corneli, tibi: namque tu solebas
meas esse aliquid putare nugas;
iam tum cum ausus es unus Italorum
omne aeuum tribus explicare cartis
doctis, Iuppiter, et laboriosis.
quare habe tibi quidquid hoc libelli
qualecumque; quod, o patrona uirgo,
plus uno maneat perenne saeclo.

79.　*To Veranius: A Welcome Home*

VERANI, omnibus e meis amicis
　antistans mihi milibus trecentis,
uenistine domum ad tuos Penates
fratresque unanimos anumque matrem?
uenisti.　o mihi nuntii beati!
uisam te incolumem audiamque Hiberum
narrantem loca, facta, nationes,
ut mos est tuus, applicansque collum
iucundum os oculosque suauiabor.
o quantum est hominum beatiorum,
quid me laetius est beatiusue?

69

C. VALERIVS CATVLLVS

80.   *A Letter to Caecilius*

POETAE tenero, meo sodali,
  uelim Caecilio, papyre, dicas
Veronam ueniat, Noui relinquens
Comi moenia Lariumque litus.
nam quasdam uolo cogitationes
amici accipiat sui meique,
quare si sapiet uiam uorabit,
quamuis candida milies puella
euntem reuocet, manusque collo
ambas iniciens roget morari.
quae nunc, si mihi uera nuntiantur,
illum deperit impotente amore.
nam quo tempore legit incohatam
Dindymi dominam, ex eo misellae
ignes interiorem edunt medullam.
ignosco tibi, Sapphica puella
musa doctior ; est enim uenuste
magna Caecilio incohata mater.

81.   *Farewell to Bithynia*

IAM uer egelidos refert tepores,
  iam caeli furor aequinoctialis
iucundis Zephyri silescit aureis.
linquantur Phrygii, Catulle, campi
Nicaeaeque ager uber aestuosae :
ad claras Asiae uolemus urbes.
iam mens praetrepidans auet uagari,
iam laeti studio pedes uigescunt.
o dulces comitum ualete coetus,
longe quos simul a domo profectos
diuersae uariae uiae reportant.

82.   *Home-coming to Sirmio*

PAENE insularum, Sirmio, insularumque
    ocelle, quascumque in liquentibus stagnis
marique uasto fert uterque Neptunus;
quam te libenter quamque laetus inuiso,
uix mi ipse credens Thuniam atque Bithunos
liquisse campos et uidere te in tuto.
o quid solutis est beatius curis,
cum mens onus reponit, ac peregrino
labore fessi uenimus larem ad nostrum,
desideratoque acquiescimus lecto?
hoc est quod unum est pro laboribus tantis.
salue, o uenusta Sirmio, atque hero gaude;
gaudete uosque, o Lydiae lacus undae;
ridete quidquid est domi cachinnorum.

83.   *The tender Love of Acme and*
                Septimius

ACMEN Septimios suos amores
    tenens in gremio 'mea,' inquit, 'Acme,
ni te perdite amo atque amare porro
omnes sum assidue paratus annos
quantum qui pote plurimum perire,
solus in Libya Indiaque tosta
caesio ueniam obuius leoni.'
hoc ut dixit, Amor, sinistra ut ante,
dextram sternuit approbationem.
at Acme leuiter caput reflectens,

71

et dulcis pueri ebrios ocellos
illo purpureo ore suauiata,
'sic,' inquit, 'mea uita Septimille,
huic uni domino usque seruiamus,
ut multo mihi maior acriorque
ignis mollibus ardet in medullis.'
hoc ut dixit, Amor, sinistra ut ante,
dextram sternuit approbationem.
nunc ab auspicio bono profecti
mutuis animis amant amantur.
unam Septimios misellus Acmen
mauult quam Syrias Britanniasque :
uno in Septimio fidelis Acme
facit delicias libidinesque.
quis ullos homines beatiores
uidit, quis Venerem auspicatiorem ?

84.   'Φαίνεταί μοι κῆνος ἴσος θέοισιν

ILLE mi par esse deo uidetur,
ille, si fas est, superare diuos,
qui sedens aduersus identidem te
        spectat et audit
dulce ridentem, misero quod omnis
eripit sensus mihi : nam simul te,
Lesbia, aspexi, nihil est super mi,
        Lesbia, uocis.
lingua sed torpet, tenuis sub artus
flamma demanat, sonitu suopte
tintinant aures, gemina teguntur
        lumina nocte.

C. VALERIVS CATVLLVS

Lesbia's Sparrow

a

PASSER, deliciae meae puellae,
    quicum ludere, quem in sinu tenere,
quoi primum digitum dare adpetenti
et acris solet incitare morsus,
cum desiderio meo nitenti
carum nescio quid libet iocari,
et solaciolum sui doloris,
credo, et cum grauis acquiescit ardor :
tecum ludere, sicut ipsa, possem,
et tristis animi leuare curas.

b

Lugete, o Veneres Cupidinesque,
et quantum est hominum uenustiorum.
passer mortuus est meae puellae,
passer, deliciae meae puellae,
quem plus illa oculis suis amabat :
nam mellitus erat suamque norat
ipsam tam bene quam puella matrem.
nec sese a gremio illius mouebat,
sed circumsiliens modo huc modo illuc
ad solam dominam usque pipiabat.
qui nunc it per iter tenebricosum
illuc, unde negant redire quenquam.
at uobis male sit, malae tenebrae
Orci, quae omnia bella deuoratis :
tam bellum mihi passerem abstulistis.
uae factum male ! uae miselle passer,
tua nunc opera meae puellae
flendo turgiduli rubent ocelli.

C. VALERIVS CATVLLVS

86.   *To Lesbia, not to count Kisses*

a

VIVAMVS, mea Lesbia, atque amemus,
    rumoresque senum seueriorum
omnes unius aestimemus assis.
soles occidere et redire possunt :
nobis cum semel occidit breuis lux,
nox est perpetua una dormienda.
da mi basia mille, deinde centum,
dein mille altera, dein secunda centum,
deinde usque altera mille, deinde centum ;
dein, cum milia multa fecerimus,
conturbabimus illa, ne sciamus,
aut ne quis malus inuidere possit,
cum tantum sciat esse basiorum.

b

Quaeris, quot mihi basiationes
tuae, Lesbia, sint satis superque ?
quam magnus numerus Libyssae harenae
lasarpiciferis iacet Cyrenis,
oraclum Iouis inter aestuosi
et Batti ueteris sacrum sepulcrum ;
aut quam sidera multa, cum tacet nox
furtiuos hominum uident amores ;
tam te basia multa basiare
uesano satis et super Catullo est,
quae nec pernumerare curiosi
possint nec mala fascinare lingua.

C. VALERIVS CATVLLVS

87.   *Everlasting Love*

a

IVCVNDVM, mea uita, mihi proponis amorem
hunc nostrum inter nos perpetuumque fore.
di magni, facite ut uere promittere possit,
    atque id sincere dicat et ex animo,
ut liceat nobis tota perducere uita
    aeternum hoc sanctae foedus amicitiae.

b

Nulla potest mulier tantum se dicere amatam ·
    uere, quantum a me Lesbia amata mea es.
nulla fides ullo fuit umquam in foedere tanta,
    quanta in amore tuo ex parte reperta mea est.

88.   *Woman's Words*

NVLLI se dicit mulier mea nubere malle
    quam mihi, non si se Iuppiter ipse petat.
dicit : sed mulier cupido quod dicit amanti,
    in uento et rapida scribere oportet aqua.

89.   *Man's Ingratitude*

DESINE de quoquam quisquam bene uelle mereri,
    aut aliquem fieri posse putare pium.
omnia sunt ingrata, nihil fecisse benigne
    prodest, immo etiam taedet obestque magis ;
ut mihi, quem nemo grauius nec acerbius urget,
    quam modo qui me unum atque unicum amicum habuit.

90.   *To Quintius: A Supplication*

QVINTI, si tibi uis oculos debere Catullum
    aut aliud si quid carius est oculis,
eripere ei noli, multo quod carius illi
    est oculis seu quid carius est oculis.

91.   *Loving and Liking*

a

DICEBAS quondam solum te nosse Catullum,
    Lesbia, nec prae me uelle tenere Iouem.
dilexi tum te non tantum ut uulgus amicam,
    sed pater ut natos diligit et generos.
nunc te cognoui : quare etsi impensius uror,
    multo mei tamen es uilior et leuior.
qui potis est ? inquis.   Quod amantem iniuria talis
    cogit amare magis, sed bene uelle minus.

b

Huc est mens deducta tua, mea Lesbia, culpa,
    atque ita se officio perdidit ipsa suo,
ut iam nec bene uelle queat tibi, si optima fias,
    nec desistere amare, omnia si facias.

92.   *Miser Catulle*

MISER Catulle, desinas ineptire,
    et quod uides perisse perditum ducas.
fulsere quondam candidi tibi soles,
cum uentitabas quo puella ducebat
amata nobis quantum amabitur nulla.
ibi illa multa tum iocosa fiebant,
quae tu uolebas nec puella nolebat.
fulsere uere candidi tibi soles.

nunc iam illa non uolt: tu quoque inpotens noli,
nec quae fugit sectare, nec miser uiue,
sed obstinata mente perfer, obdura.
uale, puella.   iam Catullus obdurat,
nec te requiret nec rogabit inuitam.
at tu dolebis, cum rogaberis nulla.
scelesta, uae te, quae tibi manet uita!
quis nunc te adibit? cui uideberis bella?
quem nunc amabis? cuius esse diceris?
quem basiabis? cui labella mordebis?
at tu, Catulle, destinatus obdura.

93.   *Odi et Amo*

ODI et amo: quare id faciam, fortasse requiris.
nescio, sed fieri sentio et excrucior.

94.   *Num te leaena . . . ?*

NVM te leaena montibus Libystinis
aut Scylla latrans infima inguinum parte
tam mente dura procreauit ac taetra,
ut supplicis uocem in nouissimo casu
contemptam haberes, a nimis fero corde?

95.   *Nuntium Remittit Cynthiae*

FVRI et Aureli, comites Catulli,
siue in extremos penetrabit Indos,
litus ut longe resonante Eoa
    tunditur unda,
siue in Hyrcanos Arabesque molles,
seu Sagas sagittiferosue Parthos,

siue quae septemgeminus colorat
aequora Nilus,
siue trans altas gradietur Alpes,
Caesaris uisens monimenta magni,
Gallicum Rhenum, horrida tescua, ulti-
mosque Britannos,
omnia haec, quocunque feret uoluntas
caelitum, temptare simul parati :—
pauca nuntiate meae puellae
non bona dicta.
cum suis uiuat ualeatque moechis,
quos simul complexa tenet trecentos,
nullum amans uere, sed identidem omnium
ilia rumpens :
nec meum respectet, ut ante, amorem,
qui illius culpa cecidit uelut prati
ultimi flos, praetereunte postquam
tactus aratro est.

96.   *To Alfenus, who betrayed him*

ALFENE immemor atque unanimis false sodalibus
iam te nil miseret, dure, tui dulcis amiculi ?
iam me prodere, iam non dubitas fallere, perfide ?
nec facta impia fallacum hominum caelicolis placent.
quae tu neglegis ac me miserum deseris in malis.
eheu quid faciant, dice, homines cuiue habeant fidem ?
certe tute iubebas animam tradere, inique, me
inducens in amorem, quasi tuta omnia mi forent.
idem nunc retrahis te ac tua dicta omnia factaque
uentos irrita ferre ac nebulas aereas sinis.
si tu oblitus es, at di meminerunt, meminit Fides,
quae te ut paeniteat postmodo facti faciet tui.

C. VALERIVS CATVLLVS

97.   *Vitam puriter egi*

SIQVA recordanti benefacta priora uoluptas
   est homini, cum se cogitat esse pium,
nec sanctam uiolasse fidem, nec foedere in ullo
   diuum ad fallendos numine abusum homines,
multa parata manent in longa aetate, Catulle,
   ex hoc ingrato gaudia amore tibi.
nam quaecumque homines bene cuiquam aut dicere possunt
   aut facere, haec a te dictaque factaque sunt :
omnia quae ingratae perierunt credita menti.
   quare cur curis te amplius excrucies ?
quin tu animo offirmas atque istinc te ipse reducis,
   et dis inuitis desinis esse miser ?
difficile est longum subito deponere amorem ?
   difficile est, uerum hoc qua lubet efficias :
una salus haec est, hoc est tibi peruincendum,
   hoc facias, siue id non pote siue pote.
o di, si uestrum est misereri, aut si quibus umquam
   extremam iam ipsa in morte tulistis opem,
me miserum aspicite et, si uitam puriter egi,
   eripite hanc pestem perniciemque mihi :
sic mihi surrepens imos ut torpor in artus
   expulit ex omni pectore laetitias.
non iam illud quaero, contra ut me diligat illa,
   aut, quod non potis est, esse pudica uelit :
ipse ualere opto et taetrum hunc deponere morbum.
   o di, reddite mi hoc pro pietate mea.

C. VALERIVS CATVLLVS

98. *To Manlius: written in affliction*

QVOD mihi fortuna casuque oppressus acerbo
    conscriptum hoc lacrimis mittis epistolium,
naufragum ut eiectum spumantibus aequoris undis
    subleuem et a mortis limine restituam,
quem neque sancta Venus molli requiescere somno
    desertum in lecto caelibe perpetitur,
nec ueterum dulci scriptorum carmine Musae
    oblectant, cum mens anxia peruigilat :
id gratum est mihi, me quoniam tibi dicis amicum,
    muneraque et Musarum hinc petis et Veneris :
sed tibi ne mea sint ignota incommoda, Manli,
    neu me odisse putes hospitis officium,
accipe, quis merser fortunae fluctibus ipse,
    ne amplius a misero dona beata petas.
tempore quo primum uestis mihi tradita pura est,
    iucundum cum aetas florida uer ageret,
multa satis lusi : non est dea nescia nostri,
    quae dulcem curis miscet amaritiem :
sed totum hoc studium luctu fraterna mihi mors
    abstulit.   o misero frater adempte mihi,
tu mea tu moriens fregisti commoda, frater,
    tecum una tota est nostra sepulta domus,
omnia tecum una perierunt gaudia nostra,
    quae tuus in uita dulcis alebat amor.
cuius ego interitu tota de mente fugaui
    haec studia atque omnis delicias animi.
quare, quod scribis Veronae turpe Catullo
    esse, quod hic quisquis de meliore nota
frigida deserto tepefacsit membra cubili,
    id, Manli, non est turpe, magis miserum est.

ignosces igitur, si, quae mihi luctus ademit,
   haec tibi non tribuo munera, cum nequeo.
nam, quod scriptorum non magna est copia apud me,
   hoc fit, quod Romae uiuimus: illa domus,
illa mihi sedes, illic mea carpitur aetas:
   huc una ex multis capsula me sequitur.
quod cum ita sit, nolim statuas nos mente maligna
   id facere aut animo non satis ingenuo,
quod tibi non utriusque petenti copia praesto est:
   ultro ego deferrem, copia siqua foret.

99.   *The Friendship of Allius*

NON possum reticere, deae, qua me Allius in re
   iuuerit aut quantis iuuerit officiis,
ne fugiens saeclis obliuiscentibus aetas
   illius hoc caeca nocte tegat studium:
sed dicam uobis, uos porro dicite multis
   milibus et facite haec carta loquatur anus,
nec tenuem texens sublimis aranea telam
   in deserto Alli nomine opus faciat.
nam, mihi quam dederit duplex Amathusia curam,
   scitis, et in quo me torruerit genere,
cum tantum arderem quantum Trinacria rupes
   lymphaque in Oetaeis Malia Thermopylis,
maesta neque assiduo tabescere pupula fletu
   cessaret tristique imbre madere genae.
qualis in aerei perlucens uertice montis
   riuus muscoso prosilit e lapide,
qui cum de prona praeceps est ualle uolutus,
   per medium densi transit iter populi,
dulce uiatori lasso in sudore leuamen,
   cum grauis exustos aestus hiulcat agros:

hic, uelut in nigro iactatis turbine nautis
   lenius aspirans aura secunda uenit,
iam prece Pollucis, iam Castoris imploratu,
   tale fuit nobis Allius auxilium.
is clausum lato patefecit limite campum,
   isque domum nobis isque dedit dominam,
ad quam communes exerceremus amores,
   quo mea se molli candida diua pede
intulit et trito fulgentem in limine plantam
   innixsa arguta constituit solea.
coniugis ut quondam flagrans aduenit amore
   Protesilaeam Laudamia domum
inceptam frustra, nondum cum sanguine sacro
   hostia caelestis pacificasset heros.
nil mihi tam ualde placeat, Ramnusia uirgo,
   quod temere inuitis suscipiatur heris.
quam ieiuna pium desideret ara cruorem,
   docta est amisso Laudamia uiro,
coniugis ante coacta noui dimittere collum,
   quam ueniens una atque altera rursus hiems
noctibus in longis auidum saturasset amorem,
   posset ut abrupto uiuere coniugio,
quod scibant Parcae non longo tempore abisse,
   si miles muros isset ad Iliacos.
nam tum Helenae raptu primores Argiuorum
   coeperat ad sese Troia ciere uiros,
Troia (nefas) commune sepulcrum Asiae Europaeque,
   Troia uirum et uirtutum omnium acerba cinis
quaene etiam nostro letum miserabile fratri
   attulit. ei misero frater adempte mihi,
ei misero fratri iucundum lumen ademptum,
   tecum una tota est nostra sepulta domus,
omnia tecum una perierunt gaudia nostra,
   quae tuus in uita dulcis alebat amor.

quem nunc tam longe non inter nota sepulcra
  nec prope cognatos compositum cineris,
sed Troia obscena, Troia infelice sepultum
  detinet extremo terra aliena solo:
ad quam tum properans fertur simul undique pubes
  Graeca penetralis deseruisse focos,
ne Paris abducta gauisus libera moecha
  otia pacato degeret in thalamo.—
quo tibi tum casu, pulcerrima Laudamia,
  ereptum est uita dulcius atque anima
coniugium: tanto te absorbens uertice amoris
  aestus in abruptum detulerat barathrum,
quale ferunt Grai Pheneum prope Cylleneum
  siccare emulsa pingue palude solum,
quod quondam caesis montis fodisse medullis
  audit falsiparens Amphitryoniades,
tempore quo certa Stymphalia monstra sagitta
  perculit imperio deterioris heri,
pluribus ut caeli tereretur ianua diuis,
  Hebe nec longa uirginitate foret.—
sed tuus altus amor barathro fuit altior illo,
  qui tamen indomitam ferre iugum docuit.
nam neque tam carum confecto aetate parenti
  una caput seri nata nepotis alit,
qui cum diuitiis uix tandem inuentus auitis
  nomen testatas intulit in tabulas,
impia derisi gentilis gaudia tollens,
  suscitat a cano uolturium capiti:
nec tantum niueo gauisa est ulla columbo
  compar, quae multo dicitur improbius
oscula mordenti semper decerpere rostro,
  quam cum praecipue multiuola est mulier.
sed tu horum magnos uicisti sola furores,
  ut semel es flauo conciliata uiro.

aut nihil aut paulo cui tum concedere digna
    lux mea se nostrum contulit in gremium,
quam circumcursans hinc illinc saepe Cupido
    fulgebat crocina candidus in tunica.
quae tamen etsi uno non est contenta Catullo,
    rara uerecundae furta feremus herae.
ne nimium simus stultorum more molesti,
    saepe etiam Iuno, maxima caelicolum,
coniugis in culpa flagrantem contudit iram,
    noscens omniuoli plurima facta Iouis.
nec tamen illa mihi dexstra depacta paterna
    fraglantem Assyrio uenit odore domum,
sed furtiua dedit mira munuscula nocte,
    ipsius ex ipso dempta uiri gremio.
quare illud satis est, si nobis is datur unis
    quem lapide illa diem candidiore notat.
hoc tibi, quod potui, confectum carmine munus
    pro multis, Alli, redditur officiis,
ne uestrum scabra tangat rubigine nomen
    haec atque illa dies atque alia atque alia.
huc addent diui quam plurima, quae Themis olim
    antiquis solita est munera ferre piis.
seitis felices et tu simul et tua uita,
    et domus in qua olim lusimus et domina,
et qui principio nobis te tradidit Afer,
    a quo sunt primo mi omnia nata bona,
et longe ante omnes mihi quae me carior ipso est,
    lux mea, qua uiua uiuere dulce mihi est.

100.   *At the Tomb of his Brother*

MVLTAS per gentis et multa per aequora uectus
   aduenio has miseras, frater, ad inferias :
ut te postremo donarem munere mortis
   et mutam nequiquam alloquerer cinerem.
quandoquidem fortuna mihi tete abstulit ipsum,
   heu miser indigne frater adempte mihi,
nunc tamen interea haec prisco quae more parentum
   tradita sunt tristi munere ad inferias,
accipe fraterno multum manantia fletu,
   atque in perpetuum, frater, aue atque uale.

101.   *To Calvus : on the Death of Quintilia*

SI quicquam mutis gratum acceptumue sepulcris
   accidere a nostro, Calue, dolore potest,
quom desiderio ueteres renouamus amores
   atque olim amissas flemus amicitias,
certe non tanto mors immatura dolorei'st
   Quintiliae, quantum gaudet amore tuo.

102.   *Nothing to do*

OTIVM, Catulle, tibi molestum est :
   otio exsultas nimiumque gestis :
otium et reges prius et beatas
      perdidit urbes.

85

103. *He craves Cornificius' Pity*

MALEST, Cornifici, tuo Catullo,
malest, me hercule, et est laboriose,
et magis magis in dies et horas.
quem tu, quod minimum facillimumque est,
qua solatus es allocutione?
irascor tibi.   sic meos amores?
paulum quid lubet allocutionis,
maestius lacrimis Simonideis.

104. *To any Readers he may have*

SI qui forte mearum ineptiarum
lectores eritis manusque uestras
non horrebitis admouere nobis . . .

ANONYMOUS

105. *The Tombs of the Great*

MARMOREO Licinus tumulo iacet, at Cato nullo,
Pompeius paruo : credimus esse deos?

L. VARIVS

74–14 B.C.

106. *Fragments of the De Morte*

i

VENDIDIT hic Latium populis agrosque Quiritum
eripuit: fixit leges pretio atque refixit.

86

L. VARIVS

ii

Ceu canis umbrosam lustrans Gortynia uallem,
si celeris potuit ceruae comprendere lustra,
saeuit in absentem et circum uestigia latrans
aethera per nitidum tenues sectatur odores :
non amnes illam medii, non ardua tardant,
perdita nec serae meminit decedere nocti.

107. *Epilogue to the Vergilian Catalepton*

VATE Syracosio qui dulcior Hesiodoque
maior, Homereo non minor ore fuit,
illius haec quoque sunt diuini elementa poetae
et rudis in uario carmine Calliope.

C. CILNIVS MAECENAS

74–8 B.C.

108.

i

To Horace

LVCENTES, mea uita, nec smaragdos,
beryllos neque, Flacce mi, nitentes
nec percandida margarita quaero
nec quos thunica lima perpoliuit
anulos neque iaspios lapillos.

ii

Any Life is better than no life

DEBILEM facito manu, debilem pede, coxa,
tuber adstrue gibberum, lubricos quate dentis :
vita dum superest, bene est.

P. VERGILIVS MARO

70–19 B.C.

109. 'Is this the Man that made the Earth to tremble'

ASPICE quem ualido subnixum Gloria regno
   altius et caeli sedibus extulerat.
terrarum hic bello magnum concusserat orbem,
   hic reges Asiae fregerat, hic populos,
hic graue seruitium tibi iam, tibi, Roma ferebat
   (cetera namque uiri cuspide conciderant),
cum subito in medio rerum certamine praeceps
   corruit, ex patria pulsus in exilium.
tale deae numen, tali mortalia nutu
   fallax momento temporis hora dedit.

110. 'Hence, all ye vain Delights'

ITE hinc, inanes, ite rhetorum ampullae,
   inflata rore non Achaico uerba,
et uos, Selique Tarquitique Varroque,
   scholasticorum natio madens pingui,
ite hinc, inane cymbalon iuuentutis;
   tuque, o mearum cura, Sexte, curarum,
uale, Sabine; iam ualete, formosi.
   nos ad beatos uela mittimus portus
magni petentes docta dicta Sironis
   uitamque ab omni uindicabimus cura.
ite hinc, Camenae; uos quoque, ite iam sane,
   dulces Camenae (nam fatebimur uerum,
dulces fuistis): et tamen meas chartas
   reuisitote, sed pudenter et raro.

111.   *'Unto you a child is born'*

SICELIDES Musae, paulo maiora canamus !
  non omnis arbusta iuuant humilesque myricae ;
si canimus siluas, siluae sint consule dignae.

  Vltima Cumaei uenit iam carminis aetas ;
magnus ab integro saeclorum nascitur ordo.
iam redit et uirgo, redeunt Saturnia regna,
iam noua progenies caelo demittitur alto.
tu modo nascenti puero, quo ferrea primum
desinet ac toto surget gens aurea mundo,
casta faue Lucina : tuus iam regnat Apollo.
teque adeo decus hoc aeui, te consule, inibit,
Pollio, et incipient magni procedere menses ;
te duce, si qua manent sceleris uestigia nostri,
inrita perpetua soluent formidine terras.
ille deum uitam accipiet diuisque uidebit
permixtos heroas et ipse uidebitur illis,
pacatumque reget patriis uirtutibus orbem.

  At tibi prima, puer, nullo munuscula cultu
errantis hederas passim cum baccare tellus
mixtaque ridenti colocasia fundet acantho.
ipsae lacte domum referent distenta capellae
ubera, nec magnos metuent armenta leones ;
ipsa tibi blandos fundent cunabula flores.
occidet et serpens, et fallax herba ueneni
occidet ; Assyrium uulgo nascetur amomum.
at simul heroum laudes et facta parentis
iam legere et quae sit poteris cognoscere uirtus,
molli paulatim flauescet campus arista,
incultisque rubens pendebit sentibus uua
et durae quercus sudabunt roscida mella.

pauca tamen suberunt priscae uestigia fraudis,
quae temptare Thetin ratibus, quae cingere muris
oppida, quae iubeant telluri infindere sulcos.
alter erit tum Tiphys, et altera quae uehat Argo
delectos heroas ; erunt etiam altera bella,
atque iterum ad Troiam magnus mittetur Achilles.
hinc, ubi iam firmata uirum te fecerit aetas,
cedet et ipse mari uector, nec nautica pinus
mutabit merces : omnis feret omnia tellus.
non rastros patietur humus, non uinea falcem ;
robustus quoque iam tauris iuga soluet arator ;
nec uarios discet mentiri lana colores,
ipse sed in pratis aries iam suaue rubenti
murice, iam croceo mutabit uellera luto ;
sponte sua sandyx pascentis uestiet agnos.

Talia saecla, suis dixerunt, currite, fusis
concordes stabili fatorum numine Parcae.
adgredere o magnos (aderit iam tempus) honores,
cara deum suboles, magnum Iouis incrementum !
aspice conuexo nutantem pondere mundum,
terrasque tractusque maris caelumque profundum :
aspice uenturo laetentur ut omnia saeclo !
o mihi tum longae maneat pars ultima uitae,
spiritus et quantum sat erit tua dicere facta :
non me carminibus uincet nec Thracius Orpheus,
nec Linus, huic mater quamuis atque huic pater adsit,
Orphei Calliopea, Lino formosus Apollo.
Pan etiam, Arcadia mecum si iudice certet,
Pan etiam Arcadia dicat se iudice uictum.
incipe, parue puer, risu cognoscere matrem
(matri longa decem tulerunt fastidia menses)
incipe, parue puer : qui non risere parenti,
nec deus hunc mensa, dea nec dignata cubili est.

112.   *Pharmaceutria*

PASTORVM Musam Damonis et Alphesiboei,
  immemor herbarum quos est mirata iuuenca
certantis, quorum stupefactae carmine lynces,
et mutata suos requierunt flumina cursus,
Damonis Musam dicemus et Alphesiboei.

  Tu mihi seu magni superas iam saxa Timaui,
siue oram Illyrici legis aequoris,—en erit umquam
ille dies, mihi cum liceat tua dicere facta?
en erit ut liceat totum mihi ferre per orbem
sola Sophocleo tua carmina digna coturno?
a te principium, tibi desinam: accipe iussis
carmina coepta tuis, atque hanc sine tempora circum
inter uictricis hederam tibi serpere lauros.

  Frigida uix caelo noctis decesserat umbra,
cum ros in tenera pecori gratissimus herba:
incumbens tereti Damon sic coepit oliuae.

  Nascere praeque diem ueniens age, Lucifer, almum,
coniugis indigno Nysae deceptus amore
dum queror et diuos, quamquam nil testibus illis
profeci, extrema moriens tamen adloquor hora.

  incipe Maenalios mecum, mea tibia, uersus.
Maenalus argutumque nemus pinusque loquentis
semper habet, semper pastorum ille audit amores
Panaque, qui primus calamos non passus inertis.

  incipe Maenalios mecum, mea tibia, uersus.
Mopso Nysa datur: quid non speremus amantes?
iungentur iam grypes equis, aeuoque sequenti
cum canibus timidi uenient ad pocula dammae.

  incipe Maenalios mecum, mea tibia, uersus.
Mopse, nouas incide faces: tibi ducitur uxor.
sparge, marite, nuces: tibi deserit Hesperus Oetam.

  incipe Maenalios mecum, mea tibia, uersus.

o digno coniuncta uiro, dum despicis omnis,
dumque tibi est odio mea fistula, dumque capellae
hirsutumque supercilium promissaque barba,
nec curare deum credis mortalia quemquam—
    incipe Maenalios mecum, mea tibia, uersus—
saepibus in nostris paruam te roscida mala
(dux ego uester eram) uidi cum matre legentem.
alter ab undecimo tum me iam acceperat annus,
iam fragilis poteram a terra contingere ramos :
ut uidi, ut perii, ut me malus abstulit error !
    incipe Maenalios mecum, mea tibia, uersus.
nunc scio quid sit Amor : duris in cotibus illum
aut Tmaros aut Rhodope aut extremi Garamantes
nec generis nostri puerum nec sanguinis edunt.
    incipe Maenalios mecum, mea tibia, uersus.
saeuus Amor docuit natorum sanguine matrem
commaculare manus ; crudelis tu quoque, mater :
crudelis mater magis, an puer improbus ille ?
improbus ille puer ; crudelis tu quoque, mater.
    incipe Maenalios mecum, mea tibia, uersus.
nunc et ouis ultro fugiat lupus, aurea durae
mala ferant quercus, narcisso floreat alnus,
pinguia corticibus sudent electra myricae,
certent et cycnis ululae, sit Tityrus Orpheus,
Orpheus in siluis, inter delphinas Arion—
    incipe Maenalios mecum, mea tibia, uersus—
omnia uel medium fiat mare.   uiuite siluae :
praeceps aërii specula de montis in undas
deferar ; extremum hoc munus morientis habeto.
    desine Maenalios, iam desine, tibia, uersus.
    Haec Damon : uos, quae responderit Alphesiboeus,
dicite, Pierides ; non omnia possumus omnes.
    Effer aquam et molli cinge haec altaria uitta,

uerbenasque adole pinguis et mascula tura,
coniugis ut magicis sanos auertere sacris
experiar sensus; nihil hic nisi carmina desunt.

    ducite ab urbe domum, mea carmina, ducite Daphnin.
carmina uel caelo possunt deducere Lunam,
carminibus Circe socios mutauit Vlixi,
frigidus in pratis cantando rumpitur anguis.

    ducite ab urbe domum, mea carmina, ducite Daphnin.
terna tibi haec primum triplici diuersa colore
licia circumdo, terque haec altaria circum
effigiem duco; numero deus impare gaudet.

    ducite ab urbe domum, mea carmina, ducite Daphnin.
necte tribus nodis ternos, Amarylli, colores;
necte, Amarylli, modo et ' Veneris', dic, 'uincula necto.'

    ducite ab urbe domum, mea carmina, ducite Daphnin.
limus ut hic durescit, et haec ut cera liquescit
uno eodemque igni, sic nostro Daphnis amore.
sparge molam et fragilis incende bitumine lauros.
Daphnis me malus urit, ego hanc in Daphnide laurum.

    ducite ab urbe domum, mea carmina, ducite Daphnin.
talis amor Daphnin qualis cum fessa iuuencum
per nemora atque altos quaerendo bucula lucos
propter aquae riuum uiridi procumbit in ulua
perdita, nec serae meminit decedere nocti,
talis amor teneat, nec sit mihi cura mederi.

    ducite ab urbe domum, mea carmina, ducite Daphnin.
has olim exuuias mihi perfidus ille reliquit,
pignora cara sui: quae nunc ego limine in ipso,
terra, tibi mando; debent haec pignora Daphnin.

    ducite ab urbe domum, mea carmina, ducite Daphnin.
has herbas atque haec Ponto mihi lecta uenena
ipse dedit Moeris (nascuntur plurima Ponto);
his ego saepe lupum fieri et se condere siluis

Moerin, saepe animas imis excire sepulcris,
atque satas alio uidi traducere messis.

ducite ab urbe domum, mea carmina, ducite Daphnin.
fer cineres, Amarylli, foras riuoque fluenti
transque caput iace, nec respexeris.   his ego Daphnin
adgrediar ; nihil ille deos, nil carmina curat.

ducite ab urbe domum, mea carmina, ducite Daphnin.
aspice : corripuit tremulis altaria flammis
sponte sua, dum ferre moror, cinis ipse.   bonum sit !
nescio quid certe est, et Hylax in limine latrat.
credimus ? an, qui amant, ipsi sibi somnia fingunt ?

parcite, ab urbe uenit, iam parcite carmina, Daphnis.

113.   *'In the sweat of thy face shalt thou eat bread'*

PATER ipse colendi
haud facilem esse uiam uoluit, primusque per artem
mouit agros curis acuens mortalia corda,
nec torpere graui passus sua regna ueterno.
ante Iouem nulli subigebant arua coloni ;
ne signare quidem aut partiri limite campum
fas erat : in medium quaerebant, ipsaque tellus
omnia liberius nullo poscente ferebat.
ille malum uirus serpentibus addidit atris,
praedarique lupos iussit pontumque moueri,
mellaque decussit foliis ignemque remouit,
et passim riuis currentia uina repressit,
ut uarias usus meditando extunderet artis
paulatim, et sulcis frumenti quaereret herbam,
ut silicis uenis abstrusum excuderet ignem.
tunc alnos primum fluuii sensere cauatas ;
nauita tum stellis numeros et nomina fecit

Pleiadas, Hyadas, claramque Lycaonis Arcton :
tum laqueis captare feras et fallere uisco
inuentum et magnos canibus circumdare saltus ;
atque alius latum funda iam uerberat amnem
alta petens, pelagoque alius trahit umida lina ;
tum ferri rigor atque argutae lammina serrae
(nam primi cuneis scindebant fissile lignum),
tum uariae uenere artes.   labor omnia uicit
improbus et duris urgens in rebus egestas.
prima Ceres ferro mortalis uertere terram
instituit, cum iam glandes atque arbuta sacrae
deficerent siluae et uictum Dodona negaret.
mox et frumentis labor additus, ut mala culmos
esset robigo segnisque horreret in aruis
carduus ; intereunt segetes, subit aspera silua,
lappaeque tribolique, interque nitentia culta
infelix lolium et steriles dominantur auenae.
quod nisi et adsiduis herbam insectabere rastris
et sonitu terrebis auis et ruris opaci
falce premes umbras uotisque uocaueris imbrem,
heu magnum alterius frustra spectabis aceruum,
concussaque famem in siluis solabere quercu.

114.   *Solem quis dicere falsum audeat ?*

SI uero solem ad rapidum lunasque sequentis
ordine respicies, numquam te crastina fallet
hora, neque insidiis noctis capiere serenae.
luna reuertentis cum primum colligit ignis,
si nigrum obscuro comprenderit aëra cornu,
maximus agricolis pelagoque parabitur imber ;
at si uirgineum suffuderit ore ruborem,
uentus erit ; uento semper rubet aurea Phoebe.

sin ortu quarto (namque is certissimus auctor)
pura neque obtunsis per caelum cornibus ibit,
totus et ille dies et qui nascentur ab illo
exactum ad mensem pluuia uentisque carebunt,
uotaque seruati soluent in litore nautae
Glauco et Panopeae et Inoo Melicertae.
sol quoque et exoriens et cum se condet in undas
signa dabit; solem certissima signa sequuntur,
et quae mane refert et quae surgentibus astris.
ille ubi nascentem maculis uariauerit ortum
conditus in nubem medioque refugerit orbe,
suspecti tibi sint imbres: namque urget ab alto
arboribusque satisque Notus pecorique sinister.
aut ubi sub lucem densa inter nubila sese
diuersi rumpent radii, aut ubi pallida surget
Tithoni croceum linquens Aurora cubile,
heu, male tum mitis defendet pampinus uuas;
tam multa in tectis crepitans salit horrida grando.
hoc etiam, emenso cum iam decedit Olympo,
profuerit meminisse magis; nam saepe uidemus
ipsius in uultu uarios errare colores:
caeruleus pluuiam denuntiat, igneus Euros;
sin maculae incipient rutilo immiscerier igni,
omnia tum pariter uento nimbisque uidebis
feruere. non illa quisquam me nocte per altum
ire neque ab terra moneat conuellere funem.
at si, cum referetque diem condetque relatum,
lucidus orbis erit, frustra terrebere nimbis
et claro siluas cernes Aquilone moueri.
denique, quid uesper serus uehat, unde serenas
uentus agat nubes, quid cogitet umidus Auster,
sol tibi signa dabit. solem quis dicere falsum
audeat? ille etiam caecos instare tumultus

saepe monet fraudemque et operta tumescere bella.
ille etiam exstincto miseratus Caesare Romam,
cum caput obscura nitidum ferrugine texit
impiaque aeternam timuerunt saecula noctem.
tempore quamquam illo tellus quoque et aequora ponti,
obscenaeque canes importunaeque uolucres
signa dabant.   quotiens Cyclopum efferuere in agros
uidimus undantem ruptis fornacibus Aetnam,
flammarumque globos liquefactaque uoluere saxa !
armorum sonitum toto Germania caelo
audiit, insolitis tremuerunt motibus Alpes.
uox quoque per lucos uulgo exaudita silentis
ingens, et simulacra modis pallentia miris
uisa sub obscurum noctis, pecudesque locutae
(infandum !) ; sistunt amnes terraeque dehiscunt,
et maestum inlacrimat templis ebur aeraque sudant.
proluit insano contorquens uertice siluas
fluuiorum rex Eridanus camposque per omnis
cum stabulis armenta tulit.   nec tempore eodem
tristibus aut extis fibrae apparere minaces
aut puteis manare cruor cessauit, et altae
per noctem resonare lupis ululantibus urbes.
non alias caelo ceciderunt plura sereno
fulgura nec diri totiens arsere cometae.
ergo inter sese paribus concurrere telis
Romanas acies iterum uidere Philippi ;
nec fuit indignum superis bis sanguine nostro
Emathiam et latos Haemi pinguescere campos.
scilicet et tempus ueniet cum finibus illis
agricola incuruo terram molitus aratro
exesa inueniet scabra robigine pila,
aut grauibus rastris galeas pulsabit inanis,
grandiaque effossis mirabitur ossa sepulcris.

di patrii, Indigetes, et Romule Vestaque mater,
quae Tuscum Tiberim et Romana Palatia seruas,
hunc saltem euerso iuuenem succurrere saeclo
ne prohibete.   satis iam pridem sanguine nostro
Laomedonteae luimus periuria Troiae.
iam pridem nobis caeli te regia, Caesar,
inuidet atque hominum queritur curare triumphos,
quippe ubi fas uersum atque nefas ; tot bella per orbem,
tam multae scelerum facies, non ullus aratro
dignus honos, squalent abductis arua colonis,
et curuae rigidum falces conflantur in ensem.
hinc mouet Euphrates, illinc Germania bellum ;
uicinae ruptis inter se legibus urbes
arma ferunt ; saeuit toto Mars impius orbe ;
ut cum carceribus sese effudere quadrigae,
addunt in spatio, et frustra retinacula tendens
fertur equis auriga neque audit currus habenas.

115.   *Italia, io te saluto*

SED neque Medorum siluae, ditissima terra,
nec pulcher Ganges atque auro turbidus Hermus
laudibus Italiae certent, non Bactra neque Indi
totaque turiferis Panchaia pinguis harenis.
haec loca non tauri spirantes naribus ignem
inuertere satis immanis dentibus hydri,
nec galeis densisque uirum seges horruit hastis ;
sed grauidae fruges et Bacchi Massicus umor
impleuere ; tenent oleae armentaque laeta.
hinc bellator equus campo sese arduus infert,
hinc albi, Clitumne, greges et maxima taurus
uictima, saepe tuo perfusi flumine sacro,
Romanos ad templa deum duxere triumphos.

hic uer adsiduum atque alienis mensibus aestas:
bis grauidae pecudes, bis pomis utilis arbos.
at rabidae tigres absunt et saeua leonum
semina, nec miseros fallunt aconita legentis,
nec rapit immensos orbis per humum neque tanto
squameus in spiram tractu se colligit anguis.
adde tot egregias urbes operumque laborem,
tot congesta manu praeruptis oppida saxis
fluminaque antiquos subterlabentia muros.
an mare quod supra memorem, quodque adluit infra?
anne lacus tantos? te, Lari maxime, teque,
fluctibus et fremitu adsurgens, Benace, marino?
an memorem portus Lucrinoque addita claustra
atque indignatum magnis stridoribus aequor,
Iulia qua ponto longe sonat unda refuso
Tyrrhenusque fretis immittitur aestus Auernis?
haec eadem argenti riuos aerisque metalla
ostendit uenis atque auro plurima fluxit.
haec genus acre uirum, Marsos pubemque Sabellam
adsuetumque malo Ligurem Volscosque uerutos
extulit, haec Decios Fabios magnosque Camillos,
Scipiadas duros bello et te, maxime Caesar,
qui nunc extremis Asiae iam uictor in oris
imbellem auertis Romanis arcibus Indum.
salue, magna parens frugum, Saturnia tellus,
magna uirum: tibi res antiquae laudis et artis
ingredior sanctos ausus recludere fontis,
Ascraeumque cano Romana per oppida carmen.

116.   *'God made the country but man
made the town'*

O FORTVNATOS nimium, sua si bona norint,
agricolas! quibus ipsa procul discordibus armis
fundit humo facilem uictum iustissima tellus;
si non ingentem foribus domus alta superbis
mane salutantum totis uomit aedibus undam,
nec uarios inhiant pulchra testudine postis
inlusasque auro uestis Ephyreiaque aera,
alba neque Assyrio fucatur lana ueneno,
nec casia liquidi corrumpitur usus oliui;
at secura quies et nescia fallere uita,
diues opum uariarum, at latis otia fundis
speluncae uiuique lacus, at frigida Tempe
mugitusque boum mollesque sub arbore somni
non absunt; illic saltus ac lustra ferarum,
et patiens operum exiguoque adsueta iuuentus,
sacra deum, sanctique patres; extrema per illos
Iustitia excedens terris uestigia fecit.

Me uero primum dulces ante omnia Musae,
quarum sacra fero ingenti percussus amore,
accipiant caelique uias et sidera monstrent,
defectus solis uarios lunaeque labores;
unde tremor terris, qua ui maria alta tumescant
obicibus ruptis rursusque in se ipsa residant,
quid tantum Oceano properent se tingere soles
hiberni, uel quae tardis mora noctibus obstet.
sin, has ne possim naturae accedere partis,
frigidus obstiterit circum praecordia sanguis,
rura mihi et rigui placeant in uallibus amnes,
flumina amem siluasque inglorius. o ubi campi
Spercheusque et uirginibus bacchata Lacaenis

Taygeta ! o qui me gelidis conuallibus Haemi
sistat, et ingenti ramorum protegat umbra !
felix qui potuit rerum cognoscere causas,
atque metus omnis et inexorabile fatum
subiecit pedibus strepitumque Acherontis auari.
fortunatus et ille deos qui nouit agrestis
Panaque Siluanumque senem Nymphasque sorores.
illum non populi fasces, non purpura regum
flexit et infidos agitans discordia fratres,
aut coniurato descendens Dacus ab Histro,
non res Romanae perituraque regna ; neque ille
aut doluit miserans inopem aut inuidit habenti.
quos rami fructus, quos ipsa uolentia rura
sponte tulere sua, carpsit, nec ferrea iura
insanumque forum aut populi tabularia uidit.
sollicitant alii remis freta caeca, ruuntque
in ferrum, penetrant aulas et limina regum ;
hic petit excidiis urbem miserosque penatis,
ut gemma bibat et Sarrano dormiat ostro ;
condit opes alius defossoque incubat auro ;
hic stupet attonitus rostris, hunc plausus hiantem
per cuneos geminatus enim plebisque patrumque
corripuit ; gaudent perfusi sanguine fratrum,
exsilioque domos et dulcia limina mutant
atque alio patriam quaerunt sub sole iacentem.
agricola incuruo terram dimouit aratro :
hinc anni labor, hinc patriam paruosque nepotes
sustinet, hinc armenta boum meritosque iuuencos.
nec requies, quin aut pomis exuberet annus
aut fetu pecorum aut Cerealis mergite culmi,
prouentuque oneret sulcos atque horrea uincat.
uenit hiems : teritur Sicyonia baca trapetis,
glande sues laeti redeunt, dant arbuta siluae ;

et uarios ponit fetus autumnus, et alte
mitis in apricis coquitur uindemia saxis.
interea dulces pendent circum oscula nati,
casta pudicitiam seruat domus, ubera uaccae
lactea demittunt, pinguesque in gramine laeto
inter se aduersis luctantur cornibus haedi.
ipse dies agitat festos fususque per herbam,
ignis ubi in medio et socii cratera coronant,
te libans, Lenaee, uocat pecorisque magistris
uelocis iaculi certamina ponit in ulmo,
corporaque agresti nudant praedura palaestra.
hanc olim ueteres uitam coluere Sabini,
hanc Remus et frater, sic fortis Etruria creuit
scilicet et rerum facta est pulcherrima Roma,
septemque una sibi muro circumdedit arces.
ante etiam sceptrum Dictaei regis et ante
impia quam caesis gens est epulata iuuencis,
aureus hanc uitam in terris Saturnus agebat ;
necdum etiam audierant inflari classica, necdum
impositos duris crepitare incudibus ensis.

117. *Exordium*

TE quoque, magna Pales, et te memorande canemus
    pastor ab Amphryso, uos, siluae amnesque Lycaei.
cetera, quae uacuas tenuissent carmine mentes,
omnia iam uulgata : quis aut Eurysthea durum,
aut inlaudati nescit Busiridis aras ?
cui non dictus Hylas puer et Latonia Delos
Hippodameque umeroque Pelops insignis eburno,
acer equis ? temptanda uia est, qua me quoque possim
tollere humo uictorque uirum uolitare per ora.
primus ego in patriam mecum, modo uita supersit,

Aonio rediens deducam uertice Musas;
primus Idumaeas referam tibi, Mantua, palmas,
et uiridi in campo templum de marmore ponam
propter aquam, tardis ingens ubi flexibus errat
Mincius et tenera praetexit harundine ripas.
in medio mihi Caesar erit templumque tenebit:
illi uictor ego et Tyrio conspectus in ostro
centum quadriiugos agitabo ad flumina currus.
cuncta mihi Alpheum linquens lucosque Molorchi
cursibus et crudo decernet Graecia caestu.
ipse caput tonsae foliis ornatus oliuae
dona feram. iam nunc sollemnis ducere pompas
ad delubra iuuat caesosque uidere iuuencos,
uel scaena ut uersis discedat frontibus utque
purpurea intexti tollant aulaea Britanni.
in foribus pugnam ex auro solidoque elephanto
Gangaridum faciam uictorisque arma Quirini,
atque hic undantem bello magnumque fluentem
Nilum ac nauali surgentis aere columnas.
addam urbes Asiae domitas pulsumque Niphaten
fidentemque fuga Parthum uersisque sagittis,
et duo rapta manu diuerso ex hoste tropaea
bisque triumphatas utroque ab litore gentis.
stabunt et Parii lapides, spirantia signa,
Assaraci proles demissaeque ab Ioue gentis
nomina, Trosque parens et Troiae Cynthius auctor.
Inuidia infelix furias amnemque seuerum
Cocyti metuet tortosque Ixionis anguis
immanemque rotam et non exsuperabile saxum.
interea Dryadum siluas saltusque sequamur
intactos, tua, Maecenas, haud mollia iussa.
te sine nil altum mens incohat: en age segnis
rumpe moras; uocat ingenti clamore Cithaeron,

Taygetique canes domitrixque Epidaurus equorum,
et uox adsensu nemorum ingeminata remugit.
mox tamen ardentis accingar dicere pugnas
Caesaris et nomen fama tot ferre per annos
Tithoni prima quot abest ab origine Caesar.

118. *Orpheus and Eurydice*

AT chorus aequalis Dryadum clamore supremos
implerunt montis; flerunt Rhodopeiae arces
altaque Pangaea et Rhesi Mauortia tellus
atque Getae atque Hebrus et Actias Orithyia.
ipse caua solans aegrum testudine amorem
te, dulcis coniunx, te solo in litore secum,
te ueniente die, te decedente canebat.
Taenarias etiam fauces, alta ostia Ditis,
et caligantem nigra formidine lucum
ingressus, manisque adiit regemque tremendum
nesciaque humanis precibus mansuescere corda.
at cantu commotae Erebi de sedibus imis
umbrae ibant tenues simulacraque luce carentum,
quam multa in foliis auium se milia condunt,
uesper ubi aut hibernus agit de montibus imber,
matres atque uiri defunctaque corpora uita
magnanimum heroum, pueri innuptaeque puellae,
impositique rogis iuuenes ante ora parentum,
quos circum limus niger et deformis harundo
Cocyti tardaque palus inamabilis unda
alligat et nouies Styx interfusa coercet.
quin ipsae stupuere domus atque intima Leti
Tartara caeruleosque implexae crinibus anguis
Eumenides, tenuitque inhians tria Cerberus ora,
atque Ixionii uento rota constitit orbis.

iamque pedem referens casus euaserat omnis,
redditaque Eurydice superas ueniebat ad auras
pone sequens (namque hanc dederat Proserpina legem),
cum subita incautum dementia cepit amantem,
ignoscenda quidem, scirent si ignoscere manes :
restitit, Eurydicenque suam iam luce sub ipsa
immemor heu ! uictusque animi respexit.   ibi omnis
effusus labor atque immitis rupta tyranni
foedera, terque fragor stagnis auditus Auerni.
illa, 'quis et me,' inquit, 'miseram et te perdidit, Orpheu,
quis tantus furor ? en iterum crudelia retro
fata uocant conditque natantia lumina somnus.
iamque uale : feror ingenti circumdata nocte
inualidasque tibi tendens, heu non tua, palmas.'
dixit et ex oculis subito, ceu fumus in auras
commixtus tenuis, fugit diuersa, neque illum
prensantem nequiquam umbras et multa uolentem
dicere praeterea uidit ; nec portitor Orci
amplius obiectam passus transire paludem.
quid faceret ? quo se rapta bis coniuge ferret ?
quo fletu manis, quae numina uoce moueret ?
illa quidem Stygia nabat iam frigida cumba.
septem illum totos perhibent ex ordine mensis
rupe sub aëria deserti ad Strymonis undam
flesse sibi, et gelidis haec euoluisse sub astris,
mulcentem tigris et agentem carmine quercus ;
qualis populea maerens philomela sub umbra
amissos queritur fetus, quos durus arator
obseruans nido implumis detraxit ; at illa
flet noctem, ramoque sedens miserabile carmen
integrat, et maestis late loca questibus implet.
nulla Venus, non ulli animum flexere hymenaei :
solus Hyperboreas glacies Tanaimque niualem

aruaque Riphaeis numquam uiduata pruinis
lustrabat, raptam Eurydicen atque inrita Ditis
dona querens : spretae Ciconum quo munere matres
inter sacra deum nocturnique orgia Bacchi
discerptum latos iuuenem sparsere per agros.
tum quoque marmorea caput a ceruice reuulsum
gurgite cum medio portans Oeagrius Hebrus
uolueret, Eurydicen uox ipsa et frigida lingua,
a miseram Eurydicen ! anima fugiente uocabat ;
Eurydicen toto referebant flumine ripae.'

119.
The Aeneid

a

To Venus, to prosper his Aeneid

SI mihi susceptum fuerit decurrere munus,
O Paphon, o sedes quae colis Idalias,
Troius Aeneas Romana per oppida digno
   iam tandem ut tecum carmine uectus eat :
non ego ture modo aut picta tua templa tabella
ornabo et puris serta feram manibus—
corniger hos aries humilis et maxima taurus
   uictima sacrato sparget honore focos :
marmoreusque tibi, tibi mille coloribus ales
   in morem picta stabit Amor pharetra.
adsis o Cytherea : tuos te Caesar Olympo
   et Surrentini litoris ara uocat.

b

A Cancelled Proem to the Aeneid

ILLE ego qui quondam gracili modulatus auena
carmen, et egressus siluis uicina coegi
ut quamuis auido parerent arua colono,
gratum opus agricolis : at nunc horrentia Martis.

Q. HORATIVS FLACCVS

65-8 B.C.

120.   *Romanae fidicen lyrae*

QVEM tu, Melpomene, semel
      nascentem placido lumine uideris,
illum non labor Isthmius
      clarabit pugilem, non equos inpiger

curru ducet Achaico
      uictorem, neque res bellica Deliis
ornatum foliis ducem,
      quod regum tumidas contuderit minas,

ostendet Capitolio:
      sed quae Tibur aquae fertile praefluunt,
et spissae nemorum comae
      fingent Aeolio carmine nobilem.

Romae principis urbium
      dignatur suboles inter amabilis
uatum ponere me choros,
      et iam dente minus mordeor inuido.

o testudinis aureae
      dulcem quae strepitum, Pieri, temperas,
o mutis quoque piscibus
      donatura cycni, si libeat, sonum,

totum muneris hoc tui est,
      quod monstror digito praetereuntium
Romanae fidicen lyrae:
      quod spiro et placeo, si placeo, tuom est.

121. *Song Makes Immortal*

NE forte credas interitura quae
longe sonantem natus ad Aufidum
 non ante uolgatas per artis
  uerba loquor socianda chordis:

non, si priores Maeonius tenet
sedes Homerus, Pindaricae latent
 Ceaeque et Alcaei minaces
  Stesichoriue graues Camenae:

nec siquid olim lusit Anacreon
deleuit aetas; spirat adhuc amor
 uiuuntque conmissi calores
  Aeoliae fidibus puellae.

non sola comptos arsit adulteri
crinis et aurum uestibus illitum
 mirata regalisque cultus
  et comites Helene Lacaena,

primusue Teucer tela Cydonio
direxit arcu; non semel Ilios
 uexata; non pugnauit ingens
  Idomeneus Sthenelusue solus

dicenda Musis proelia; non ferox
Hector uel acer Deiphobus grauis
 excepit ictus pro pudicis
  coniugibus puerisque primus.

uixere fortes ante Agamemnona
multi; sed omnes inlacrimabiles
 urgentur ignotique longa
  nocte, carent quia uate sacro.

paulum sepultae distat inertiae
celata uirtus—non ego te meis
   chartis inornatum sileri
     totue tuos patiar labores

impune, Lolli, carpere liuidas
obliuiones. est animus tibi
   rerumque prudens et secundis
     temporibus dubiisque rectus,

uindex auarae fraudis et abstinens
ducentis ad se cuncta pecuniae,
   consulque non unius anni,
     sed quotiens bonus atque fidus

iudex honestum praetulit utili,
reiecit alto dona nocentium
   uoltu, per obstantis cateruas
     explicuit sua uictor arma.

non possidentem multa uocaueris
recte beatum : rectius occupat
   nomen beati qui deorum
     muneribus sapienter uti

duramque callet pauperiem pati
peiusque leto flagitium timet,
   non ille pro caris amicis
     aut patria timidus perire.

122. *Spring: An Invitation to Vergil*

IAM ueris comites, quae mare temperant,
inpellunt animae lintea Thraciae,
iam nec prata rigent nec fluuii strepunt
    hiberna niue turgidi.

nidum ponit, Ityn flebiliter gemens,
infelix auis et Cecropiae domus
aeternum opprobrium, quod male barbaras
    regum est ulta libidines.

dicunt in tenero gramine pinguium
custodes ouium carmina fistula,
delectantque deum, cui pecus et nigri
    colles Arcadiae placent.

adduxere sitim tempora, Vergili:
sed pressum Calibus ducere Liberum
si gestis, iuuenum nobilium cliens,
    nardo uina merebere.

nardi paruos onyx eliciet cadum,
qui nunc Sulpiciis adcubat horreis,
spes donare nouas largus amaraque
    curarum eluere efficax.

ad quae si properas gaudia, cum tua
uelox merce ueni : non ego te meis
inmunem meditor tinguere poculis,
    plena diues ut in domo.

uerum pone moras et studium lucri,
nigrorumque memor, dum licet, ignium
misce stultitiam consiliis breuem :
    dulce est desipere in loco.

123.   *Winter*

VIDES ut alta stet niue candidum
    Soracte nec iam sustineant onus
        siluae laborantes geluque
            flumina constiterint acuto?

dissolue frigus ligna super foco
large reponens atque benignius
    deprome quadrimum Sabina,
        o Thaliarche, merum diota.

permitte diuis cetera, qui simul
strauere uentos aequore feruido
    deproeliantis, nec cupressi
        nec ueteres agitantur orni.

quid sit futurum cras, fuge quaerere, et
quem Fors dierum cumque dabit, lucro
    adpone nec dulcis amores
        sperne, puer, neque tu choreas,

donec uirenti canities abest
morosa.   nunc et campus et areae
    lenesque sub noctem susurri
        conposita repetantur hora,

nunc et latentis proditor intumo
gratus puellae risus ab angulo
    pignusque dereptum lacertis
        aut digito male pertinaci.

124.   *To Venus*

O VENVS regina Cnidi Paphique,
sperne dilectam Cypron et uocantis
ture te multo Glycerae decoram
    transfer in aedem.

feruidus tecum puer et solutis
Gratiae zonis properentque Nymphae
et parum comis sine te Iuuentas
    Mercuriusque.

125.   '*What slender youth . . .*'

Q VIS multa gracilis te puer in rosa
perfusus liquidis urget odoribus
grato, Pyrrha, sub antro?
    cui flauam religas comam

simplex munditiis? heu quotiens fidem
mutatosque deos flebit et aspera
    nigris aequora uentis
        emirabitur insolens,

qui nunc te fruitur credulus aurea,
qui semper uacuam, semper amabilem
    sperat, nescius aurae
        fallacis.   miseri, quibus

intemptata nites.   me tabula sacer
uotiua paries indicat uuida
    suspendisse potenti
        uestimenta maris deo.

126.   *Amoris Integratio*

'DONEC gratus eram tibi
   nec quisquam potior bracchia candidae
ceruici iuuenis dabat,
   Persarum uigui rege beatior.'

'donec non alia magis
   arsisti neque erat Lydia post Chloen,
multi Lydia nominis,
   Romana uigui clarior Ilia.'

'me nunc Thressa Chloe regit,
   dulcis docta modos et citharae sciens,
pro qua non metuam mori,
   si parcent animae fata superstiti.'

'me torret face mutua
   Thurini Calais filius Ornyti,
pro quo bis patiar mori,
   si parcent puero fata superstiti.'

'quid si prisca redit Venus
   diductosque iugo cogit aeneo?
si flaua excutitur Chloe
   reiectaeque patet ianua Lydiae?'

'quamquam sidere pulcrior
   ille est, tu leuior cortice et inprobo
iracundior Hadria:
   tecum uiuere amem, tecum obeam lubens.'

127.   *Si jeunesse savait, si vieillesse*
           pouvait

O CRVDELIS adhuc et Veneris muneribus potens,
   insperata tuae cum ueniet pluma superbiae,
et, quae nunc umeris inuolitant, deciderint comae,
nunc et qui color est puniceae flore prior rosae,

mutatus, Ligurine, in faciem uerterit hispidam,
dices 'heu', quotiens te in speculo uideris alterum,
'quae mens est hodie, cur eadem non puero fuit
uel cur his animis incolumes non redeunt genae?'

128.   *The Latter End of Lyce*

A VDIVERE, Lyce, di mea uota, di
   audiuere, Lyce : fis anus et tamen
   uis formosa uideri
       ludisque et bibis impudens

et cantu tremulo pota Cupidinem
lentum sollicitas.   ille uirentis et
    doctae psallere Chiae
       pulcris excubat in genis.

inportunus enim transuolat aridas
quercus et refugit te quia luridi
    dentes, te quia rugae
       turpant et capitis niues.

nec Coae referunt iam tibi purpurae
nec cari lapides tempora, quae semel
    notis condita fastis
          inclusit uolucris dies.

quo fugit uenus, heu, quoque color, decens
quo motus? quid habes illius, illius,
   quae spirabat amores,
     quae me surpuerat mihi,

felix post Cinaram notaque et artium
gratarum facies? sed Cinarae breuis
   annos fata dederunt,
     seruatura diu parem

cornicis uetulae temporibus Lycen,
possent ut iuuenes uisere feruidi
   multo non sine risu
     dilapsam in cineres facem.

129. *He Abandons the Lists of Love*

VIXI puellis nuper idoneus
  et militaui non sine gloria;
   nunc arma defunctumque bello
    barbiton hic paries habebit,

laeuom marinae qui Veneris latus
custodit. hic, hic ponite lucida
   funalia et uectis et arcus
    oppositis foribus minacis.

o quae beatam diua tenes Cyprum et
Memphin carentem Sithonia niue,
   regina, sublimi flagello
    tange Chloen semel arrogantem.

130.   *Rursus bella moues?*

INTERMISSA, Venus, diu
rursus bella moues? parce, precor, precor.
non sum qualis eram bonae
    sub regno Cinarae. desine, dulcium

mater saeua Cupidinum,
    circa lustra decem flectere mollibus
iam durum imperiis : abi,
    quo blandae iuuenum te reuocant preces.

tempestiuius in domum
    Pauli purpureis ales oloribus
commissabere Maximi,
    si torrere iecur quaeris idoneum ;

namque et nobilis et decens
    et pro sollicitis non tacitus reis
et centum puer artium
    late signa feret militiae tuae,

et, quandoque potentior
    largi muneribus riserit aemuli,
Albanos prope te lacus
    ponet marmoream sub trabe citrea.

illic plurima naribus
    duces tura lyraeque et Berecyntiae
delectabere tibiae
    mixtis carminibus non sine fistula ;

illic bis pueri die
    numen cum teneris uirginibus tuom
laudantes pede candido
    in morem Salium ter quatient humum.

me nec femina nec puer
  iam nec spes animi credula mutui
nec certare iuuat mero
  nec uincire nouis tempora floribus.

sed cur heu, Ligurine, cur
  manat rara meas lacrima per genas?
cur facunda parum decoro
  inter uerba cadit lingua silentio?

nocturnis ego somniis
  iam captum teneo, iam uolucrem sequor
te per gramina Martii
  campi, te per aquas, dure, uolubilis.

131.   *A Bachelor Festival*

MARTIIS caelebs quid agam kalendis,
  quid uelint flores et acerra turis
plena miraris positusque carbo in
  caespite uiuo.

docte sermones utriusque linguae,
uoueram dulcis epulas et album
Libero caprum prope funeratus
  arboris ictu.

hic dies anno redeunte festus
corticem adstrictum pice dimouebit
amphorae fumum bibere institutae
  consule Tullo.

sume, Maecenas, cyathos amici
sospitis centum et uigiles lucernas
profer in lucem: procul omnis esto
  clamor et ira.

mitte ciuilis super Vrbe curas:
occidit Daci Cotisonis agmen,
Medus infestus sibi luctuosis
    dissidet armis,

seruit Hispanae uetus hostis orae
Cantaber, sera domitus catena,
iam Scythae laxo meditantur arcu
    cedere campis.

neglegens, ne qua populus laboret,
parce priuatus nimium cauere et
dona praesentis cape laetus horae et
    linque seuera.

132.   *A Retreat for Old Age*

SEPTIMI, Gadis aditure mecum et
  Cantabrum indoctum iuga ferre nostra et
barbaras Syrtis, ubi Maura semper
    aestuat unda:

Tibur Argeo positum colono
sit meae sedes utinam senectae,
sit modus lasso maris et uiarum
    militiaeque:

unde si Parcae prohibent iniquae,
dulce pellitis ouibus Galaesi
flumen et regnata petam Laconi
    rura Phalantho.

ille terrarum mihi praeter omnis
angulus ridet, ubi non Hymetto
mella decedunt uiridique certat
    baca Venafro.

uer ubi longum tepidasque praebet
Iuppiter brumas et amicus Aulon
　　fertili Baccho minimum Falernis
　　　　inuidet uuis;

ille te mecum locus et beatae
postulant arces: ibi tu calentem
　　debita sparges lacrima fauillam
　　　　uatis amici.

133.　　*Welcome home to Pompeius*

O SAEPE mecum tempus in ultimum
　　deducte Bruto militiae duce,
　　quis te redonauit Quiritem
　　　　dis patriis Italoque caelo,

Pompei, meorum prime sodalium?
cum quo morantem saepe diem mero
　　fregi, coronatus nitentis
　　　　malobathro Syrio capillos.

tecum Philippos et celerem fugam
sensi relicta non bene parmula,
　　cum fracta uirtus, et minaces
　　　　turpe solum tetigere mento;

sed me per hostis Mercurius celer
denso pauentem sustulit aere,
　　te rursus in bellum resorbens
　　　　unda fretis tulit aestuosis.

ergo obligatam redde Ioui dapem
longaque fessum militia latus
　　depone sub lauru mea nec
　　　　parce cadis tibi destinatis.

obliuioso leuia Massico
ciboria exple, funde capacibus
    unguenta de conchis.   quis udo
        deproperare apio coronas

curatue myrto ?   quem Venus arbitrum
dicet bibendi ?   non ego sanius
    bacchabor Edonis : recepto
        dulce mihi furere est amico.

134.   *Eheu fugaces*

EHEV fugaces, Postume, Postume,
    labuntur anni nec pietas moram
rugis et instanti senectae
    adferet indomitaeque morti ;

non, si trecenis quotquot eunt dies,
amice, places inlacrimabilem
    Plutona tauris, qui ter amplum
        Geryonen Tityonque tristi

conpescit unda, scilicet omnibus
quicumque terrae munere uescimur
    enauiganda, siue reges
        siue inopes erimus coloni.

frustra cruento marte carebimus
fractisque rauci fluctibus Hadriae,
    frustra per autumnos nocentem
        corporibus metuemus austrum :

uisendus ater flumine languido
Cocytos errans et Danai genus
    infame damnatusque longi
        Sisyphus Aeolides laboris :

linquenda tellus et domus et placens
uxor, neque harum quas colis arborum
   te praeter inuisas cupressos
      ulla breuem dominum sequetur.

absumet heres Caecuba dignior
seruata centum clauibus et mero
   tinguet pauimentum superbus
      pontificum potiore cenis.

135.   *An Invitation to Maecenas*

TYRRHENA regum progenies, tibi
  non ante uerso lene merum cado
   cum flore, Maecenas, rosarum et
      pressa tuis balanus capillis

iamdudum apud me est: eripe te morae
nec semper udum Tibur et Aefulae
   decliue contempleris aruom et
      Telegoni iuga parricidae.

fastidiosam desere copiam et
molem propinquam nubibus arduis,
   omitte mirari beatae
      fumum et opes strepitumque Romae.

plerumque gratae diuitibus uices
mundaeque paruo sub lare pauperum
   cenae sine aulaeis et ostro
      sollicitam explicuere frontem.

iam clarus occultum Andromedae pater
ostendit ignem, iam Procyon furit
   et stella uesani Leonis
      sole dies referente siccos;

iam pastor umbras cum grege languido
riuomque fessus quaerit et horridi
   dumeta Siluani, caretque
     ripa uagis taciturna uentis.

tu ciuitatem quis deceat status
curas et urbi sollicitus times,
   quid Seres et regnata Cyro
     Bactra parent Tanaisque discors.

prudens futuri temporis exitum
caliginosa nocte premit deus,
   ridetque si mortalis ultra
     fas trepidat.   quod adest memento

conponere aequos ; cetera fluminis
ritu feruntur, nunc medio alueo
   cum pace delabentis Etruscum
     in mare, nunc lapides adesos

stirpisque raptas et pecus et domos
uoluentis una, non sine montium
   clamore uicinaeque siluae,
     cum fera diluuies quietos

irritat amnis.   ille potens sui
laetusque deget cui licet in diem
   dixisse ' uixi '.   cras uel atra
     nube polum Pater occupato

uel sole puro ; non tamen irritum
quodcumque retro est efficiet neque
   diffinget infectumque reddet
     quod fugiens semel hora uexit.

Fortuna saeuo laeta negotio et
ludum insolentem ludere pertinax
    transmutat incertos honores,
        nunc mihi nunc alii benigna.

laudo manentem ; si celeris quatit
pennas, resigno quae dedit et mea
    uirtute me inuoluo probamque
        pauperiem sine dote quaero.

non est meum, si mugiat Africis
malus procellis, ad miseras preces
    decurrere et uotis pacisci
        ne Cypriae Tyriaeque merces

addant auaro diuitias mari :
tunc me biremis praesidio scaphae
    tutum per Aegaeos tumultus
        aura feret geminusque Pollux.

136.   *Pia Testa*

O NATA mecum consule Manlio,
  seu tu querelas siue geris iocos
    seu rixam et insanos amores
        seu facilem, pia testa, somnum,

quocumque lectum nomine Massicum
seruas, moueri digna bono die,
    descende Coruino iubente
        promere languidiora uina.

non ille, quamquam Socraticis madet
sermonibus, te negleget horridus :
    narratur et prisci Catonis
        saepe mero caluisse uirtus.

tu lene tormentum ingenio admoues
plerumque duro, tu sapientium
 curas et arcanum iocoso
  consilium retegis Lyaeo,

tu spem reducis mentibus anxiis
uirisque et addis cornua pauperi
 post te neque iratos trementi
  regum apices neque militum arma.

te Liber et si laeta aderit Venus
segnesque nodum soluere Gratiae
 uiuaeque producent lucernae,
  dum rediens fugat astra Phoebus.

137. *High and Low, Rich and Poor*

ODI profanum uolgus et arceo.
 fauete linguis : carmina non prius
  audita Musarum sacerdos
   uirginibus puerisque canto.

regum timendorum in proprios greges,
reges in ipsos imperium est Iouis,
 clari Giganteo triumpho,
  cuncta supercilio mouentis.

est ut uiro uir latius ordinet
arbusta sulcis, hic generosior
 descendat in campum petitor,
  moribus hic meliorque fama

contendat, illi turba clientium
sit maior : aequa lege Necessitas
 sortitur insignis et imos,
  omne capax mouet urna nomen.

destrictus ensis cui super inpia
ceruice pendet, non Siculae dapes
    dulcem elaborabunt saporem,
        non auium citharaeque cantus

somnum reducent : somnus agrestium
lenis uirorum non humilis domos
    fastidit umbrosamque ripam,
        non Zephyris agitata Tempe.

desiderantem quod satis est neque
tumultuosum sollicitat mare
    nec saeuos Arcturi cadentis
        impetus aut orientis Haedi,

non uerberatae grandine uineae
fundusque mendax, arbore nunc aquas
    culpante, nunc torrentia agros
        sidera, nunc hiemes iniquas.

contracta pisces aequora sentiunt
iactis in altum molibus : huc frequens
    caementa demittit redemptor
        cum famulis dominusque terrae

fastidiosus : sed Timor et Minae
scandunt eodem quo dominus, neque
    decedit aerata triremi et
        post equitem sedet atra Cura.

quodsi dolentem nec Phrygius lapis
nec purpurarum sidere clarior
    delenit usus nec Falerna
        uitis Achaemeniumque costum,

cur inuidendis postibus et nouo
sublime ritu moliar atrium ?
    cur ualle permutem Sabina
        diuitias operosiores ?

138.   *The Strenuous Life*

ANGVSTAM amice pauperiem pati
    robustus acri militia puer
  condiscat et Parthos ferocis
    uexet eques metuendus hasta

uitamque sub diuo et trepidis agat
in rebus.   illum ex moenibus hosticis
    matrona bellantis tyranni
      prospiciens et adulta uirgo

suspiret, eheu, ne rudis agminum
sponsus lacessat regius asperum
    tactu leonem, quem cruenta
      per medias rapit ira caedis.

dulce et decorum est pro patria mori :
mors et fugacem persequitur uirum,
    nec parcit inbellis iuuentae
      poplitibus timidoue tergo.

Virtus, repulsae nescia sordidae,
intaminatis fulget honoribus,
    nec sumit aut ponit securis
      arbitrio popularis aurae :

Virtus, recludens inmeritis mori
caelum, negata temptat iter uia
    coetusque uolgaris et udam
      spernit humum fugiente penna.

est et fideli tuta silentio
merces : uetabo, qui Cereris sacrum
    uolgarit arcanae, sub isdem
      sit trabibus fragilemue mecum

soluat phaselon.   saepe Diespiter
neglectus incesto addidit integrum :
    raro antecedentem scelestum
        deseruit pede Poena claudo.

139.   *The Path of the Just*

IVSTVM et tenacem propositi uirum
non ciuium ardor praua iubentium,
    non uoltus instantis tyranni
        mente quatit solida neque Auster,

dux inquieti turbidus Hadriae,
nec fulminantis magna manus Iouis :
    si fractus inlabatur orbis,
        inpauidum ferient ruinae.

hac arte Pollux et uagus Hercules
enisus arces attigit igneas,
    quos inter Augustus recumbens
        purpureo bibit ore nectar ;

hac te merentem, Bacche pater, tuae
uexere tigres indocili iugum
    collo trahentes, hac Quirinus
        Martis equis Acheronta fugit,

gratum elocuta consiliantibus
Iunone diuis : 'Ilion, Ilion
    fatalis incestusque iudex
        et mulier peregrina uertit

in puluerem, ex quo destituit deos
mercede pacta Laomedon, mihi
    castaeque damnatum Mineruae
        cum populo et duce fraudulento.

iam nec Lacaenae splendet adulterae
famosus hospes nec Priami domus
   periura pugnacis Achiuos
      Hectoreis opibus refringit,

nostrisque ductum seditionibus
bellum resedit; protinus et grauis
   iras et inuisum nepotem,
      Troica quem peperit sacerdos,

Marti redonabo; illum ego lucidas
inire sedes, discere nectaris
   sucos et adscribi quietis
      ordinibus patiar deorum.

dum longus inter saeuiat Ilion
Romamque pontus, qualibet exsules
   in parte regnanto beati;
      dum Priami Paridisque busto

insultet armentum et catulos ferae
celent inultae, stet Capitolium
   fulgens triumphatisque possit
      Roma ferox dare iura Medis.

horrenda late nomen in ultimas
extendat oras, qua medius liquor
   secernit Europen ab Afro,
      qua tumidus rigat arua Nilus,

aurum inrepertum et sic melius situm,
cum terra celat, spernere fortior
   quam cogere humanos in usus
      omne sacrum rapiente dextra.

quicumque mundo terminus obstitit,
hunc tanget armis, uisere gestiens
  qua parte debacchentur ignes,
    qua nebulae pluuiique rores.

sed bellicosis fata Quiritibus
hac lege dico, ne nimium pii
  rebusque fidentes auitae
    tecta uelint reparare Troiae.

Troiae renascens alite lugubri
fortuna tristi clade iterabitur
  ducente uictricis cateruas
    coniuge me Iouis et sorore.

ter si resurgat murus aeneus
auctore Phoebo, ter pereat meis
  excisus Argiuis, ter uxor
    capta uirum puerosque ploret.'

non hoc iocosae conueniet lyrae—
quo, Musa, tendis? desine peruicax
  referre sermones deorum et
    magna modis tenuare paruis.

140.   *Pollio*

MOTVM ex Metello consule ciuicum
  bellique causas et uitia et modos
    ludumque Fortunae grauisque
      principum amicitias et arma

nondum expiatis uncta cruoribus,
periculosae plenum opus aleae,
  tractas et incedis per ignis
    suppositos cineri doloso.

paulum seuerae musa tragoediae
desit theatris : mox ubi publicas
　　res ordinaris, grande munus
　　　　Cecropio repetes coturno,

insigne maestis praesidium reis
et consulenti, Pollio, curiae,
　　cui laurus aeternos honores
　　　　Delmatico peperit triumpho.

iam nunc minaci murmure cornuum
perstringis auris, iam litui strepunt,
　　iam fulgor armorum fugacis
　　　　terret equos equitumque uoltus.

audire magnos iam uideor duces
non indecoro puluere sordidos,
　　et cuncta terrarum subacta
　　　　praeter atrocem animum Catonis.

Iuno et deorum quisquis amicior
Afris inulta cesserat impotens
　　tellure, uictorum nepotes
　　　　rettulit inferias Iugurthae.

quis non Latino sanguine pinguior
campus sepulcris inpia proelia
　　testatur auditumque Medis
　　　　Hesperiae sonitum ruinae?

qui gurges aut quae flumina lugubris
ignara belli? quod mare Dauniae
　　non decolorauere caedes?
　　　　quae caret ora cruore nostro?

sed ne relictis, Musa procax, iocis
Ceae retractes munera neniae,
　　mecum Dionaeo sub antro
　　　　quaere modos leuiore plectro.

141.　　　　　　　*Regulus*

CAELO tonantem credidimus Iouem
　regnare; praesens diuos habebitur
　　Augustus adiectis Britannis
　　　　imperio grauibusque Persis.

milesne Crassi coniuge barbara
turpis maritus uixit et hostium
　　(pro curia inuersique mores!)
　　　　consenuit socerorum in armis

sub rege Medo Marsus et Apulus,
anciliorum et nominis et togae
　　oblitus aeternaeque Vestae,
　　　　incolumi Ioue et urbe Roma?

hoc cauerat mens prouida Reguli
dissentientis condicionibus
　　foedis et exemplo trahentis
　　　　perniciem ueniens in aeuom,

si non perirent immiserabilis
captiua pubes.　'signa ego Punicis
　　adfixa delubris et arma
　　　　militibus sine caede,' dixit,

'derepta uidi, uidi ego ciuium
retorta tergo bracchia libero
　　portasque non clausas et arua
　　　　Marte coli populata nostro.

auro repensus scilicet acrior
miles redibit.   flagitio additis
   damnum ; neque amissos colores
     lana refert medicata fuco,

nec uera uirtus, cum semel excidit,
curat reponi deterioribus.—
   si pugnat extricata densis
     cerua plagis, erit ille fortis

qui perfidis se credidit hostibus
et Marte Poenos proteret altero,
   qui lora restrictis lacertis
     sensit iners timuitque mortem.

hic, unde uitam sumeret inscius,
pacem duello miscuit.   o pudor,
   o magna Carthago, probrosis
     altior Italiae ruinis ! '

fertur pudicae coniugis osculum
paruosque natos ut capitis minor
   ab se remouisse et uirilem
     toruos humi posuisse uoltum :

donec labantis consilio patres
firmaret auctor numquam alias dato
   interque maerentis amicos
     egregius properaret exsul.

atqui sciebat quae sibi barbarus
tortor pararet : non aliter tamen
   dimouit obstantis propinquos
     et populum reditus morantem

quam si clientum longa negotia
diiudicata lite relinqueret
   tendens Venafranos in agros
     aut Lacedaemonium Tarentum.

142.   *Cleopatra*

NVNC est bibendum, nunc pede libero
pulsanda tellus ; nunc Saliaribus
  ornare puluinar deorum
      tempus erat dapibus, sodales.

antehac nefas depromere Caecubum
cellis auitis, dum Capitolio
  regina dementis ruinas
      funus et imperio parabat

contaminato cum grege turpium
morbo uirorum, quidlibet inpotens
  sperare fortunaque dulci
      ebria.   sed minuit furorem

uix una sospes nauis ab ignibus,
mentemque lymphatam Mareotico
  redegit in ueros timores
      Caesar ab Italia uolantem

remis adurgens, accipiter uelut
mollis columbas aut leporem citus
  uenator in campis niualis
      Haemoniae, daret ut catenis

fatale monstrum.   quae generosius
perire quaerens nec muliebriter
  expauit ensem nec latentis
      classe cita reparauit oras ;

ausa et iacentem uisere regiam
uoltu sereno, fortis et asperas
  tractare serpentis, ut atrum
      corpore conbiberet uenenum,

deliberata morte ferocior,
saeuis Liburnis scilicet inuidens
  priuata deduci superbo
      non humilis mulier triumpho.

Q. HORATIVS FLACCVS

143.   *Augustus returns in triumph*

HERCVLIS ritu modo dictus, o plebs,
morte uenalem petiisse laurum
Caesar Hispana repetit penatis
     uictor ab ora.

unico gaudens mulier marito
prodeat iustis operata sacris
et soror clari ducis et decorae
     supplice uitta

uirginum matres iuuenumque nuper
sospitum; uos, o pueri et puellae
iam uirum expertae, male inominatis
     parcite uerbis.

hic dies uere mihi festus atras
eximet curas: ego nec tumultum
nec mori per uim metuam tenente
     Caesare terras.

i, pete unguentum, puer, et coronas
et cadum Marsi memorem duelli,
Spartacum siqua potuit uagantem
     fallere testa.

dic et argutae properet Neaerae
murreum nodo cohibere crinem;
si per inuisum mora ianitorem
     fiet, abito.

lenit albescens animos capillus
litium et rixae cupidos proteruae;
non ego hoc ferrem calidus iuuenta
     consule Planco.

144.   *Deliverance from Death*

ILLE et nefasto te posuit die
quicumque primum, et sacrilega manu
    produxit, arbos, in nepotum
        perniciem opprobriumque pagi;

illum et parentis crediderim sui
fregisse ceruicem et penetralia
    sparsisse nocturno cruore
        hospitis; ille uenena Colcha

et quidquid usquam concipitur nefas
tractauit, agro qui statuit meo
    te, triste lignum, te caducum
        in domini caput inmerentis.

quid quisque uitet, numquam homini satis
cautum est in horas: nauita Bosporum
    Poenus perhorrescit neque ultra
        caeca timet subeunda fata:

miles sagittas et celerem fugam
Parthi, catenas Parthus et Italum
    robur; sed inprouisa leti
        uis rapuit rapietque gentis.

quam paene furuae regna Proserpinae
et iudicantem uidimus Aeacum
    sedesque discriptas piorum et
        Aeoliis fidibus querentem

Sappho puellis de popularibus
et te sonantem plenius aureo,
    Alcaee, plectro dura nauis,
        dura fugae mala, dura belli!

utrumque sacro digna silentio
mirantur umbrae dicere, sed magis
　　pugnas et exactos tyrannos
　　　　densum umeris bibit aure uolgus.

quid mirum, ubi illis carminibus stupens
demittit atras belua centiceps
　　auris et intorti capillis
　　　　Eumenidum recreantur angues?

quin et Prometheus et Pelopis parens
dulci laborum decipitur sono
　　nec curat Orion leones
　　　　aut timidos agitare lyncas.

145. *Bandusia*

O FONS Bandusiae splendidior uitro,
dulci digne mero non sine floribus,
　　cras donaberis haedo,
　　　　cui frons turgida cornibus

primis et uenerem et proelia destinat:
frustra, nam gelidos inficiet tibi
　　rubro sanguine riuos
　　　　lasciui suboles gregis.

te flagrantis atrox hora Caniculae
nescit tangere, tu frigus amabile
　　fessis uomere tauris
　　　　praebes et pecori uago.

fies nobilium tu quoque fontium,
me dicente cauis inpositam ilicem
　　saxis, unde loquaces
　　　　lymphae desiliunt tuae.

146.   *Mens Aequa*

AEQVAM memento rebus in arduis
    seruare mentem, non secus in bonis
  ab insolenti temperatam
      laetitia, moriture Delli,

seu maestus omni tempore uixeris
seu te in remoto gramine per dies
    festos reclinatum bearis
      interiore nota Falerni.

quo pinus ingens albaque populus
umbram hospitalem consociare amant
    ramis? quid obliquo laborat
      lympha fugax trepidare riuo?

huc uina et unguenta et nimium breuis
flores amoenae ferre iube rosae,
    dum res et aetas et sororum
      fila trium patiuntur atra.

cedes coemptis saltibus et domo
uillaque flauos quam Tiberis lauit,
    cedes et exstructis in altum
      diuitiis potietur heres.

diuesne prisco natus ab Inacho
nil interest an pauper et infima
    de gente sub diuo moreris:
      uictima nil miserantis Orci.

omnes eodem cogimur, omnium
uersatur urna serius ocius
    sors exitura et nos in aeternum
      exsilium inpositura cumbae.

147.   *Pindar*

PINDARVM quisquis studet aemulari,
Iulle, ceratis ope Daedalea
nititur pennis uitreo daturus
    nomina ponto.

monte decurrens uelut amnis, imbres
quem super notas aluere ripas,
feruet inmensusque ruit profundo
    Pindarus ore,

laurea donandus Apollinari,
seu per audacis noua dithyrambos
uerba deuoluit numerisque fertur
    lege solutis,

seu deos regesque canit deorum
sanguen et per quos cecidere iusta
morte Centauri, cecidit tremendae
    flamma Chimaerae,

siue quos Elea domum reducit
palma caelestis pugilemue equomue
dicit et centum potiore signis
    munere donat,

flebili sponsae iuuenemue raptum
plorat et uiris animumque moresque
aureos educit in astra nigroque
    inuidet Orco.

multa Dircaeum leuat aura cycnum,
tendit, Antoni, quotiens in altos
nubium tractus: ego apis Matinae
    more modoque

grata carpentis thyma per laborem
plurimum circa nemus uuidique
Tiburis ripas operosa paruos
    carmina fingo.

concines maiore poeta plectro
Caesarem, quandoque trahet ferocis
per sacrum cliuom merita decorus
    fronde Sygambros ;

quo nihil maius meliusue terris
fata donauere bonique diui
nec dabunt, quamuis redeant in aurum
    tempora priscum.

concines laetosque dies et Vrbis
publicum ludum super inpetrato
fortis Augusti reditu forumque
    litibus orbum.

tum meae, siquid loquar audiendum,
uocis accedet bona pars et 'o sol
pulcer, o laudande!' canam recepto
    Caesare felix.

terque, dum procedit, 'io triumphe,'
non semel dicemus, 'io triumphe'
ciuitas omnis dabimusque diuis
    tura benignis.

te decem tauri totidemque uaccae,
me tener soluet uitulus, relicta
matre qui largis iuuenescit herbis
    in mea uota,

fronte curuatos imitatus ignis
tertium lunae referentis ortum,
qua notam duxit, niueus uideri,
    cetera fuluos.

148.   *The Daughters of Danaus*

MERCVRI, nam te docilis magistro
mouit Amphion lapides canendo,
tuque, testudo, resonare septem
    callida neruis,

nec loquax olim neque grata. nunc et
diuitum mensis et amica templis,
dic modos, Lyde quibus obstinatas
    adplicet auris,

quae uelut latis equa trima campis
ludit exsultim metuitque tangi
nuptiarum expers et adhuc proteruo
    cruda marito.

tu potes tigris comitesque siluas
ducere et riuos celeris morari;
cessit immanis tibi blandienti
    ianitor aulae

Cerberus, quamuis furiale centum
muniant angues caput eius atque
spiritus taeter saniesque manet
    ore trilingui;

quin et Ixion Tityosque uoltu
risit inuito, stetit urna paulum
sicca, dum grato Danai puellas
    carmine mulces.

audiat Lyde scelus atque notas
uirginum poenas et inane lymphae
dolium fundo pereuntis imo
    seraque fata,

quae manent culpas etiam sub Orco.
inpiae nam (quid potuere maius?),
inpiae sponsos potuere duro
    perdere ferro.

una de multis face nuptiali
digna periurum fuit in parentem
splendide mendax et in omne uirgo
    nobilis aeuom,

' surge,' quae dixit iuueni marito,
' surge, ne longus tibi somnus unde
non times detur; socerum et scelestas
    falle sorores:

quae uelut nactae uitulos leaenae
singulos, eheu, lacerant: ego illis
mollior nec te feriam neque intra
    claustra tenebo.

me pater saeuis oneret catenis,
quod uiro clemens misero peperci,
me uel extremos Numidarum in agros
    classe releget:

i pedes quo te rapiunt et aurae,
dum fauet nox et Venus, i secundo
omine et nostri memorem sepulcro
    scalpe querelam.'

149.   *To Vergil: on the Death of Quintilius*

QVIS desiderio sit pudor aut modus
tam cari capitis? praecipe lugubris
cantus, Melpomene, cui liquidam pater
    uocem cum cithara dedit.

ergo Quintilium perpetuos sopor
urget? cui Pudor et Iustitiae soror,
incorrupta Fides, nudaque Veritas
    quando ullum inueniet parem?

multis ille bonis flebilis occidit,
nulli flebilior quam tibi, Vergili.
tu frustra pius heu non ita creditum
    poscis Quintilium deos.

quid? si Threicio blandius Orpheo
auditam moderere arboribus fidem,
num uanae redeat sanguis imagini,
    quam uirga semel horrida

non lenis precibus fata recludere
nigro conpulerit Mercurius gregi?
durum: sed leuius fit patientia
    quidquid corrigere est nefas.

150.   *Beatus unicis Sabinis*

NON ebur neque aureum
    mea renidet in domo lacunar,
non trabes Hymettiae
    premunt columnas ultima recisas

Africa, neque Attali
    ignotus heres regiam occupaui,
nec Laconicas mihi
    trahunt honestae purpuras clientae.

at fides et ingeni
    benigna uena est pauperemque diues
me petit: nihil supra
    deos lacesso nec potentem amicum

largiora flagito,
    satis beatus unicis Sabinis.
truditur dies die
    nouaeque pergunt interire lunae:

tu secanda marmora
    locas sub ipsum funus et sepulcri
inmemor struis domos
    marisque Bais obstrepentis urges

summouere litora,
    parum locuples continente ripa;
quid quod usque proximos
    reuellis agri terminos et ultra

limites clientium
    salis auarus? pellitur paternos
in sinu ferens deos
    et uxor et uir sordidosque natos.

nulla certior tamen
    rapacis Orci sede destinata
aula diuitem manet
    erum.   quid ultra tendis? aequa tellus

pauperi recluditur
    regumque pueris, nec satelles Orci
callidum Promethea
    reuexit auro captus: hic superbum

Tantalum atque Tantali
    genus coercet, hic leuare functum
pauperem laboribus
    uocatus atque non uocatus audit.

151.   *A Hard Winter*

HORRIDA tempestas caelum contraxit et imbres
　　niuesque deducunt Iouem ; nunc mare, nunc siluae
Threicio Aquilone sonant.　rapiamus, amici,
　　occasionem de die : dumque uirent genua
et decet, obducta soluatur fronte senectus.
　　tu uina Torquato moue consule pressa meo.
cetera mitte loqui : deus haec fortasse benigna
　　reducet in sedem uice.　nunc et Achaemenio
perfundi nardo iuuat et fide Cyllenea
　　leuare diris pectora sollicitudinibus,
nobilis ut grandi cecinit Centaurus alumno :
　　' inuicte, mortalis dea nate puer Thetide,
te manet Assaraci tellus, quam frigida parui
　　findunt Scamandri flumina lubricus et Simois,
unde tibi reditum certo subtemine Parcae
　　rupere, nec mater domum caerula te reuehet :
illic omne malum uino cantuque leuato,
　　deformis aegrimoniae dulcibus adloquiis.'

152.   *Two Poems on the Return of Spring*

i

SOLVITVR acris hiems grata uice ueris et Fauoni
　　trahuntque siccas machinae carinas,
ac neque iam stabulis gaudet pecus aut arator igni
　　nec prata canis albicant pruinis.

iam Cytherea choros ducit Venus imminente luna
　　iunctaeque Nymphis Gratiae decentes
alterno terram quatiunt pede, dum grauis Cyclopum
　　Volcanus ardens uisit officinas.

nunc decet aut uiridi nitidum caput impedire myrto
    aut flore terrae quem ferunt solutae,
nunc et in umbrosis Fauno decet immolare lucis,
    seu poscat agna siue malit haedo.

pallida Mors aequo pulsat pede pauperum tabernas
    regumque turris. o beate Sesti,
uitae summa breuis spem nos uetat incohare longam;
    iam te premet nox fabulaeque Manes

et domus exilis Plutonia; quo simul mearis,
    nec regna uini sortiere talis
nec tenerum Lycidan mirabere, quo calet iuuentus
    nunc omnis et mox uirgines tepebunt.

ii

Diffugere niues, redeunt iam gramina campis
    arboribusque comae;
mutat terra uices et decrescentia ripas
    flumina praetereunt;

Gratia cum Nymphis geminisque sororibus audet
    ducere nuda choros:
inmortalia ne speres, monet annus et almum
    quae rapit hora diem.

frigora mitescunt Zephyris, uer proterit aestas
    interitura, simul
pomifer autumnus fruges effuderit, et mox
    bruma recurrit iners.

damna tamen celeres reparant caelestia lunae:
    nos ubi decidimus
quo pius Aeneas, quo Tullus diues et Ancus,
    puluis et umbra sumus.

quis scit an adiciant hodiernae crastina summae
    tempora di superi ?
cuncta manus auidas fugient heredis amico
    quae dederis animo.

cum semel occideris et de te splendida Minos
    fecerit arbitria,
non, Torquate, genus, non te facundia, non te
    restituet pietas ;

infernis neque enim tenebris Diana pudicum
    liberat Hippolytum
nec Lethaea ualet Theseus abrumpere caro
    uincula Perithoo.

153.   *Horace's Monument*

EXEGI monumentum aere perennius
    regalique situ pyramidum altius,
quod non imber edax, non Aquilo impotens
possit diruere aut innumerabilis

annorum series et fuga temporum :
non omnis moriar multaque pars mei
uitabit Libitinam ; usque ego postera
crescam laude recens, dum Capitolium

scandet cum tacita uirgine pontifex ;
dicar, qua uiolens obstrepit Aufidus
et qua pauper aquae Daunus agrestium
regnauit populorum, ex humili potens,

princeps Aeolium carmen ad Italos
deduxisse modos.   sume superbiam
quaesitam meritis et mihi Delphica
lauro cinge uolens, Melpomene, comam.

ALBIVS TIBVLLVS

55-19 B.C.

154.   *Love in the Valley*

DIVITIAS alius fuluo sibi congerat auro
  et teneat culti iugera multa soli,
quem labor adsiduus uicino terreat hoste,
    Martia cui somnos classica pulsa fugent :
me mea paupertas uita traducat inerti,
    dum meus adsiduo luceat igne focus.
ipse seram teneras maturo tempore uites
    rusticus et facili grandia poma manu :
nec Spes destituat sed frugum semper aceruos
    praebeat et pleno pinguia musta lacu.
nam ueneror, seu stipes habet desertus in agris
    seu uetus in triuio florida serta lapis :
et quodcumque mihi pomum nouus educat annus,
    libatum agricolae ponitur ante deo.
flaua Ceres, tibi sit nostro de rure corona
    spicea, quae templi pendeat ante fores ;
pomosisque ruber custos ponatur in hortis
    terreat ut saeua falce Priapus auis.
uos quoque, felicis quondam, nunc pauperis agri
    custodes, fertis munera uestra, Lares.
tunc uitula innumeros lustrabat caesa iuuencos :
    nunc agna exigui est hostia parua soli.
agna cadet uobis, quam circum rustica pubes
    clamet ' io messes et bona uina date.'
iam mihi, iam possim contentus uiuere paruo
    nec semper longae deditus esse uiae,
sed Canis aestiuos ortus uitare sub umbra
    arboris ad riuos praetereuntis aquae.

nec tamen interdum pudeat tenuisse bidentem
    aut stimulo tardos increpuisse boues ;
non agnamue sinu pigeat fetumue capellae
    desertum oblita matre referre domum.
at uos exiguo pecori, furesque lupique,
    parcite : de magno praeda petenda grege.
hinc ego pastoremque meum lustrare quot annis
    et placidam soleo spargere lacte Palem.
adsitis, diui, neu uos e paupere mensa
    dona nec e puris spernite fictilibus.—
fictilia antiquus primum sibi fecit agrestis
    pocula, de facili composuitque luto.—
non ego diuitias patrum fructusque requiro,
    quos tulit antiquo condita messis auo :
parua seges satis est ; satis est requiescere lecto
    si licet et solito membra leuare toro.
quam iuuat immitis uentos audire cubantem
    et dominam tenero continuisse sinu :
aut, gelidas hibernus aquas cum fuderit Auster,
    securum somnos imbre iuuante sequi !
hoc mihi contingat : sit diues iure, furorem
    qui maris et tristis ferre potest pluuias.
o quantum est auri pereat prius atque smaragdi,
    quam fleat ob nostras ulla puella uias.
te bellare decet terra, Messalla, marique,
    ut domus hostilis praeferat exuuias :
me retinent uinctum formosae uincla puellae,
    et sedeo duras ianitor ante fores.
non ego laudari curo, mea Delia : tecum
    dum modo sim, quaeso segnis inersque uocer :
te spectem, suprema mihi cum uenerit hora,
    te teneam moriens deficiente manu.
flebis in arsuro positum me, Delia, lecto,
    tristibus et lacrimis oscula mixta dabis.

flebis: non tua sunt duro praecordia ferro
    uincta, nec in tenero stat tibi corde silex.
illo non iuuenis poterit de funere quisquam
    lumina, non uirgo sicca referre domum.
tu manis ne laede meos, sed parce solutis
    crinibus et teneris, Delia, parce genis.
interea, dum fata sinunt, iungamus amores:
    iam ueniet tenebris Mors adoperta caput;
iam subrepet iners aetas, nec amare decebit
    dicere nec cano blanditias capite.
nunc leuis est tractanda uenus, dum frangere postis
    non pudet et rixas inseruisse iuuat.
hic ego dux milesque bonus: uos, signa tubaeque,
    ite procul, cupidis uulnera ferte uiris,
ferte et opes: ego composito securus aceruo
    dites despiciam despiciamque famem.

155. *Lines Written in Sickness at Corcyra*

IBITIS Aegaeas sine me, Messalla, per undas,
    o utinam memores ipse cohorsque mei!
me tenet ignotis aegrum Phaeacia terris:
    abstineas auidas Mors modo nigra manus.
abstineas, Mors atra, precor: non hic mihi mater
    quae legat in maestos ossa perusta sinus,
non soror, Assyrios cineri quae dedat odores
    et fleat effusis ante sepulcra comis,
Delia non usquam quae, me cum mitteret urbe,
    dicitur ante omnis consuluisse deos.
illa sacras pueri sortis ter sustulit: illi
    rettulit e trinis omnia certa puer.

cuncta dabant reditus: tamen est deterrita numquam
    quin fleret nostras respiceretque uias.
ipse ego solator, cum iam mandata dedissem,
    quaerebam tardas anxius usque moras.
aut ego sum causatus auis aut omina dira
    Saturniue sacram me tenuisse diem.
o quotiens ingressus iter mihi tristia dixi
    offensum in porta signa dedisse pedem!
audeat inuito ne quis discedere Amore,
    aut sciat egressum se prohibente deo.
quid tua nunc Isis mihi, Delia, quid mihi prosunt
    illa tua totiens aera repulsa manu,
quidue, pie dum sacra colis, pureque lauari
    te, memini, et puro secubuisse toro?
nunc, dea, nunc succurre mihi (nam posse mederi
    picta docet templis multa tabella tuis),
ut mea uotiuas persoluens Delia uoces
    ante sacras lino tecta fores sedeat,
bisque die resoluta comas tibi dicere laudes
    insignis turba debeat in Pharia.
at mihi contingat patrios celebrare Penatis
    reddereque antiquo menstrua tura Lari.
quam bene Saturno uiuebant rege, priusquam
    tellus in longas est patefacta uias!
nondum caeruleas pinus contempserat undas,
    effusum uentis praebueratque sinum,
nec uagus ignotis repetens compendia terris
    presserat externa nauita merce ratem.
illo non ualidus subiit iuga tempore taurus,
    non domito frenos ore momordit equus,
non domus ulla fores habuit, non fixus in agris,
    qui regeret certis finibus arua, lapis.
ipsae mella dabant quercus, ultroque ferebant
    obuia securis ubera lactis oues.

non acies, non ira fuit, non tela nec ensem
  immiti saeuus duxerat arte faber.
nunc Ioue sub domino caedes et uulnera semper,
  nunc mare, nunc leti mille repente uiae.
parce, pater.   timidum non me periuria terrent,
  non dicta in sanctos impia uerba deos.
quod si fatalis iam nunc expleuimus annos,
  fac lapis inscriptis stet super ossa notis :
HIC IACET IMMITI CONSVMPTVS MORTE TIBVLLVS,
  MESSALLAM TERRA DVM SEQVITVRQVE MARI.
sed me, quod facilis tenero sum semper Amori,
  ipsa Venus campos ducet in Elysios.
hic choreae cantusque uigent, passimque uagantes
  dulce sonant tenui gutture carmen aues ;
fert casiam non culta seges, totosque per agros
  floret odoratis terra benigna rosis ;
ac iuuenum series teneris immixta puellis
  ludit, et adsidue proelia miscet amor.
illic est, cuicumque rapax Mors uenit amanti,
  et gerit insigni myrtea serta coma.
at scelerata iacet sedes in nocte profunda
  abdita, quam circum flumina nigra sonant :
Tisiphoneque impexa feros pro crinibus anguis
  saeuit et huc illuc impia turba fugit ;
tum niger in porta per centum Cerberus ora
  stridet et aeratas excubat ante fores.
illic Iunonem temptare Ixionis ausi
  uersantur celeri noxia membra rota ;
porrectusque nouem Tityos per iugera terrae
  adsiduas atro uiscere pascit auis.
Tantalus est illic, et circum stagna : sed acrem
  iam iam poturi deserit unda sitim ;
et Danai proles, Veneris quod numina laesit,
  in caua Lethaeas dolia portat aquas.

151

illic sit quicumque meos uiolauit amores,
    optauit lentas et mihi militias.
at tu casta precor maneas, sanctique pudoris
    adsideat custos sedula semper anus.
haec tibi fabellas referat positaque lucerna
    deducat plena stamina longa colu ;
at circa grauibus pensis adfixa puella
    paulatim somno fessa remittat opus.
tunc ueniam subito, nec quisquam nuntiet ante,
    sed uidear caelo missus adesse tibi.
tunc mihi, qualis eris longos turbata capillos,
    obuia nudato, Delia, curre pede.
hoc precor, hunc illum nobis Aurora nitentem
    Luciferum roseis candida portet equis.

156.   *A Shattered Dream of Love*

ASPER eram et bene discidium me ferre loquebar :
    at mihi nunc longe gloria fortis abest.
namque agor ut per plana citus sola uerbere turben
    quem celer adsueta uersat ab arte puer.
ure ferum et torque, libeat ne dicere quicquam
    magnificum post haec : horrida uerba doma.
parce tamen, per te furtiui foedera lecti,
    per uenerem quaeso compositumque caput.
ille ego cum tristi morbo defessa iaceres
    te dicor uotis eripuisse neci :
ipseque te circum lustraui sulpure puro,
    carmine cum magico praecinuisset anus ;
ipse procuraui ne possent saeua nocere
    somnia, ter sancta deueneranda mola ;
ipse ego uelatus filo tunicisque solutis
    uota nouem Triuiae nocte silente dedi.

omnia persolui : fruitur nunc alter amore,
    et precibus felix utitur ille meis.
at mihi felicem uitam, si salua fuisses,
    fingebam demens et renuente deo :
' rura colam, frugumque aderit mea Delia custos,
    area dum messis sole calente teret,
aut mihi seruabit plenis in lintribus uuas
    pressaque ueloci candida musta pede.
consuescet numerare pecus ; consuescet amantis
    garrulus in dominae ludere uerna sinu.
illa deo sciet agricolae pro uitibus uuam,
    pro segete spicas, pro grege ferre dapem.
illa regat cunctos, illi sint omnia curae :
    at iuuet in tota me nihil esse domo.
huc ueniet Messalla meus, cui dulcia poma
    Delia selectis detrahat arboribus :
et, tantum uenerata uirum, bene edulia curet,
    huic paret atque epulas ipsa ministra gerat.'
haec mihi fingebam, quae nunc Eurusque Notusque
    iactat odoratos uota per Armenios.
saepe ego temptaui curas depellere uino :
    at dolor in lacrimas uerterat omne merum.
saepe aliam tenui : sed iam cum gaudia adirem,
    admonuit dominae deseruitque Venus.
tunc me discedens deuotum femina dixit,
    a pudet, et narrat scire nefanda meam.
non facit hoc uerbis, facie tenerisque lacertis
    deuouet et flauis nostra puella comis.
talis ad Haemonium Nereis Pelea quondam
    uecta est frenato caerula pisce Thetis.
haec nocuere mihi.   quod adest huic diues amator
    uenit in exitium callida lena meum.
sanguineas edat illa dapes atque ore cruento
    tristia cum multo pocula felle bibat :

hanc uolitent animae circum sua fata querentes
  semper, et e tectis strix uiolenta canat :
ipsa fame stimulante furens herbasque sepulcris
  quaerat et a saeuis ossa relicta lupis ;
currat et inguinibus nudis ululetque per urbes,
  post agat e triuiis aspera turba canum.
eueniet ; dat signa deus : sunt numina amanti,
  saeuit et iniusta lege relicta Venus.
at tu quam primum sagae praecepta rapacis
  desere : num donis uincitur omnis amor ?
pauper erit praesto tibi semper : pauper adibit
  primus et in tenero fixus erit latere ;
pauper in angusto fidus comes agmine turbae
  subicietque manus efficietque uiam :
pauper ad occultos furtim deducet amicos
  uinclaque de niueo detrahet ipse pede.
heu canimus frustra nec uerbis uicta patescit
  ianua sed plena est percutienda manu.
at tu, qui potior nunc es, mea furta timeto :
  uersatur celeri Fors leuis orbe rotae.
non frustra quidam iam nunc in limine perstat
  sedulus ac crebro prospicit ac refugit
et simulat transire domum, mox deinde recurrit
  solus et ante ipsas exscreat usque fores.
nescio quid furtiuus amor parat. utere quaeso,
  dum licet : in liquida nat tibi linter aqua.

157.   *The Blessings of Peace*

QVIS fuit horrendos primus qui protulit ensis ?
　　quam ferus et uere ferreus ille fuit !
tum caedes hominum generi, tum proelia nata,
　　tum breuior dirae mortis aperta uia est.
an nihil ille miser meruit, nos ad mala nostra
　　uertimus, in saeuas quod dedit ille feras ?
diuitis hoc uitium est auri, nec bella fuerunt,
　　faginus astabat cum scyphus ante dapes.
non arces, non uallus erat, somnumque petebat
　　securus uarias dux gregis inter ouis.
tunc mihi uita foret uulgi nec tristia nossem
　　arma nec audissem corde micante tubam.
nunc ad bella trahor, et iam quis forsitan hostis
　　haesura in nostro tela gerit latere.
sed patrii seruate Lares : aluistis et idem,
　　cursarem uestros cum tener ante pedes.
neu pudeat prisco uos esse e stipite factos :
　　sic ueteris sedis incoluistis aui.
tunc melius tenuere fidem, cum paupere cultu
　　stabat in exigua ligneus aede deus.
hic placatus erat, seu quis libauerat uuam
　　seu dederat sanctae spicea serta comae :
atque aliquis uoti compos liba ipse ferebat
　　postque comes purum filia parua fauum.
stat uobis (aerata, Lares, depellite tela)
　　hostia de plena rustica porcus hara.
hanc pura cum ueste sequar myrtoque canistra
　　uincta geram, myrto uinctus et ipse caput.
sic placeam uobis : alius sit fortis in armis,
　　sternat et aduersos Marte fauente duces,

155

ut mihi potanti possit sua dicere facta
    miles et in mensa pingere castra mero.
quis furor est atram bellis accersere Mortem?
    imminet et tacito clam uenit illa pede.
non seges est infra, non uinea culta, sed audax
    Cerberus et Stygiae nauita turpis aquae :
illic percussisque genis ustoque capillo
    errat ad obscuros pallida turba lacus.
quin potius laudandus hic est quem prole parata
    occupat in parua pigra senecta casa!
ipse suas sectatur ouis, at filius agnos,
    et calidam fesso comparat uxor aquam.
sic ego sim, liceatque caput candescere canis
    temporis et prisci facta referre senem.
interea pax arua colat. pax candida primum
    duxit araturos sub iuga curua boues :
pax aluit uitis et sucos condidit uuae,
    funderet ut nato testa paterna merum :
pace bidens uomerque nitent, at tristia duri
    militis in tenebris occupat arma situs.
rusticus e luco reuehit, male sobrius ipse,
    uxorem plaustro progeniemque domum.
sed ueneris tunc bella calent, scissosque capillos
    femina, perfractas conqueriturque fores ;
flet teneras subtusa genas : sed uictor et ipse
    flet sibi dementes tam ualuisse manus.
at lasciuus Amor rixae mala uerba ministrat,
    inter et iratum lentus utrumque sedet.
a lapis est ferrumque, suam quicumque puellam
    uerberat : e caelo deripit ille deos.
sit satis e membris tenuem rescindere uestem,
    sit satis ornatus dissoluisse comae,
sit lacrimas mouisse satis : quater ille beatus
    quo tenera irato flere puella potest.

sed manibus qui saeuus erit, scutumque sudemque
    is gerat et miti sit procul a Venere.
at nobis, Pax alma, ueni spicamque teneto,
    profluat et pomis candidus ante sinus.

158.   *A Rural Festival*

QVISQVIS adest, faueat : fruges lustramus et agros,
    ritus ut a prisco traditus exstat auo.
Bacche, ueni, dulcisque tuis e cornibus uua
    pendeat ; et spicis tempora cinge, Ceres.
ıuce sacra requiescat humus, requiescat arator,
    et graue suspenso uomere cesset opus.
soluite uincla iugis : nunc ad praesepia debent
    plena coronato stare boues capite.
omnia sint operata deo : non audeat ulla
    lanificam pensis imposuisse manum.
uos quoque abesse procul iubeo, discedat ab aris,
    cui tulit hesterna gaudia nocte Venus.
casta placent superis : pura cum ueste uenite
    et manibus puris sumite fontis aquam.
cernite fulgentis ut eat sacer agnus ad aras,
    uinctaque post olea candida turba comas.
di patrii, purgamus agros, purgamus agrestis :
    uos mala de nostris pellite limitibus,
neu seges eludat messem fallacibus herbis,
    neu timeat celeris tardior agna lupos.
tunc nitidus plenis confisus rusticus agris
    ingeret ardenti grandia ligna foco,
turbaque uernarum, saturi bona signa coloni,
    ludet et ex uirgis exstruet ante casas.
euentura precor : uiden ut felicibus extis
    significet placidos nuntia fibra deos ?

nunc mihi fumosos ueteris proferte Falernos
  consulis et Chio soluite uincla cado.
uina diem celebrent : non festa luce madere
  est rubor, errantis et male ferre pedes.
sed ' bene Messallam ' sua quisque ad pocula dicat,
  nomen et absentis singula uerba sonent.
gentis Aquitanae celeber, Messalla, triumphis
  et magna intonsis gloria uictor auis,
huc ades aspiraque mihi, dum carmine nostro
  redditur agricolis gratia caelitibus.
rura cano rurisque deos : his uita magistris
  desueuit querna pellere glande famem :
illi compositis primum docuere tigillis
  exiguam uiridi fronde operire domum :
illi etiam tauros primi docuisse feruntur
  seruitium et plaustro supposuisse rotam.
tum uictus abiere feri, tum consita pomus,
  tum bibit inriguas fertilis hortus aquas,
aurea tum pressos pedibus dedit uua liquores
  mixtaque securo est sobria lympha mero.
rure terunt messis, calidi cum sideris aestu
  deponit flauas annua terra comas.
rure leuis uerno flores apis ingerit alueo,
  compleat ut dulci sedula melle fauos.
agricola adsiduo primum satiatus aratro
  cantauit certo rustica uerba pede,
et satur arenti primum est modulatus auena
  carmen ut ornatos diceret ante deos ;
agricola et minio suffusus, Bacche, rubenti
  primus inexperta duxit ab arte choros.
huic datus a pleno memorabile munus ouili
  dux pecoris curtas auxerat hircus opes.
rure puer uerno primum de flore coronam
  fecit et antiquis imposuit Laribus.

rure etiam teneris curam exhibitura puellis
   molle gerit tergo lucida uellus ouis.
hinc et femineus labor est, hinc pensa colusque,
   fusus et adposito pollice uersat opus :
atque aliqua adsiduae textrix operata Mineruae
   cantat, et applauso tela sonat latere.
ipse interque agnos interque armenta Cupido
   natus et indomitas dicitur inter equas.
illic indocto primum se exercuit arcu :
   ei mihi, quam doctas nunc habet ille manus !
nec pecudes, uelut ante, petit : fixisse puellas
   gestit et audacis perdomuisse uiros.
hic iuueni detraxit opes, hic dicere iussit
   limen ad iratae uerba pudenda senem :
hoc duce custodes furtim transgressa iacentis
   ad iuuenem tenebris sola puella uenit,
et pedibus praetemptat iter suspensa timore,
   explorat caecas cui manus ante uias.
a miseri, quos hic grauiter deus urget ! at ille
   felix, cui placidus leniter adflat Amor.
sancte, ueni dapibus festis, sed pone sagittas
   et procul ardentis hinc precor abde faces.
uos celebrem cantate deum pecorique uocate
   uoce : palam pecori, clam sibi quisque uocet.
aut etiam sibi quisque palam : nam turba iocosa
   obstrepit et Phrygio tibia curua sono.
ludite : iam Nox iungit equos, currumque sequuntur
   matris lasciuo sidera fulua choro,
postque uenit tacitus furuis circumdatus alis
   Somnus et incerto Somnia nigra pede.

159. *In Honour of Messalinus, elected
Guardian of the Sibylline Oracles*

PHOEBE, faue: nouus ingreditur tua templa sacerdos:
    huc, age, cum cithara carminibusque ueni.
nunc te uocalis impellere pollice chordas,
    nunc precor ad laudes flectere uerba nouas.
ipse triumphali deuinctus tempora lauro,
    dum cumulant aras, ad tua sacra ueni.
sed nitidus pulcerque ueni: nunc indue uestem
    sepositam, longas nunc bene pecte comas,
qualem te memorant Saturno rege fugato
    uictori laudes concinuisse Ioui.
tu procul euentura uides, tibi deditus augur
    scit bene quid fati prouida cantet auis;
tuque regis sortis, per te praesentit haruspex,
    lubrica signauit cum deus exta notis;
te duce Romanos numquam frustrata Sibylla,
    abdita quae senis fata canit pedibus.
Phoebe, sacrae Messalinum sine tangere chartas
    uatis, et ipse precor quid canat illa doce.
haec dedit Aeneae sortis, postquam ille parentem
    dicitur et raptos sustinuisse deos,
nec fore credebat Romam, cum maestus ab alto
    Ilion ardentis respiceretque Lares.
Romulus aeternae nondum formauerat urbis
    moenia, consorti non habitanda Remo;
sed tunc pascebant herbosa Palatia uaccae
    et stabant humiles in Iouis arce casae.
lacte madens illic suberat Pan ilicis umbrae
    et facta agresti lignea falce Pales,

pendebatque uagi pastoris in arbore uotum,
    garrula siluestri fistula sacra deo,
fistula cui semper decrescit harundinis ordo :
    nam calamus cera iungitur usque minor.
at qua Velabri regio patet, ire solebat
    exiguus pulsa per uada linter aqua.
illa saepe gregis diti placitura magistro
    ad iuuenem festa est uecta puella die,
cum qua fecundi redierunt munera ruris,
    caseus et niueae candidus agnus ouis.
'Impiger Aenea, uolitantis frater Amoris,
    Troica qui profugis sacra uehis ratibus,
iam tibi Laurentis adsignat Iuppiter agros,
    iam uocat errantis hospita terra Lares.
illic sanctus eris cum te ueneranda Numici
    unda deum caelo miserit indigetem.
ecce super fessas uolitat Victoria puppis ;
    tandem ad Troianos diua superba uenit.
ecce mihi lucent Rutulis incendia castris :
    iam tibi praedico, barbare Turne, necem.
ante oculos Laurens castrum murusque Lauini est
    Albaque ab Ascanio condita Longa duce.
te quoque iam uideo, Marti placitura sacerdos
    Ilia, Vestalis deseruisse focos,
concubitusque tuos furtim uittasque iacentis
    et cupidi ad ripas arma relicta dei.
carpite nunc, tauri, de septem montibus herbas
    dum licet : hic magnae iam locus urbis erit.
Roma, tuum nomen terris fatale regendis,
    qua sata de caelo prospicit arua Ceres,
quaque patent ortus et qua fluitantibus undis
    Solis anhelantis abluit amnis equos.
Troia quidem tunc se mirabitur et sibi dicet
    uos bene tam longa consuluisse uia.

uera cano : sic usque sacras innoxia laurus
    uescar, et aeternum sit mihi uirginitas.'
haec cecinit uates et te sibi, Phoebe, uocauit,
    iactauit fusas et caput ante comas.
quidquid Amalthea, quidquid Marpesia dixit
    Herophile, Phyto Graia quod admonuit,
quaeque Aniena sacras Tiburs per flumina sortis
    portarat sicco pertuleratque sinu—
haec fore dixerunt belli mala signa cometen,
    multus ut in terras deplueretque lapis :
atque tubas atque arma ferunt strepitantia caelo
    audita et lucos praecinuisse fugam :
ipsum etiam Solem defectum lumine uidit
    iungere pallentis nubilus annus equos,
et simulacra deum lacrimas fudisse tepentis
    fataque uocalis praemonuisse boues.
haec fuerant olim : sed tu iam mitis, Apollo,
    prodigia indomitis merge sub aequoribus,
et succensa sacris crepitet bene laurea flammis,
    omine quo felix et sacer annus erit.
laurus ubi bona signa dedit, gaudete coloni ;
    distendet spicis horrea plena Ceres,
oblitus et musto feriet pede rusticus uuas,
    dolia dum magni deficiantque lacus :
ac madidus baccho sua festa Palilia pastor
    concinet : a stabulis tunc procul este lupi.
ille leuis stipulae sollemnis potus aceruos
    accendet, flammas transilietque sacras.
et fetus matrona dabit, natusque parenti
    oscula comprensis auribus eripiet,
nec taedebit auum paruo aduigilare nepoti
    balbaque cum puero dicere uerba senem.
tunc operata deo pubes discumbet in herba,
    arboris antiquae qua leuis umbra cadit ;

aut e ueste sua tendent umbracula sertis
    uincta, coronatus stabit et ipse calix.
at sibi quisque dapes et festas exstruet alte
    caespitibus mensas caespitibusque torum.
ingeret hic potus iuuenis maledicta puellae,
    postmodo quae uotis inrita facta uelit:
nam ferus ille suae plorabit sobrius idem
    et se iurabit mente fuisse mala.
pace tua pereant arcus pereantque sagittae,
    Phoebe, modo in terris erret inermis Amor.
ars bona: sed postquam sumpsit sibi tela Cupido,
    heu, heu, quam multis ars dedit ista malum!
et mihi praecipue, iaceo cum saucius annum
    et (faueo morbo cum iuuat ipse dolor)
usque cano Nemesin, sine qua uersus mihi nullus
    uerba potest iustos aut reperire pedes.
at tu, nam diuum seruat tutela poetas,
    praemoneo, uati parce, puella, sacro,
ut Messalinum celebrem, cum, praemia belli,
    ante suos currus oppida uicta feret,
ipse gerens laurus: lauro deuinctus agresti
    miles 'io' magna uoce 'triumphe' canet.
tunc Messalla meus pia det spectacula turbae
    et plaudat curru praetereunte pater.
adnue: sic tibi sint intonsi, Phoebe, capilli,
    sic tua perpetuo sit tibi casta soror.

160.   *He appeals to Nemesis by the
         Memory of her dead Sister*

CASTRA Macer sequitur: tenero quid fiet Amori?
    sit comes et collo fortiter arma gerat?
et seu longa uirum terrae uia seu uaga ducent
    aequora, cum telis ad latus ire uolet?
ure, puer, quaeso, tua qui ferus otia liquit,
    atque iterum erronem sub tua signa uoca.
quod si militibus parces, erit hic quoque miles.
    ipse leuem galea qui sibi portet aquam.
castra peto, ualeatque Venus ualeantque puellae:
    et mihi sunt uires et mihi laeta tuba est.
magna loquor, sed magnifice mihi magna locuto
    excutiunt clausae fortia uerba fores.
iuraui quotiens rediturum ad limina numquam!
    cum bene iuraui, pes tamen ipse redit.
acer Amor, fractas utinam tua tela sagittas,
    si licet, exstinctas aspiciamque faces!
tu miserum torques, tu me mihi dira precari
    cogis et insana mente nefanda loqui.
iam mala finissem leto, sed credula uitam
    spes fouet et fore cras semper ait melius.
spes alit agricolas, spes sulcis credit aratis
    semina quae magno faenore reddat ager:
haec laqueo uolucres, haec captat harundine piscis,
    cum tenuis hamos abdidit ante cibus:
spes etiam ualida solatur compede uinctum:
    crura sonant ferro, sed canit inter opus:
spes facilem Nemesim spondet mihi, sed negat illa.
    ei mihi, ne uincas, dura puella, deam.
parce, per immatura tuae precor ossa sororis:
    sic bene sub tenera parua quiescat humo.
illa mihi sancta est, illius dona sepulcro

et madefacta meis serta feram lacrimis,
illius ad tumulum fugiam supplexque sedebo
    et mea cum muto fata querar cinere.
non feret usque suum te propter flere clientem:
    illius uerbis, sis mihi lenta ueto:
ne tibi neglecti mittant mala somnia manes,
    maestaque sopitae stet soror ante torum,
qualis ab excelsa praeceps delapsa fenestra
    uenit ad infernos sanguinolenta lacus.
desino, ne dominae luctus renouentur acerbi:
    non ego sum tanti, ploret ut illa semel.
nec lacrimis oculos digna est foedare facetos:
    lena nocet nobis, ipsa puella bona est.
lena necat miserum Phryne furtimque tabellas
    occulto portans itque reditque sinu:
saepe, ego cum dominae dulcis a limine duro
    agnosco uoces, haec negat esse domi:
saepe, ubi nox mihi promissa est, languere puellam
    nuntiat aut aliquas extimuisse minas.
tunc morior curis, tunc mens mihi perdita fingit,
    quisue meam teneat, quot teneatue modis:
tunc tibi, lena, precor diras: satis anxia uiuas,
    mouerit e uotis pars quotacumque deos.

DOMITIVS MARSVS

circa 19 B.C.

161.   *On the Death, in the same year,*
      of Vergil and Tibullus

TE quoque Vergilio comitem non aequa, Tibulle,
    Mors iuuenem campos misit ad Elysios,
ne foret aut elegis mollis qui fleret amores
    aut caneret forti regia bella pede.

162.   *His Birthplace*

QVALIS et unde genus, qui sint mihi, Tulle, Penates
    quaeris pro nostra semper amicitia.
si, Perusine, tibi patriae sunt nota sepulcra,
    Italiae duris funera temporibus,
cum Romana suos egit discordia ciuis;
    (sic, mihi praecipue, puluis Etrusca, dolor,
tu proiecta mei perpessa es membra propinqui,
    tu nullo miseri contegis ossa solo)
proxima supposito contingens Vmbria campo
    me genuit terris fertilis uberibus.

163.   *His Place in Poetry*

CALLIMACHI Manes et Coi sacra Philetae,
    in uestrum quaeso me sinite ire nemus.
primus ego ingredior puro de fonte sacerdos
    Itala per Graios orgia ferre choros.
dicite, quo pariter carmen tenuastis in antro?
    quoue pede ingressi? quamue bibistis aquam?
a ualeat, Phoebum quicumque moratur in armis!
    exactus tenui pumice uersus eat,—
quo me Fama leuat terra sublimis, et a me
    nata coronatis Musa triumphat equis,
et mecum in curru parui uectantur Amores,
    scriptorumque meas turba secuta rotas.
quid frustra missis in me certatis habenis?
    non datur ad Musas currere lata uia.
multi, Roma, tuas laudes annalibus addent,
    qui finem imperii Bactra futura canent.
sed, quod pace legas, opus hoc de monte Sororum
    detulit intacta pagina nostra uia.

mollia, Pegasides, date uestro serta poetae :
   non faciet capiti dura corona meo.
at mihi quod uiuo detraxerit inuida turba,
   post obitum duplici faenore reddet Honos ;
omnia post obitum fingit maiora uetustas :
   maius ab exsequiis nomen in ora uenit.
nam quis equo pulsas abiegno nosceret arces,
   fluminaque Haemonio comminus isse uiro,
Idaeum Simoenta, Iouis cum prole Scamandro,
   Hectora per campos ter maculasse rotas ?
Deiphobumque Helenumque et Polydamanta et in armis
   qualemcumque Parin uix sua nosset humus.
exiguo sermone fores nunc, Ilion, et tu
   Troia bis Oetaei numine capta dei.
nec non ille tui casus memorator Homerus
   posteritate suum crescere sensit opus.
meque inter seros laudabit Roma nepotes :
   illum post cineres auguror ipse diem.
ne mea contempto lapis indicet ossa sepulcro
   prouisum est Lycio uota probante deo.

164.   *The Power of Song*

ORPHEA delenisse feras et concita dicunt
   flumina Threiciae succinuisse lyrae :
saxa Cithaeronis Thebas agitata per artem
   sponte sua in muri membra coisse ferunt ;
quin etiam, Polypheme, fera Galatea sub Aetna
   ad tua rorantis carmina flexit equos :
miremur, nobis et Baccho et Apolline dextro,
   turba puellarum si mea uerba colit ?
quod non Taenariis domus est mihi fulta columnis,
   nec camera auratas inter eburna trabes,

nec mea Phaeacas aequant pomaria siluas,
    non operosa rigat Marcius antra liquor;
at Musae comites, et carmina cara legenti,
    et defessa choris Calliopea meis.
fortunata, meo si qua est celebrata libello!
    carmina erunt formae tot monumenta tuae.
nam neque Pyramidum sumptus ad sidera ducti,
    nec Iouis Elei caelum imitata domus,
nec Mausolei diues fortuna sepulcri
    mortis ab extrema condicione uacant:
aut illis flamma aut imber subducit honores,
    annorum aut ictus pondere uicta ruent.
at non ingenio quaesitum nomen ab aeuo
    excidet: ingenio stat sine morte decus.

165.   *The first Onset of Love*

CYNTHIA prima suis miserum me cepit ocellis,
    contactum nullis ante cupidinibus.
tum mihi constantis deiecit lumina fastus
    et caput impositis pressit Amor pedibus,
donec me docuit castas odisse puellas
    improbus, et nullo uiuere consilio.
et mihi iam toto furor hic non deficit anno,
    cum tamen aduersos cogor habere deos.
Milanion nullos fugiendo, Tulle, labores
    saeuitiam durae contudit Iasidos.
nam modo Partheniis amens errabat in antris,
    ibat et hirsutas ille uidere feras;
ille etiam Hylaei percussus uerbere rami
    saucius Arcadiis rupibus ingemuit.
ergo uelocem potuit domuisse puellam:
    tantum in amore preces et benefacta ualent.
in me tardus Amor non ullas cogitat artis,

nec meminit notas, ut prius, ire uias.
at uos, deductae quibus est fallacia lunae
    et labor in magicis sacra piare focis,
en agedum dominae mentem conuertite nostrae,
    et facite illa meo palleat ore magis!
tunc ego crediderim uobis et sidera et amnis
    posse Cytaeinis ducere carminibus.
et uos, qui sero lapsum reuocatis, amici,
    quaerite non sani pectoris auxilia.
fortiter et ferrum saeuos patiemur et ignis,
    sit modo libertas quae uelit ira loqui.
ferte per extremas gentis et ferte per undas,
    qua non ulla meum femina norit iter:
uos remanete, quibus facili deus annuit aure,
    sitis et in tuto semper amore pares.
in me nostra Venus noctis exercet amaras,
    et nullo uacuus tempore defit Amor.
hoc, moneo, uitate malum: sua quemque moretur
    cura, neque assueto mutet amore locum.
quod si quis monitis tardas aduerterit auris,
    heu referet quanto uerba dolore mea!

166.   *A Portrait of the Love God*

QVICVMQVE ille fuit, puerum qui pinxit Amorem,
    nonne putas miras hunc habuisse manus?
is primum uidit sine sensu uiuere amantis,
    et leuibus curis magna perire bona.
idem non frustra uentosas addidit alas,
    fecit et humano corde uolare deum:
scilicet alterna quoniam iactamur in unda,
    nostraque non ullis permanet aura locis.
et merito hamatis manus est armata sagittis,
    et pharetra ex umero Gnosia utroque iacet:

ante ferit quoniam, tuti quam cernimus hostem,
    nec quisquam ex illo uulnere sanus abit.
in me tela manent, manet et puerilis imago ·
    sed certe pennas perdidit ille suas;
euolat ei nostro quoniam de pectore nusquam,
    assiduusque meo sanguine bella gerit.
quid tibi iucundum est siccis habitare medullis?
    si pudor est, alio traice duella tua!
intactos isto satius temptare ueneno:
    non ego, sed tenuis uapulat umbra mea.
quam si perdideris, quis erit qui talia cantet
    (haec mea Musa leuis gloria magna tua est),
qui caput, et digitos, et lumina nigra puellae,
    et canat ut soleant molliter ire pedes?

167. *To one who despised Love, and is now enslaved*

DICEBAM tibi uenturos, irrisor, amores,
    nec tibi perpetuo libera uerba fore:
ecce iaces supplexque uenis ad iura puellae,
    et tibi nunc quaeuis imperat empta modo.
non me Chaoniae uincant in amore columbae
    dicere, quos iuuenes quaeque puella domet.
me dolor et lacrimae merito fecere peritum:
    atque utinam posito dicar amore rudis!
quid tibi nunc misero prodest graue dicere carmen
    aut Amphioniae moenia flere lyrae?
plus in amore ualet Mimnermi uersus Homero:
    carmina mansuetus lenia quaerit Amor.
i, quaeso, et tristis istos combure libellos,
    et cane quod quaeuis nosse puella uelit!
quid si non esset facilis tibi copia? nunc tu
    insanus medio flumine quaeris aquam.

necdum etiam palles, uero nec tangeris igni :
    haec est uenturi prima fauilla mali.
tum magis Armenias cupies accedere tigris
    et magis infernae uincula nosse rotae,
quam pueri totiens arcum sentire medullis
    et nihil iratae posse negare tuae.
nullus Amor cuiquam facilis ita praebuit alas,
    ut non alterna presserit ille manu.
nec te decipiat, quod sit satis illa parata :
    acrius illa subit, Pontice, si qua tua est.
quippe ubi non liceat uacuos seducere ocellos,
    nec uigilare alio nomine, cedat Amor ?
qui non ante patet, donec manus attigit ossa :
    quisquis es, assiduas a fuge blanditias !
illis et silices et possint cedere quercus,
    nedum tu par sis, spiritus iste leuis.
quare, si pudor est, quam primum errata fatere :
    dicere quo pereas saepe in amore leuat.

168.   *To the same : Poets of Epic and Poets of Love*

DVM tibi Cadmeae dicuntur, Pontice, Thebae
    armaque fraternae tristia militiae,
atque, ita sim felix, primo contendis Homero
    (sint modo fata tuis mollia carminibus),
nos, ut consuemus, nostros agitamus amores,
    atque aliquid duram quaerimus in dominam ;
nec tantum ingenio quantum seruire dolori
    cogor et aetatis tempora dura queri.
hic mihi conteritur uitae modus, haec mea fama est,
    hinc cupio nomen carminis ire mei.
me laudent doctae solum placuisse puellae,
    Pontice, et iniustas saepe tulisse minas ;

me legat assidue post haec neglectus amator,
    et prosint illi cognita nostra mala.
te quoque si certo puer hic concusserit arcu,
    quam nolis nostros te uiolasse deos !
longe castra tibi, longe miser agmina septem
    flebis in aeterno surda iacere situ ;
et frustra cupies mollem componere uersum,
    nec tibi subiciet carmina serus Amor.
tum me non humilem mirabere saepe poetam,
    tunc ego Romanis praeferar ingeniis ;
nec poterunt iuuenes nostro reticere sepulcro
    ' Ardoris nostri magne poeta, iaces.'
tu caue nostra tuo contemnas carmina fastu :
    saepe uenit magno faenore tardus Amor.

169.   *Cynthia's Birthday*

MIRABAR quidnam misissent mane Camenae,
    ante meum stantes sole rubente torum.
natalis nostrae signum misere puellae
    et manibus faustos ter crepuere sonos.
transeat hic sine nube dies, stent aere uenti,
    ponat et in sicco molliter unda minas.
aspiciam nullos hodierna luce dolentis :
    et Niobae lacrimas supprimat ipse lapis :
alcyonum positis requiescant ora querelis,
    increpet absumptum nec sua mater Ityn.
tuque, o cara mihi, felicibus edita pennis,
    surge et praesentis iusta precare deos.
ac primum pura somnum tibi discute lympha,
    et nitidas presso pollice finge comas :
dein qua primum oculos cepisti ueste Properti
    indue, nec uacuum flore relinque caput ;
et pete, qua polles, ut sit tibi forma perennis,

inque meum semper stent tua regna caput.
inde coronatas ubi ture piaueris aras,
    luxerit et tota flamma secunda domo,
sit mensae ratio, noxque inter pocula currat,
    et crocino naris murrea pungat onyx.
tibia nocturnis succumbat rauca choreis,
    et sint nequitiae libera uerba tuae,
dulciaque ingratos adimant conuicia somnos,
    publica uicinae perstrepat aura uiae :
sit sors et nobis talorum interprete iactu,
    quem grauius pennis uerberet ille puer.
cum fuerit multis exacta trientibus hora,
    noctis et instituet sacra ministra Venus,
annua soluamus thalamo sollemnia nostro,
    natalisque tui sic peragamus iter.

170. *Cynthia's Sickness*

DEFICIVNT magico torti sub carmine rhombi,
    et iacet exstincto laurus adusta foco ;
et iam Luna negat totiens descendere caelo,
    nigraque funestum concinit omen auis.
una ratis fati nostros portabit amores
    caerula ad infernos uelificata lacus.
si non unius, quaeso, miserere duorum !
    uiuam, si uiuet : si cadet illa, cadam.
pro quibus optatis sacro me carmine damno :
    scribam ego ' Per magnum est salua puella Iouem ' ;
ante tuosque pedes illa ipsa operata sedebit,
    narrabitque sedens longa pericla sua.
haec tua, Persephone, maneat clementia, nec tu,
    Persephonae coniunx, saeuior esse uelis.
sunt apud infernos tot milia formosarum ;
    pulcra sit in superis, si licet, una locis !

uobiscum est Iope, uobiscum candida Tyro,
    uobiscum Europe nec proba Pasiphae,
et quot Creta tulit uetus et quot Achaia formas,
    et Thebae et Priami diruta regna senis :
et quaecumque erat in numero Romana puella,
    occidit : has omnis ignis auarus habet.
nec forma aeternum aut cuiquam est fortuna perennis :
    longius aut propius mors sua quemque manet.
tu quoniam es, mea lux, magno dimissa periclo,
    munera Dianae debita redde choros.

171.   *A Dream about Cynthia*

VIDI te in somnis fracta, mea uita, carina
    Ionio lassas ducere rore manus,
et quaecumque in me fueras mentita fateri,
    nec iam umore grauis tollere posse comas,
qualem purpureis agitatam fluctibus Hellen,
    aurea quam molli tergore uexit ouis.
quam timui ne forte tuum mare nomen haberet,
    teque tua labens nauita fleret aqua !
quae tum ego Neptuno, quae tum cum Castore fratri,
    quaeque tibi excepi tum, dea Leucothoe !
at tu uix primas extollens gurgite palmas
    saepe meum nomen iam peritura uocas.
quod si forte tuos uidisset Glaucus ocellos,
    esses Ionii facta puella maris,
et tibi ob inuidiam Nereides increpitarent, ·
    candida Nesaee, caerula Cymothoe.
sed tibi subsidio delphinum currere uidi,
    qui, puto, Arioniam uexerat ante lyram.
iamque ego conabar summo me mittere saxo,
    cum mihi discussit talia uisa metus.

172. *Warning to a Rival*

INVIDE, tu tandem uoces compesce molestas
  et sine nos cursu, quo sumus, ire pares!
quid tibi uis, insane? meos sentire furores?
  infelix, properas ultima nosse mala,
et miser ignotos uestigia ferre per ignis,
  et bibere e tota toxica Thessalia.
non est illa uagis similis collata puellis:
  molliter irasci non sciet illa tibi.
quod si forte tuis non est contraria uotis,
  at tibi curarum milia quanta dabit!
non tibi iam somnos, non illa relinquet ocellos:
  illa feros animis alligat una uiros.
a, mea contemptus quotiens ad limina curres.
  quo tibi singultu fortia uerba cadent!
et tremulus maestis orietur fletibus horror,
  et timor informem ducet in ore notam,
et quaecumque uoles fugient tibi uerba querenti,
  nec poteris, qui sis aut ubi, nosse miser!
tum graue seruitium durae cogere puellae
  discere et exclusum quid sit abire domum;
nec iam pallorem totiens mirabere nostrum,
  aut cur sim toto corpore nullus ego.
nec tibi nobilitas poterit succurrere amanti:
  nescit Amor priscis cedere imaginibus.
quod si parua tuae dederis uestigia culpae,
  quam cito de tanto nomine rumor eris!
non ego tum potero solacia ferre roganti,
  cum mihi nulla mei sit medicina mali;
sed pariter miseri socio cogemur amore
  alter in alterius mutua flere sinu.
quare, quid possit mea Cynthia, desine, Galle,
  quaerere: non impune illa rogata uenit.

173.   *To Cynthia on her Kindness to
his Rival*

ISTE quod est, ego saepe fui : sed fors et in hora
   hoc ipso electo carior alter erit.
Penelope poterat bis denos salua per annos
   uiuere, tam multis femina digna procis ;
coniugium falsa poterat differre Minerua,
   nocturno soluens texta diurna dolo ;
uisura et quamuis numquam speraret Vlixen,
   illum exspectando facta remansit anus.
nec non exanimem amplectens Briseis Achillen
   candida uesana uerberat ora manu ;
et dominum lauit maerens captiua cruentum,
   appositum flauis in Simoente uadis,
foedauitque comas, et tanti corpus Achilli
   maximaque in parua sustulit ossa manu ;
cui tum nec Peleus aderat nec caerula mater,
   Scyria nec uiduo Deidamia toro.
tunc igitur ueris gaudebat Graecia natis,
   otia tunc felix inter et arma pudor.
at tu non una potuisti nocte uacare,
   impia, non unum sola manere diem !
quin etiam multo duxistis pocula risu :
   forsitan et de me uerba fuere mala.
hic etiam petitur, qui te prius ante reliquit :
   di faciant, isto capta fruare uiro !
haec mihi uota tuam propter suscepta salutem,
   cum capite Stygiae iam poterentur aquae ?
cum lectum flentes circum staremus amici,
   hic ubi tum, pro di, perfida, quisue fuit ?
quid si longinquos retinerer miles ad Indos,
   aut mea si staret nauis in Oceano ?

sed uobis facile est uerba et componere fraudes :
   hoc unum didicit femina semper opus.
non sic incerto mutantur flamine Syrtes,
   nec folia hiberno tam tremefacta Noto,
quam cito feminea non constat foedus in ira,
   siue ea causa grauis siue ea causa leuis.
nunc, quoniam ista tibi placuit sententia, cedam :
   tela, precor, pueri, promite acuta magis,
figite certantes atque hanc mihi soluite uitam !
   sanguis erit uobis maxima palma meus.
sidera sunt testes et matutina pruina
   et furtim misero ianua aperta mihi,
te nihil in uita nobis acceptius umquam :
   nunc quoque erit, quamuis sis inimica, nihil.
nec domina ulla meo ponet uestigia lecto :
   solus ero, quoniam non licet esse tuum.
atque utinam, si forte pios eduximus annos,
   ille uir in medio fiat amore lapis !
non ob regna magis diris cecidere sub armis
   Thebani media non sine matre duces,
quam, mihi si media liceat pugnare puella,
   mortem ego non fugiam morte subire tua.

174.   *Cynthia is stolen from him*

ERIPITVR nobis iam pridem cara puella :
   et tu me lacrimas fundere, amice, uetas ?
nullae sunt inimicitiae nisi amoris acerbae :
   ipsum me iugula, lenior hostis ero.
possum ego in alterius positam spectare lacerto ?
   nec mea dicetur, quae modo dicta mea est ?
omnia uertuntur : certe uertuntur amores :
   uinceris aut uincis, haec in amore rota est.

magni saepe duces, magni cecidere tyranni,
    et Thebae steterant altaque Troia fuit.
munera quanta dedi uel qualia carmina feci!
    illa tamen numquam ferrea dixit 'Amo'.
ergo iam multos nimium temerarius annos,
    improba, qui tulerim teque tuamque domum?
ecquandone tibi liber sum uisus? an usque
    in nostrum iacies uerba superba caput?
sic igitur prima moriere aetate, Properti?
    sed morere; interitu gaudeat illa tuo!
exagitet nostros manis, sectetur et umbras,
    insultetque rogis, calcet et ossa mea!
quid? non Antigonae tumulo Boeotius Haemon
    corruit ipse suo saucius ense latus,
et sua cum miserae permiscuit ossa puellae,
    qua sine Thebanam noluit ire domum?
sed non effugies: mecum moriaris oportet;
    hoc eodem ferro stillet uterque cruor.
quamuis ista mihi mors est inhonesta futura:
    mors inhonesta quidem, tu moriere tamen.
ille etiam abrepta desertus coniuge Achilles
    cessare in tectis pertulit arma sua.
uiderat ille fuga stratos in litore Achiuos
    feruere et Hectorea Dorica castra face;
uiderat informem multa Patroclon harena
    porrectum et sparsas caede iacere comas,
omnia formosam propter Briseida passus:
    tantus in erepto saeuit amore dolor.
at postquam sera captiua est reddita poena,
    fortem ille Haemoniis Hectora traxit equis.
inferior multo cum sim uel marte uel armis,
    mirum si de me iure triumphat Amor?

175. *Athens shall cure him of his Love*

MAGNVM iter ad doctas proficisci cogor Athenas,
  ut me longa graui soluat amore uia.
crescit enim assidue spectando cura puellae:
  ipse alimenta sibi maxima praebet amor.
omnia sunt temptata mihi, quacumque fugari
  possit: at ex omni me premit ipse deus.
bis tamen aut semel admittit, cum saepe negauit;
  seu uenit, extremo dormit amicta toro.
unum erit auxilium: mutatis Cynthia terris
  quantum oculis, animo tam procul ibit amor.
nunc agite, o socii, propellite in aequora nauem,
  remorumque pares ducite sorte uices,
iungiteque extremo felicia lintea malo:
  iam liquidum nautis aura secundat iter.
Romanae turres et uos ualeatis, amici,
  tuque mihi qualiscumque, puella, uale!
ergo ego nunc rudis Hadriaci uehar aequoris hospes,
  cogar et undisonos nunc prece adire deos.
deinde per Ionium uectus cum fessa Lechaeo
  sedarit placida uela phaselus aqua,
quod superest, sufferre, pedes, properate laborem,
  Isthmos qua terris arcet utrumque mare.
inde ubi Piraei capient me litora portus,
  scandam ego Theseae bracchia longa uiae.
illic aut stadiis animum emendare Platonis
  incipiam aut hortis, docte Epicure, tuis;
persequar aut studio linguae Demosthenis artem,
  librorumque tuos, docte Menandre, sales;
aut certe tabulae capient mea lumina pictae,
  siue ebore exactae, seu magis aere, manus.
aut spatia annorum aut longa interualla profundi
  lenierint tacito uulnera nostra sinu:
seu moriar, fato, non turpi fractus amore;
  atque erit illa mihi mortis honesta dies.

176. *Cynthia will one day be but Dust and Ashes*

SCRIBANT de te alii uel sis ignota licebit :
   laudet, qui sterili semina ponit humo.
omnia, crede mihi, tecum uno munera lecto
   auferet extremi funeris atra dies ;
et tua transibit contemnens ossa uiator
   nec dicet ' Cinis hic docta puella fuit '.

177.   *Cynthia Dead*

SVNT aliquid Manes : letum non omnia finit,
   luridaque euictos effugit umbra rogos.
Cynthia namque meo uisa est incumbere fulcro,
   murmur ad extremae nuper humata uiae,
cum mihi somnus ab exsequiis penderet amoris,
   et quererer lecti frigida regna mei.
eosdem habuit secum quibus est elata capillis,
   eosdem oculos : lateri uestis adusta fuit,
et solitum digito beryllon adederat ignis,
   summaque Lethaeus triuerat ora liquor.
spirantisque animos et uocem misit : at illi
   pollicibus fragiles increpuere manus :
' Perfide nec cuiquam melior sperande puellae,
   in te iam uiris somnus habere potest ?
iamne tibi exciderant uigilacis furta Suburae
   et mea nocturnis trita fenestra dolis ?
per quam demisso quotiens tibi fune pependi,
   alterna ueniens in tua colla manu !
saepe Venus triuio commissa est, pectore mixto
   fecerunt tepidas pallia nostra uias.
foederis heu taciti, cuius fallacia uerba
   non auditura diripuere Noti.

at mihi non oculos quisquam inclamauit euntis :
    unum impetrassem te reuocante diem :
nec crepuit fissa me propter harundine custos,
    laesit et obiectum tegula curta caput.
denique quis nostro curuum te funere uidit,
    atram quis lacrimis incaluisse togam ?
si piguit portas ultra procedere, at illuc
    iussisses lectum lentius ire meum.
cur uentos non ipse rogis, ingrate, petisti ?
    cur nardo flammae non oluere meae ?
hoc etiam graue erat, nulla mercede hyacinthos
    inicere et fracto busta piare cado.
Lygdamus uratur, candescat lammina uernae :
    sensi ego, cum insidiis pallida uina bibi.
aut Nomas arcanas tollat uersuta saliuas :
    dicet damnatas ignea testa manus. _
quae modo per uilis inspecta est publica noctes,
    haec nunc aurata cyclade signat humum,
et grauiora rependit iniquis pensa quasillis,
    garrula de facie si qua locuta mea est ;
nostraque quod Petale tulit ad monumenta coronas,
    codicis immundi uincula sentit anus ;
caeditur et Lalage tortis suspensa capillis,
    per nomen quoniam est ausa rogare meum.
te patiente meae conflauit imaginis aurum,
    ardente e nostro dotem habitura rogo.
non tamen insector, quamuis mereare, Properti :
    longa mea in libris regna fuere tuis.
iuro ego fatorum nulli reuolubile carmen,
    tergeminusque canis sic mihi molle sonet,
me seruasse fidem. si fallo, uipera nostris
    sibilet in tumulis et super ossa cubet.
nam gemina est sedes turpem sortita per amnem,
    turbaque diuersa remigat omnis aqua.

una Clytaemestrae stuprum uehit, altera Cressae
    portat mentitae lignea monstra bouis.
ecce coronato pars altera rapta phaselo,
    mulcet ubi Elysias aura beata rosas,
qua numerosa fides, quaque aera rotunda Cybelles
    mitratisque sonant Lydia plectra choris. —
Andromedeque et Hypermestre sine fraude maritae
    narrant historiae pectora nota suae :
haec sua maternis queritur liuere catenis
    bracchia nec meritas frigida saxa manus ;
narrat Hypermestre magnum ausas esse sorores,
    in scelus hoc animum non ualuisse suum.
sic mortis lacrimis uitae sanamus amores :
    celo ego perfidiae crimina multa tuae.
sed tibi nunc mandata damus, si forte moueris
    si te non totum Chloridos herba tenet :
nutrix in tremulis ne quid desideret annis
    Parthenie : potuit, nec tibi auara fuit.
deliciaeque meae Latris, cui nomen ab usu est,
    ne speculum dominae porrigat illa nouae.
et quoscumque meo fecisti nomine uersus,
    ure mihi : laudes desine habere meas.
pelle hederam tumulo, mihi quae pugnante corymbo
    molli contortis alligat ossa comis.
ramosis Anio qua pomifer incubat aruis,
    et numquam Herculeo numine pallet ebur,
hic carmen media dignum me scribe columna,
    sed breue, quod currens uector ab urbe legat :
" HIC TIBVRTINA IACET AVREA CYNTHIA TERRA :
    ACCESSIT RIPAE LAVS, ANIENE, TVAE."
nec tu sperne piis uenientia somnia portis :
    cum pia uenerunt somnia, pondus habent.
nocte uagae ferimur, nox clausas liberat umbras, —
    errat et abiecta Cerberus ipse sera.

luce iubent leges Lethaea ad stagna reuerti:
  nos uehimur, uectum nauta recenset onus.
nunc te possideant aliae: mox sola tenebo:
  mecum eris et mixtis ossibus ossa teram.'
haec postquam querula mecum sub lite peregit,
  inter complexus excidit umbra meos.

178.   *Hylas*

HOC pro continuo te, Galle, monemus amore,
  (id tibi ne uacuo defluat ex animo)
saepe imprudenti fortuna occurrit amanti:
  crudelis Minyis dixerit Ascanius.
est tibi non infra speciem, non nomine dispar,
  Theiodamanteo proximus ardor Hylae:
hunc tu, siue leges Vmbrae sacra flumina siluae,
  siue Aniena tuos tinxerit unda pedes,
siue Gigantea spatiabere litoris ora,
  siue ubicumque uago fluminis hospitio,
Nympharum semper cupidis defende rapinis
  (non minor Ausoniis est amor Adryasin);
nec tibi sit curae fontes et frigida saxa,
  Galle, neque expertos semper adire lacus.
namque ferunt olim Pagasae naualibus Argon
  egressam longe Phasidos isse uiam,
et iam praeteritis labentem Athamantidos undis
  Mysorum scopulis applicuisse ratem.
hic manus heroum, placidis ut constitit oris,
  mollia composita litora fronde tegit.
at comes inuicti iuuenis processerat ultra,
  raram sepositi quaerere fontis aquam.
hunc duo sectati fratres, Aquilonia proles,
  hunc super et Zetes, hunc super et Calais,
oscula suspensis instabant carpere plumis,
  oscula et alterna ferre supina fuga.

ille sub extrema pendens secluditur ala
    et uolucres ramo summouet insidias.
iam Pandioniae cessat genus Orithyiae:
    a dolor! ibat Hylas, ibat Hamadryasin.
hic erat Arganthi Pege sub uertice montis
    grata domus Nymphis umida Thyniasin,
quam supra nullae pendebant debita curae
    roscida desertis poma sub arboribus,
et circum irriguo surgebant lilia prato
    candida purpureis mixta papaueribus.
quae modo decerpens tenero pueriliter ungui
    proposito florem praetulit officio,
et modo formosis incumbens nescius undis
    errorem blandis tardat imaginibus.
tandem haurire parat demissis flumina palmis
    innixus dextro plena trahens umero.
cuius ut accensae Dryades candore puellae
    miratae solitos destituere choros,
prolapsum leuiter facili traxere liquore:
    tum sonitum rapto corpore fecit Hylas.
cui procul Alcides iterat responsa, sed illi
    nomen ab extremis fontibus aura refert.
quae miser ignotis error perpessus in oris
    Herculis indomito fleuerat Ascanio,
his, o Galle, tuos monitus seruabis amores;
    formosum Nymphis credere cautus Hylan.

179.   *Cornelia's Plea*

DESINE, Paulle, meum lacrimis urgere sepulcrum:
    panditur ad nullas ianua nigra preces;
cum semel infernas intrarunt funera leges,
    non exorato stant adamante uiae.

te licet orantem fuscae deus audiat aulae ;
    nempe tuas lacrimas litora surda bibent.
uota mouent superos : ubi portitor aera recepit,
    obserat herbosos lurida porta rogos.
sic maestae cecinere tubae, cum subdita nostrum
    detraheret lecto fax inimica caput.
quid mihi coniugium Paulli, quid currus auorum
    profuit aut famae pignora tanta meae ?
num minus immitis habuit Cornelia Parcas ?
    en sum, quod digitis quinque legatur, onus.
damnatae noctes et uos uada lenta paludes,
    et quaecumque meos implicat unda pedes,
immatura licet, tamen huc non noxia ueni :
    deprecor hic umbrae mollia iura meae :
aut si quis posita iudex sedet Aeacus urna,
    is mea sortita uindicet ossa pila :
assideant fratres iuxta Minoida sellam et
    Eumenidum intento turba seuera foro.
Sisyphe, mole uaces ; taceant Ixionis orbes ;
    fallax Tantaleo corripere ore liquor ;
Cerberus et nullas hodie petat improbus umbras ;
    et iaceat tacita laxa catena sera.
ipsa loquor pro me : si fallo, poena sororum
    infelix umeros urgeat urna meos.
si cui fama fuit per auita tropaea decori,
    Afra Numantinos regna loquuntur auos :
altera maternos exaequat turba Libones,
    et domus est titulis utraque fulta suis.
mox, ubi iam facibus cessit praetexta maritis,
    uinxit et acceptas altera uitta comas,
iungor, Paulle, tuo sic discessura cubili
    ut lapide hoc uni nupta fuisse legar.
testor maiorum cineres tibi, Roma, uerendos,
    sub quorum titulis, Africa, tunsa iaces,

testor qui Persen stimulantem pectus Achille,
  quique ortas proauo fregit Achille domos,
me neque censurae legem mollisse neque ulla
  labe mea nostros erubuisse focos.
non fuit exuuiis tantis Cornelia damnum :
  quin et erat magnae pars imitanda domus.
nec mea mutata est aetas, sine crimine tota est :
  uiximus insignes inter utramque facem.
mi natura dedit leges a sanguine ductas,
  ne possem melior iudicis esse metu.
quaelibet austeras de me ferat urna tabellas :
  turpior assessu non erit ulla meo,
uel tu, quae tardam mouisti fune Cybellen,
  Claudia, turritae rara ministra deae,
uel cui, ius rapto cum Vesta reposceret igni,
  exhibuit uiuos carbasus alba focos.
nec te, dulce caput, mater Scribonia, laesi :
  in me mutatum quid nisi fata uelis ?
maternis laudor lacrimis urbisque querelis,
  defensa et gemitu Caesaris ossa mea.
ille sua nata dignam uixisse sororem
  increpat, et lacrimas uidimus ire deo.
et tamen emerui generosos uestis honores,
  nec mea de sterili facta rapina domo.
tu, Lepide, et tu, Paulle, meum post fata leuamen,
  condita sunt uestro lumina nostra sinu.
uidimus et fratrem sellam geminasse curulem,
  consul quo factus tempore rapta soror.
filia, tu specimen censurae nata paternae,
  fac teneas unum nos imitata uirum.
et serie fulcite genus : mihi cumba uolenti
  soluitur aucturis tot mea fata meis.
haec est feminei merces extrema triumphi,
  laudat ubi emeritum libera fama torum.

nunc tibi commendo communia pignora natos :
  haec cura et cineri spirat inusta meo.
fungere maternis uicibus, pater ; illa meorum
  omnis erit collo turba ferenda tuo.
oscula cum dederis tua flentibus, adice matris :
  tota domus coepit nunc onus esse tuum.
et si quid doliturus eris, sine testibus illis !
  cum uenient, siccis oscula falle genis !
sat tibi sint noctes quas de me, Paulle, fatiges,
  somniaque in faciem credita saepe meam :
atque ubi secreto nostra ad simulacra loqueris,
  ut responsurae singula uerba iace.
seu tamen aduersum mutarit ianua lectum
  sederit et nostro casta nouerca toro,
coniugium, pueri, laudate et ferte paternum :
  capta dabit uestris moribus illa manus.
nec matrem laudate nimis : collata priori
  uertet in offensas libera uerba suas.
seu memor ille mea contentus manserit umbra
  et tanti cineres duxerit esse meos,
discite uenturam iam nunc sentire senectam,
  caelibis ad curas nec uacet ulla uia.
quod mihi detractum est, uestros accedat ad annos :
  prole mea Paullum sic iuuet esse senem.
et bene habet : numquam mater lugubria sumpsi ;
  uenit in exsequias tota caterua meas.
causa perorata est.   flentes me surgite, testes,
  dum pretium uitae grata rependit humus.
moribus et caelum patuit ; sim digna merendo
  cuius honoratis ossa uehantur auis. ▪

180. The Triumphs of Augustus in the East

SED tempus lustrare aliis Helicona choreis,
 et campum Haemonio iam dare tempus equo.
iam libet et fortis memorare ad proelia turmas
 et Romana mei dicere castra ducis.
quod si deficiant uires, audacia certe
 laus erit : in magnis et uoluisse sat est.
aetas prima canat Veneres, extrema tumultus :
 bella canam, quando scripta puella mea est.
nunc uolo subducto grauior procedere uoltu,
 nunc aliam citharam me, mea Musa, doce.
surge, anima ; ex humili iam carmine sumite uiris,
 Pierides : magni nunc erit oris opus.
iam negat Euphrates equitem post terga tueri
 Parthorum et Crassos se tenuisse dolet :
India quin, Auguste, tuo dat colla triumpho,
 et domus intactae te tremit Arabiae ;
et si qua extremis tellus se subtrahit oris,
 sentiat illa tuas, post modo capta manus.
haec ego castra sequar ; uates tua castra canendo
 magnus ero : seruent hunc mihi fata diem !
ut caput in magnis ubi non est tangere signis,
 ponitur hac imos ante corona pedes,
sic nos nunc, inopes par laudi condere carmen,
 pauperibus sacris uilia tura damus.
nondum etiam Ascraeos norunt mea carmina fontis,
 sed modo Permessi flumine lauit Amor.

181. *Elegy on the Death of Marcellus*

CLAVSVS ab umbroso qua tundit pontus Auerno
 umida Baiarum stagna tepentis aquae,
qua iacet et Troiae tubicen Misenus harena,
 et sonat Herculeo structa labore uia ;
hic, ubi, mortalis dextra cum quaereret urbes,
 cymbala Thebano concrepuere deo :—
at nunc inuisae magno cum crimine Baiae,
 quis deus in uestra constitit hostis aqua ?—
hic pressus Stygias uoltum demisit in undas,
 errat et in uestro spiritus ille lacu.
quid genus aut uirtus aut optima profuit illi
 mater, et amplexum Caesaris esse focos ?
aut modo tam pleno fluitantia uela theatro,
 et per maternas omnia festa domus ?
occidit, et misero steterat uicesimus annus :
 tot bona tam paruo clausit in orbe dies.
i nunc, tolle animos et tecum finge triumphos,
 stantiaque in plausum tota theatra iuuent,
Attalicas supera uestis ; laquearia magnis
 gemmea sint lugdis : ignibus ista dabis.
sed tamen huc omnes, huc primus et ultimus ordo :
 est mala, sed cunctis ista terenda uia est.
exoranda canis tria sunt latrantia colla,
 scandenda est torui publica cumba senis.
ille licet ferro cautus se condat et aere,
 mors tamen inclusum protrahit inde caput.
Nirea non facies, non uis exemit Achillem,
 Croesum aut Pactoli quas parit umor, opes.
at tibi, nauta, pias hominum qui traicis umbras,
 hoc animae portent corpus inane suae :
qua Siculae uictor telluris Claudius et qua
 Caesar, ab humana cessit in astra uia.

182. *The Lover alone knows in what*
Hour Death shall come to him

AT uos incertam, mortales, funeris horam
quaeritis, et qua sit mors aditura uia ;
quaeritis et caelo, Phoenicum inuenta, sereno,
quae sit stella homini commoda quaeque mala ;
seu pedibus Parthos sequimur seu classe Britannos,
et maris et siccae caeca pericla uiae ;
rursus et obiectum fletis caput esse tumultu
cum Mauors dubias miscet utrimque manus ;
praeterea domibus flammam domibusque ruinas,
neu subeant labris pocula nigra tuis.
solus amans nouit, quando periturus et a qua
morte, neque hic Boreae flabra neque arma timet.
iam licet et Stygia sedeat sub harundine remex,
soluat et infernae tristia uela ratis :
si modo clamantis reuocauerit aura puellae,
concessum nulla lege redibit iter.

183. *'When I die, Cynthia . . .'*

QVANDOCVMQVE igitur nostros mors claudet
ocellos,
accipe quae serues funeris acta mei.
nec mea tunc longa spatietur imagine pompa,
nec tuba sit fati uana querela mei ;
nec mihi tunc fulcro sternatur lectus eburno,
nec sit in Attalico mors mea nixa toro.
desit odoriferis ordo mihi lancibus, adsint
plebei paruae funeris exsequiae.
sat mea sit magno, si tres sint pompa libelli,
quos ego Persephonae maxima dona feram.

tu uero nudum pectus lacerata sequeris,
   nec fueris nomen lassa uocare meum,
osculaque in gelidis pones suprema labellis,
   cum dabitur Syrio munere plenus onyx.
deinde, ubi suppositus cinerem me fecerit ardor,
   accipiat manis paruula testa meos,
et sit in exiguo laurus super addita busto,
   quae tegat exstincti funeris umbra locum,
et duo sint uersus : QVI NVNC IACET HORRIDA PVLVIS,
   VNIVS HIC QVONDAM SERVVS AMORIS ERAT.
nec minus haec nostri notescet fama sepulcri
   funere quam Phthii busta cruenta uiri.
tu quoque si quando uenies ad fata, memento,
   hoc iter ad lapides cana ueni memores.
interea caue sis nos aspernata sepultos :
   non nihil ad uerum conscia terra sapit.
atque utinam primis animam me ponere cunis
   iussisset quaeuis de tribus una soror !
nam quo tam dubiae seruetur spiritus horae ?
   Nestoris est uisus post tria saecla cinis :
qui si longa suae minuisset fata senectae
   saucius Iliacis miles in aggeribus,
non ante Antilochi uidisset corpus humari
   diceret aut 'O mors, cur mihi sera uenis ?'
tu tamen amisso non numquam flebis amico :
   fas est praeteritos semper amare uiros.
testis cui niueum quondam percussit Adonem
   uenantem Idalio uertice durus aper.
illis fama ipsum iacuisse paludibus ; illuc
   diceris effusa tu, Venus, isse coma.
sed frustra mutos reuocabis, Cynthia, manis :
   nam mea quid poterunt ossa minuta loqui ?

LYGDAMVS

184. *He dreams that Neaera is false
to him*

DI meliora ferant, nec sint mihi somnia uera,
  quae tulit hesterna pessima nocte quies.
ite procul, uani, falsumque auertite uisum :
  desinite in nobis quaerere uelle fidem.
diui uera monent, uenturae nuntia sortis
  uera monent Tuscis exta probata uiris :
somnia fallaci ludunt temeraria nocte
  et pauidas mentes falsa timere iubent :
et natum in curas hominum genus omina noctis
  farre pio placant et saliente sale ?
et tamen, utcumque est, siue illi uera moneri
  mendaci somno credere siue solent,
efficiat uanos noctis Lucina timores
  et frustra immeritum pertimuisse uelit,
si mea nec turpi mens est obnoxia facto
  nec laesit magnos impia lingua deos.
iam Nox aetherium nigris emensa quadrigis
  mundum caeruleo lauerat amne rotas,
nec me sopierat menti deus utilis aegrae :
  Somnus sollicitas deficit ante domos.
tandem, cum summo Phoebus prospexit ab ortu,
  pressit languentis lumina sera quies.
hic iuuenis casta redimitus tempora lauro
  est uisus nostra ponere sede pedem.
non illo quicquam formosius ulla priorum
  aetas, heroum nec uidet ulla domus.
intonsi crines longa ceruice fluebant,
  stillabat Syrio myrtea rore coma.

candor erat qualem praefert Latonia Luna,
  et color in niueo corpore purpureus,
ut iuueni primum uirgo deducta marito
  inficitur teneras ore rubente genas,
ut cum contexunt amarantis alba puellae
  lilia, ut autumno candida mala rubent.
ima uidebatur talis inludere palla :
  namque haec in nitido corpore uestis erat.
artis opus rarae, fulgens testudine et auro
  pendebat laeua garrula parte lyra.
hanc primum ueniens plectro modulatus eburno
  felicis cantus ore sonante dedit :
sed postquam fuerant digiti cum uoce locuti,
  edidit haec dulci tristia uerba modo :
' salue, cura deum : casto nam rite poetae
  Phoebusque et Bacchus Pieridesque fauent :
sed proles Semelae Bacchus doctaeque sorores
  dicere non norunt quid ferat hora sequens :
at mihi fatorum leges aeuique futuri
  euentura pater posse uidere dedit.
quare ego quae dico non fallax accipe uates
  quodque deus uero Cynthius ore feram.
tantum cara tibi quantum nec filia matri,
  quantum nec cupido bella puella uiro,
pro qua sollicitas caelestia numina uotis,
  quae tibi securos non sinit ire dies
et, cum te fusco Somnus uelauit amictu,
  uanum nocturnis fallit imaginibus,
carminibus celebrata tuis formosa Neaera
  alterius mauult esse puella uiri,
diuersasque suas agitat mens impia curas,
  nec gaudet casta nupta Neaera domo.
a crudele genus nec fidum femina nomen !
  a pereat, didicit fallere si qua uirum.

sed flecti poterit : mens est mutabilis illis :
    tu modo cum multa bracchia tende prece.
saeuus Amor docuit ualidos temptare labores,
    saeuus Amor docuit uerbera posse pati.
me quondam Admeti niueas pauisse iuuencas
    non est in uanum fabula ficta iocum :
tunc ego nec cithara poteram gaudere sonora
    nec similis chordis reddere uoce sonos ;
sed perlucenti cantum meditabar auena
    ille ego Latonae filius atque Iouis.
nescis quid sit amor, iuuenis, si ferre recusas
    immitem dominam coniugiumque ferum.
ergo ne dubita blandas adhibere querelas :
    uincuntur molli pectora dura prece.
quod si uera canunt sacris oracula templis,
    haec illi nostro nomine dicta refer :
hoc tibi coniugium promittit Delius ipse ;
    felix hoc alium desine uelle uirum.'
dixit, et ignauus defluxit corpore somnus.
    a ego ne possim tanta uidere mala.
nec tibi crediderim uotis contraria uota
    nec tantum crimen pectore inesse tuo.
nam te nec uasti genuerunt aequora ponti,
    nec flammam uoluens ore Chimaera fero,
nec canis anguinea redimitus terga caterua,
    cui tres sunt linguae tergeminumque caput,
Scyllaque uirgineam canibus succincta figuram,
    nec te conceptam saeua leaena tulit,
barbara nec Scythiae tellus horrendaue Syrtis ;
    sed culta et duris non habitanda domus
et longe ante alias omnes mitissima mater
    isque pater quo non alter amabilior.
haec deus in melius crudelia somnia uertat
    et iubeat tepidos inrita ferre Notos.

185. *From a Sickbed*

VOS tenet, Etruscis manat quae fontibus unda,
    unda sub aestiuum non adeunda Canem,
nunc autem sacris Baiarum proxima lymphis,
    cum se purpureo uere remittit humus.
at mihi Persephone nigram denuntiat horam:
    immerito iuueni parce nocere, dea.
non ego temptaui nulli temeranda uirorum
    audax laudandae sacra docere deae,
nec mea mortiferis infecit pocula sucis
    dextera nec cuiquam trita uenena dedit,
nec nos sacrilegos templis admouimus ignis.
    nec cor sollicitant facta nefanda meum,
nec nos insanae meditantes iurgia mentis
    impia in aduersos soluimus ora deos;
et nondum cani nigros laesere capillos,
    nec uenit tardo curua senecta pede:
natalem primo nostrum uidere parentes,
    cum cecidit fato consul uterque pari.
quid fraudare iuuat uitem crescentibus uuis
    et modo nata mala uellere poma manu?
parcite, pallentis undas quicumque tenetis
    duraque sortiti tertia regna dei.
Elysios olim liceat cognoscere campos
    Lethaeamque ratem Cimmeriosque lacus,
cum mea rugosa pallebunt ora senecta
    et referam pueris tempora prisca senex.
atque utinam uano nequiquam terrear aestu!
    languent ter quinos sed mea membra dies.
at uobis Tuscae celebrantur numina lymphae
    et facilis lenta pellitur unda manu.
uiuite felices, memores et uiuite nostri,
    siue erimus seu nos fata fuisse uelint
interea nigras pecudes promittite Diti
    et niuei lactis pocula mixta mero.

186.   *Cerinthus' Birthday*

QVI mihi te, Cerinthe, dies dedit, hic mihi sanctus
    atque inter festos semper habendus erit.
te nascente nouum Parcae cecinere puellis
    seruitium et dederunt regna superba tibi.
uror ego ante alias : iuuat hoc, Cerinthe, quod uror,
    si tibi de nobis mutuus ignis adest.
mutuus adsit amor, per te dulcissima furta
    perque tuos oculos per Geniumque rogo.
magne Geni, cape tura libens uotisque faueto,
    si modo, cum de me cogitat, ille calet.
quod si forte alios iam nunc suspiret amores,
    tum precor infidos, sancte, relinque focos.
nec tu sis iniusta, Venus : uel seruiat aeque
    uinctus uterque tibi uel mea uincla leua.
sed potius ualida teneamur uterque catena,
    nulla queat posthac quam soluisse dies.
optat idem iuuenis quod nos, sed tectius optat :
    nam pudet haec illum dicere uerba palam.
at tu, Natalis, quoniam deus omnia sentis,
    adnue : quid refert, clamne palamne roget ?

187. *To Phoebus : A Prayer in Sickness*

HVC ades et tenerae morbos expelle puellae,
    huc ades, intonsa Phoebe superbe coma.
crede mihi, propera : nec te iam, Phoebe, pigebit
    formosae medicas applicuisse manus.
effice ne macies pallentis occupet artus,
    neu notet informis candida membra color,
et quodcumque mali est et quidquid triste timemus,
    in pelagus rapidis euehat amnis aquis.

sancte, ueni, tecumque feras quicumque sapores,
  quicumque et cantus corpora fessa leuant :
neu iuuenem torque, metuit qui fata puellae
  uotaque pro domina uix numeranda facit.
interdum uouet, interdum, quod langueat illa,
  dicit in aeternos aspera uerba deos.
pone metum, Cerinthe ; deus non laedit amantis.
  tu modo semper ama : salua puella tibi est.
nil opus est fletu : lacrimis erit aptius uti,
  si quando fuerit tristior illa tibi.
at nunc tota tua est, te solum candida secum
  cogitat, et frustra credula turba sedet.
Phoebe, faue : laus magna tibi tribuetur in uno
  corpore seruato restituisse duos.
iam celeber, iam laetus eris, cum debita reddet
  certatim sanctis laetus uterque focis.
tunc te felicem dicet pia turba deorum,
  optabunt artes et sibi quisque tuas.

188.   *In Sickness: to Cerinthus*

ESTNE tibi, Cerinthe, tuae pia cura puellae,
  quod mea nunc uexat corpora fessa calor ?
a ego non aliter tristis euincere morbos
  optarim quam te si quoque uelle putem.
at mihi quid prosit morbos euincere, si tu
  nostra potes lento pectore ferre mala ?

ANONYMOUS
circ. 20 B.C.

189.   *Foul Rumour*

RVMOR ait crebro nostram peccare puellam :
  nunc ego me surdis auribus esse uelim.
crimina non haec sunt nostro sine facta dolore :
  quid miserum torques, rumor acerbe ? tace.

190.   *Mighty in Peace as Mighty in Arms*

i

TE, Messalla, canam, quamquam tua cognita uirtus
    terret: ut infirmae nequeant subsistere uires,
incipiam tamen, ac meritas si carmina laudes
deficiant, humilis tantis sim conditor actis.
nec tua praeter te chartis intexere quisquam
facta queat, dictis ut non maiora supersint.
est nobis uoluisse satis ; nec munera parua
respueris.   etiam Phoebo gratissima dona
Cres tulit, et cunctis Baccho iucundior hospes
Icarus, ut puro testantur sidera caelo
Erigoneque Canisque, neget ne longior aetas.
quin etiam Alcides, deus ascensurus Olympum,
laeta Molorcheis posuit uestigia tectis,
paruaque caelestis placauit mica, nec illis
semper inaurato taurus cadit hostia cornu.
hic quoque sit gratus paruus labor, ut tibi possim
inde alios aliosque memor componere uersus.

   alter dicat opus magni mirabile mundi,
qualis in immenso desederit aere tellus,
qualis et in curuum pontus confluxerit orbem,
et uagus, e terris qua surgere nititur, aer,
huic et contextus passim fluat igneus aether,
pendentique super claudantur ut omnia caelo :
at quodcumque meae poterunt audere camenae,
seu tibi par poterunt seu, quod spes abnuit, ultra
siue minus (certeque canent minus), omne uouemus
hoc tibi, nec tanto careat mihi nomine charta.

nam quamquam antiquae gentis superant tibi laudes,
non tua maiorum contenta est gloria fama,
nec quaeris quid quaque index sub imagine dicat,
sed generis priscos contendis uincere honores,
quam tibi maiores maius decus ipse futuris :
at tua non titulus capiet sub nomine facta,
aeterno sed erunt tibi magna uolumina uersu,
conuenientque tuas cupidi componere laudes
undique quique canent uincto pede quique soluto.
quis potior, certamen erit : sim uictor in illis,
ut nostrum tantis inscribam nomen in actis.

    nam quis te maiora gerit castrisue foroue ?
nec tamen hic aut hic tibi laus maiorue minorue,
iusta pari premitur ueluti cum pondere libra,
prona nec hac plus parte sedet nec surgit ab illa,
qualis, inaequatum si quando onus urget utrimque,
alterno instabilis nutat depressior orbe.

    nam seu diuersi fremat inconstantia uulgi,
non alius sedare queat : seu iudicis ira
sit placanda, tuis poterit mitescere uerbis.
non Pylos aut Ithace tantos genuisse feruntur
Nestora uel paruae magnum decus urbis Vlixen,
uixerit ille senex quamuis, dum terna per orbem
saecula fertilibus Titan decurreret horis,
ille per ignotas audax errauerit urbes,
qua maris extremis tellus includitur undis.
nam Ciconumque manus aduersis reppulit armis,
nec ualuit lotos coeptos auertere cursus,
cessit et Aetnaeae Neptunius incola rupis
uicta Maroneo foedatus lumina baccho :
uexit et Aelios placidum per Nerea uentos :
incultos adiit Laestrygonas Antiphatenque,
nobilis Artacie gelida quos inrigat unda :

solum nec doctae uerterunt pocula Circes,
quamuis illa foret Solis genus, apta uel herbis
aptaque uel cantu ueteres mutare figuras:
Cimmerion etiam obscuras accessit ad arces,
quis numquam candente dies apparuit ortu,
seu supra terras Phoebus seu curreret infra:
uidit ut inferno Plutonis subdita regno
magna deum proles leuibus ius diceret umbris,
praeteriitque cita Sirenum litora puppi.
illum inter geminae nantem confinia mortis
nec Scyllae saeuo conterruit impetus ore,
cum canibus rabidas inter fera serperet undas,
nec uiolenta suo consumpsit more Charybdis,
uel si sublimis fluctu consurgeret imo,
uel si interrupto nudaret gurgite pontum.
non uiolata uagi sileantur pascua Solis,
non amor et fecunda Atlantidos arua Calypsus,
finis et erroris miseri Phaeacia tellus.
atque haec seu nostras inter sunt cognita terras,
fabula siue nouum dedit his erroribus orbem,
sit labor illius, tua dum facundia, maior.

ii

PAVCA mihi, niueo sed non incognita Phoebo,
  pauca mihi doctae dicite Pegasides.
uictor adest, magni magnum decus ecce triumphi,
  uictor, qua terrae quaque patent maria,
horrida barbaricae portans insignia pugnae,
  magnus ut Oenides utque superbus Eryx,
nec minus idcirco uestros expromere cantus
  maximus et sanctos dignus inire choros.
hoc itaque insuetis iactor magis, optime, curis,
  quid de te possim scribere quidue tibi.

namque (fatebor enim) quae maxima deterrendi
    debuit, hortandi maxima causa fuit.
pauca tua in nostras uenerunt carmina chartas,
    carmina cum lingua, tum sale Cecropio,
carmina quae Scherium, saeclis accepta futuris,
    carmina, quae Pylium uincere digna senem.
molliter hic uiridi patulae sub tegmine quercus
    Moeris pastores et Meliboeus erant,
dulcia iactantes alterno carmina uersu,
    qualia Trinacriae doctus amat iuuenis.
certatim ornabant omnes heroida diui,
    certatim diuae munere quoque suo.
felicem ante alias o te scriptore puellam :
    altera non fama dixerit esse prior :
non illa, Hesperidum ni munere capta fuisset,
    quae uolucrem cursu uicerat Hippomenen ;
candida cycneo non edita Tyndaris ouo ;
    non supero fulgens Cassiopea polo ;
non defensa diu multum certamine equorum,
    obstabant grauidae quod sibi quaeque manus,
saepe animam generi pro qua pater impius hausit,
    saepe rubro similis sanguine fluxit humus ;
regia non Semele, non Inachis Acrisione,
    immitti expertae fulmine et imbre Iouem ;
non cuius propter raptum liquere penatis
    Tarquinii patrios, filius atque pater,
illo quo primum dominatus Roma superbos
    mutauit placidis tempore consulibus,
multa neque immeritis donat quae praemia alumnis,
    praemia Messalis maxima Poplicolis.—
nam quid ego immensi memorem studia ista laboris,
    horrida quid durae tempora militiae ?
castra foro, te castra Vrbi praeponere, castra
    tam procul hoc gnato, tam procul hac patria ;

immoderata pati iam frigora iamque calores,
    sternere uel dura posse super silice ;
saepe trucem aduerso perlabi sidere pontum,
    saepe mare audendo uincere, saepe hiemem,
saepe etiam densos immittere corpus in hostis,
    communem belli nec meminisse deum ;
nunc celeris Afros, periurae milia gentis,
    aurea nunc rapidi flumina adire Tagi,
nunc aliam ex alia bellando quaerere gentem,
    uincere et Oceani finibus ulterius—
non nostrum est tantas, non, inquam, attingere laudes,
    quin ausim hoc etiam dicere, uix hominum est :
ipsa haec, ipsa ferent rerum monumenta per orbem,
    ipsa sibi egregium facta decus parient.
nos ea quae tecum finxerunt carmina diui,
    Cynthius et Musae, Bacchus et Aglaie,
si laudem aspirare humilis, si adire Cyrenas,
    si patrio Graios carmine adire sales
possumus, optatis plus iam procedimus ipsis.
    hoc satis est : pingui nil mihi cum populo.

ANONYMOUS

40 B.C. (?)

191.   *Epitaph of Heluia Prima*

TV qui secura spatiaris mente uiator
    et nostri uoltus derigis inferieis,
si quaeris quae sim, cinis en et tosta fauilla,
    ante obitus tristeis Heluia Prima fui.
coniuge sum Catulo fructa, actore Isocrateio,
    concordesque pari uiximus ingenio.
nunc data sum Diti longum mansura per aeuum
    deducta et fatali igne et aqua Stygia.

CORNELIVS SEVERVS

fl. 38 B.C.

192.   *The Death of Cicero*

ORAQVE magnanimum spirantia paene uirorum
  in rostris iacuere suis ; sed enim abstulit omnis,
tamquam sola foret, rapti Ciceronis imago.
tunc redeunt animis ingentia consulis acta
iurataeque manus deprensaque foedera noxae
patriciumque nefas extinctum : poena Cethegi
deiectusque redit uotis Catilina nefandis.
quid fauor adscitus, pleni quid honoribus anni
profuerant, sacris et uota quid artibus aetas ?
abstulit una dies aeui decus, ictaque luctu
conticuit Latiae tristis facundia linguae.
unica sollicitis quondam tutela salusque,
egregium semper patriae caput, ille senatus
uindex, ille fori, legum iurisque togaeque
publica uox, saeuis aeternum obmutuit armis !
informis uoltus sparsamque cruore nefando
canitiem sacrasque manus operumque ministras
tantorum pedibus ciuis proiecta superbis
proculcauit ouans nec lubrica fata deosque
respexit ! nullo luet hoc Antonius aeuo.
hoc nec in Emathio mitis uictoria Perse,
nec te, dire Syphax, non fecerat hoste Philippo ;
inque triumphato ludibria iuncta Iugurtha
afuerunt, nostraeque cadens ferus Hannibal irae
membra tamen Stygias tulit inuiolata sub umbras.

ANONYMOUS

Aetatis Augusteae.

193. *Post Mortem Nulla Voluptas*

COPA Syrisca, caput Graeca redimita mitella,
   crispum sub crotalo docta mouere latus,
ebria fumosa saltat lasciua taberna,
   ad cubitum raucos excutiens calamos.
'quid iuuat aestiuo defessum puluere abesse
   quam potius bibulo decubuisse toro?
sunt topia et kalybae, cyathi, rosa, tibia, chordae,
   et triclia umbrosis frigida harundinibus.
en et, Maenalio quae garrit dulce sub antro,
   rustica pastoris fistula in ore sonat.
est et uappa, cado nuper defusa picato,
   et trepidans rauco murmure riuos aquae;
sunt etiam croceo uiolae de flore corollae
   sertaque purpurea lutea mixta rosa,
et quae uirgineo libata Achelois ab amne
   lilia uimineis attulit in calathis;
sunt et caseoli, quos iuncea fiscina siccat,
   sunt autumnali cerea pruna die,
castaneaeque nuces et suaue rubentia mala,
   est hic munda Ceres, est Amor, est Bromius;
sunt et mora cruenta et lentis uua racemis
   et pendet iunco caeruleus cucumis.
est tuguri custos, armatus falce saligna,
   sed non et uasto est inguine terribilis.
huc kalybita ueni.   lassus iam sudat asellus,
   parce illi: Vestae delicium est asinus.

nunc cantu celebri rumpunt arbusta cicadae,
  nunc uaria in gelida sede lacerta latet :
si sapis, aestiuo recubans nunc prolue uitro,
  seu uis cristalli ferre nouos calices.
hic age pampinea fessus requiesce sub umbra
  et grauidum roseo necte caput strophio,
oscula decerpens tenerae formosa puellae—
  a pereat cui sunt prisca supercilia.
quid cineri ingrato seruas bene olentia serta?
  anne coronato uis lapide ista tegi?
pone merum et talos. pereat qui crastina curat.
  Mors aurem uellens 'uiuite', ait, 'uenio.'

9 B.C.

194.   *Epicedion Drusi*

SVPPRIME iam lacrimas : non est reuocabilis istis,
  quem semel umbrifera nauita lintre tulit.
Hectora tot fratres, tot defleuere sorores
  et pater et coniux Astyanaxque puer
et longaeua parens : nec et ille redemptus ab igne :
  nulla super Stygias umbra renauit aquas.
contigit hoc etiam Thetidi : populator Achilles
  Iliaca ambustis ossibus arua premit.
illi caeruleum Panope matertera crinem
  soluit et immensas fletibus auxit aquas,
consortesque deae centum longaeuaque magni
  Oceani coniux Oceanusque pater,
et Thetis ante omnis : sed nec Thetis ipsa neque omnes
  mutarunt auidi tristia iura dei.
prisca quid huc repeto? Marcellum Octauia fleuit
  et fleuit populo Caesar utrumque palam.

sed rigidum ius est et ineuitabile mortis,
    stant rata non ulla fila renenda manu.
ipse tibi emissus nebulosi litore Auerni,
    si liceat, forti uerba tot ore sonet :
'quid numeras annos ? uixi maturior annis :
    acta senem faciunt : haec numeranda tibi,
his aeuum fuit implendum, non segnibus annis :
    hostibus eueniat longa senecta meis.
hoc ataui monuere mei proauique Nerones
    (fregerunt ambo Punica bella duces) :
hoc domus ista docet per te mea Caesaris alti :
    exitus hic, mater, debuit esse meus.
nec meritis (quamquam ipsa iuuant magis) afuit illis,
    mater, honos : titulis nomina plena uides.
consul et ignoti uictor Germanicus orbis,
    quoi fuerit mortis publica causa, legor.
cingor Apollinea uictricia tempora lauro
    et sensi exsequias funeris ipse mei,
decursusque uirum notos mihi donaque regum
    captaque per titulos oppida lecta suos,
et quo me officio portauerit illa iuuentus,
    quae fuit ante meum tam generosa torum.
denique laudari sacrato Caesaris ore
    emerui, lacrimas elicuique deo.
et quoiquam miserandus ero ? iam comprime fletus.
    hoc ego, qui flendi sum tibi causa, rogo.'
haec sentit Drusus, si quid modo sentit in umbra,
    nec tu de tanto crede minora uiro.
est tibi (sitque precor) multorum filius instar,
    parsque tui partus it tibi salua prior ;
est coniux, tutela hominum, quo sospite uestram,
    Liuia, funestam dedecet esse domum.

M. MANILIVS

fl. 8 A.D.

195.   *The Science of Nature*

CARMINE diuinas artis et conscia fati
    sidera diuersos hominum uariantia casus,
caelestis rationis opus, deducere mundo
aggredior primusque nouis Helicona mouere
cantibus et uiridi nutantis uertice siluas,
hospita sacra ferens nulli memorata priorum.
huc mihi tu, Caesar, patriae princepsque paterque,
qui regis augustis parentem legibus orbem
concessumque patri mundum deus ipse mereris,
daque animum uirisque satis da tanta canendo.
iam propiusque fauet mundus scrutantibus ipsum
et cupit aetherïos per carmina pandere census.
hoc sub pace uacat tantum.   iuuat ire per ipsum
aera et inmenso spatiantem uiuere caelo
signaque et aduersos stellarum noscere cursus.
quod solum nouisse parum est.   impensius ipsa
scire iuuat magni penitus praecordia mundi,
quaque regat generetque suis animalia signis
cernere et in numerum Phoebo modulante referre.
bina mihi positis lucent altaria flammis,
ad duo templa precor duplici circumdatus aestu
carminis et rerum : certa cum lege canentem
mundus et inmenso uatem circumstrepit orbe
uixque soluta suis inmittit uerba figuris.
quem primum interius licuit cognoscere stellas
munere caelestum ? quis enim condentibus illis
clepisset furto mundum, quo cuncta reguntur ?
quis foret humano conatus pectore tantum,
inuitis ut dis cuperet deus ipse uideri,

sublimis aperire uias imumque sub orbem
et per inane suis parentia finibus astra?
tu princeps auctorque sacri, Cyllenie, tanti.
per te iam caelum interius, iam sidera nota
nominaque et cursus signorum, pondera, uires,
maior uti facies mundi foret et ueneranda
non species tantum sed et ipsa potentia rerum,
sentirentque deum gentes qua maximus esset.
quin natura dedit uires seque ipsa reclusit
regalis animos primum dignata mouere
proxima tangentis rerum fastigia caelo,
qui domuere feras gentis oriente sub ipso,
quas secat Euphrates, in quas et Nilus inundat,
qua mundus redit et nigras super euolat urbis;
tum qui templa sacris coluerunt omne per aeuum
delectique sacerdotes in publica uota
officio uinxere deum, quibus ipsa potentis
numinis accendit castam praesentia mentem,
inque deum deus ipse tulit patuitque ministris:
hi tantum mouere decus primique per artem
sideribus uidere uagis pendentia fata.
singula nam proprio signarunt tempora casu
longa per assiduas complexi saecula curas,
nascendi quae cuique dies, quae uita fuisset,
in quas fortunae leges quaeque hora ualeret,
quantaque quam parui facerent discrimina motus.
postquam omnis caeli species redeuntibus astris
percepta in proprias sedis, et reddita certis
fatorum ordinibus sua cuique potentia formae,
per uarios usus artem experientia fecit
exemplo monstrante uiam speculataque longe
deprendit tacitis dominantia legibus astra
et totum aeterna mundum ratione moueri

fatorumque uices certis discernere signis.
nam rudis ante illos nullo discrimine uita
in speciem conuersa operum ratione carebat,
et stupefacta nouo pendebat lumine mundi :
tum uelut amissis maerens, tum laeta renatis
sideribus, uariosque dies incertaque noctis
tempora, nec similis umbras iam sole regresso,
iam propiore, suis poterat qua discere causis ?
necdum etiam doctas sollertia fecerat artis,
terraque sub rudibus cessabat uasta colonis ;
tumque in desertis habitabat montibus aurum,
ignotusque nouos pontus subduxerat orbis ;
nec uitam pelago nec uentis credere uota
audebant ; se quisque satis nouisse putabant.
sed cum longa dies acuit mortalia corda,
et labor ingenium miseris dedit, et sua quemque
aduigilare sibi iussit fortuna premendo,
seducta in uarias certarunt pectora curas,
et quodcumque sagax temptando repperit usus,
in commune bonum laeti commenta dederunt.
tunc et lingua suas accepit barbara leges,
et fera diuersis exercita frugibus arua,
et uagus in caecum penetrauit nauita pontum,
fecit et ignotis linter commercia terris.
tum belli pacisque artis commenta uetustas ;
semper enim ex aliis alias proseminat usus.
ne uulgata canam : linguas didicere uolucrum,
consultare fibras et rumpere uocibus anguis,
sollicitare umbras imumque Acheronta mouere
in noctemque dies, in lucem uertere noctis.
omnia conando docilis sollertia uicit.
nec prius imposuit rebus finemque modumque
quam caelum ascendit ratio cepitque profundam

naturam rerum et causas uiditque quod usquam est :
nubila cur tanto quaterentur pulsa fragore,
hiberna aestiua nix grandine mollior esset,
arderent terrae solidusque tremesceret orbis,
cur imbres ruerent, uentos quae causa moueret,
peruidit soluitque animis miracula rerum
eripuitque Ioui fulmen uirisque Tonanti
et sonitum uentis concessit, nubibus ignem.

196.   *The Milky Way*

NAMQVE in caeruleo candens nitet orbita mundo
  ceu missura diem subito caelumque recludens.
ac ueluti uiridis discernit semita campos,
quam terit assiduo renouans iter orbita tractu ;
ut freta canescunt sulcum ducente carina
accipiuntque uiam fluctus spumantibus undis,
quam tortus uerso mouit de gurgite uertex,
candidus in nigro lucet sic limes Olympo,
caeruleum findens ingenti lumine mundum.
utque suos arcus per nubila circinat Iris,
sic superincumbit signato culmine limes
candidus et resupina facit mortalibus ora,
dum noua per caecam mirantur lumina noctem,
inquiruntque sacras humano pectore causas,
num se diductis conetur soluere moles
segminibus, raraque labent compagine rimae
admittantque nouum laxato tegmine lumen ;
(quid sibi non timeant, magni cum uulnera caeli
conspiciant, feriatque oculos iniuria mundi ?)
an coeat mundus, duplicisque extrema cauernae
conueniant caelique oras et segmina iungant,
perque ipsos fiat nexus manifesta cicatrix

fusuram faciens mundi, stipatus et orbis
aeriam in nebulam clara compagine uersus
in cuneos alto cogat fundamina caeli?
an melius manet illa fides per saecula prisca
illac solis equos diuersis cursibus isse
atque aliam triuisse uiam, longumque per aeuum
exustas sedis incoctaue sidera flammis
caeruleam uerso speciem mutasse colore,
infusumque loco cinerem mundumque sepultum?
fama etiam antiquis ad nos descendit ab annis,
Phaethontem patrio curru per signa uolantem,
dum noua miratur propius spectacula mundi
et puer in caelo ludit curruque superbus
luxuriat mundo cupit et maiora parente,
deflexum solito cursu curuisque quadrigis
monstratas liquisse uias orbemque recentem
imposuisse polo; nec signa insueta tulisse
errantis nutu flammas cursumque solutum.
quid querimur, flammas totum saeuisse per orbem,
terrarumque rogum cunctas arsisse per urbis,
cum uaga dispersi fluitarunt fragmina currus,
et caelum exustum est? luit ipse incendia mundus,
et noua uicinis flagrarunt sidera flammis
nunc quoque praeteriti faciem referentia casus.
nec mihi celanda est famae uulgata uetustas
mollior, e niueo lactis fluxisse liquorem
pectore reginae diuum caelumque colore
infecisse suo. quapropter lacteus orbis
dicitur, et nomen causa descendit ab ipsa.
an maior densa stellarum turba corona
contexit flammas et crasso lumine candet,
et fulgore nitet collato clarior orbis?
an fortes animae dignataque nomina caelo

corporibus resoluta suis terraeque remissa
huc migrant ex orbe suumque habitantia caelum
aetherios uiuunt annos mundoque fruuntur?
atque hic Aeacidas, hic et ueneramur Atridas
Tydidenque ferum terraeque marisque triumphis
naturae uictorem Ithacum Pyliumque senecta
insignem triplici, Danaumque ad Pergama reges
Auroraeque nigrum partum stirpemque Tonantis
rectorem Lyciae; nec te, Mauortia uirgo,
praeteream regesque alios, quos Thraecia misit
atque Asiae gentes et Magno maxima Pella;
quique animi uiris et strictae pondera mentis
prudentes habuere uiri, quibus omnis in ipsis
census erat, iustusque Solon fortisque Lycurgus,
aetheriusque Platon et qui fabricauerat illum
damnatusque suas melius damnauit Athenas,
Persidis et uictor, strarat quae classibus aequor.
Romanique uiri, quorum iam maxima turba est:
Tarquinioque minus reges, et Horatia proles
tota acies, parti nec non et Scaeuola trunca
nobilior, maiorque uiris tu, Cloelia, uirgo,
et Romana ferens, quae texit, moenia Cocles,
et commilitio uolucris Coruinus adeptus
et spolia et nomen, qui gestat in alite Phoebum,
et Ioue qui meruit caelum Romamque Camillus
seruando posuit, Brutusque a rege receptae
conditor, et Pyrrhi per bella Papirius ultor,
Fabricius Curiusque pares et tertia palma
Marcellus, Cossusque prior de rege necato,
certantesque Deci uotis similesque triumphis,
inuictusque mora Fabius, uictorque ferocis
Liuius Hasdrubalis socio per bella Nerone,
uel duo Scipiadae, fatum Carthaginis unum,

Pompeiusque orbis domitor per trisque triumphos
ante diem princeps, et censu Tullius oris
emeritus caelum, et tu, Claudi magna propago,
Aemiliaeque domus proceres, clarique Metelli,
et Cato fortunae uictor, matrisque sub armis
miles Agrippa suae ; Venerisque ab origine proles
Iulia descendit caelo caelumque repleuit,
quod regit Augustus socio per signa Tonante,
cernit et in coetu diuum agnouitque Quirinum
altius aetherii quam candet circulus orbis :
illa deis sedes, haec illis, proxima diuum
qui uirtute sua similes fastigia tangunt.

197.   *Comets*

SIVE igitur ratio praebentis semina terrae
in uolucris ignis potuit generare cometas ;
siue illas natura facis ut cuncta creauit
sidera per tenuis caelo lucentia flammas,
sed trahit ad semet rapido Titanius aestu
inuoluitque suo flammantis igne cometas,
ac modo dimittit (sicut Cyllenius orbis
et Venus, accenso cum ducit uespere noctem
sera nitens, falluntque oculos rursusque reuisunt) ;
seu deus instantis fati miseratus in orbem
signa per affectus caelique incendia mittit ;
futtilibus non umquam excanduit ignibus aether :
squalidaque elusi deplorant arua coloni,
et sterilis inter sulcos defessus arator
ad iuga maerentis cogit frustrata iuuencos.
aut grauibus morbis et lenta corpora tabe
corripit exustis letalis flamma medullis

labentisque rapit populos, totasque per urbis
publica succensis peraguntur iusta sepulcris :
qualis Erechtheos pestis populata colonos
extulit antiquas per funera pacis Athenas,
alter in alterius labens cum fata ruebant.
nec locus artis erat medicae nec uota ualebant ;
cesserat officium morbis, et funera deerant
mortibus et lacrimae ; lassus defecerat ignis,
et coaceruatis ardebant corpora membris,
ac tanto quondam populo uix contigit heres.
talia significant lucentes saepe cometae :
funera cum facibus ueniunt terrisque minantur
ardentis sine fine rogos, cum mundus et ipsa
aegrotet natura nouum sortita sepulcrum.
quin et bella canunt ignes subitosque tumultus
et clandestinis surgentia fraudibus arma ;
externas modo per gentis, ut foedere rupto
cum fera ductorem rapuit Germania Varum
infecitque trium legionum sanguine campos,
arserunt toto passim minitantia mundo
lumina, et ipsa tulit bellum natura per ignis
opposuitque suas uiris finemque minata est.
ne mirere grauis rerumque hominumque ruinas,
saepe domi culpa est, nescimus credere caelo.
ciuilis etiam motus cognataque bella
significant.   nec plura alias incendia mundus
sustinuit, quam cum ducibus iurata cruentis
arma Philippeos implerunt agmine campos,
uixque etiam sicca miles Romanus harena
ossa uirum lacerosque prius superastitit artus,
imperiumque suis conflixit uiribus ipsum,
perque patris pater Augustus uestigia uicit.
necdum finis erat : restabant Actia bella

dotali commissa acie, repetitaque rerum
alea, et in ponto quaesitus rector Olympi,
femineum sortita iugum cum Roma pependit,
atque ipsa Isiaco certarunt fulmina sistro.
restabant profugo seruilia milite bella,
cum patrios armis imitatus filius hostis
aequora Pompeius cepit defensa parenti.
sed satis hoc fatis fuerit.   iam bella quiescant,
atque adamanteis Discordia uincta catenis
aeternos habeat frenos in carcere clausa.
sit pater inuictus patriae, sit Roma sub illo :
cumque deum caelo dederit, non quaerat in orbe.

198. *The Theme of the Astrological Poet*

MAXIMVS Iliacae gentis certamina uates
et quinquaginta regum regemque patremque,
castra decem aestatum uictamque sub Hectore Troiam
erroremque ducis totidem quot uicerat annis
instantem bello geminataque Pergama ponto
ultimaque in patria captisque penatibus arma
ore sacro cecinit ; patriam quoi cura petentum
dum dabat eripuit, cuiusque ex ore profusos
omnis posteritas latices in carmina duxit
amnemque in tenuis ausa est diducere riuos,
unius fecunda bonis.   sed proximus illi
Hesiodus memorat diuos diuumque parentes
et chaos enixum terras orbemque sub illo
infantem et primos titubantia sidera cursus
Titanasque senes Iouis et cunabula magni
et sub fratre uiri nomen sine matre parentis
atque iterum patrio nascentem corpore Bacchum
omniaque inmenso uolitantia lumina mundo.

quin etiam ruris cultus legesque notauit
militiamque soli; quod collis Bacchus amaret,
quod fecunda Ceres campos, quod Pallas utrumque,
atque arbusta uagis essent quod adultera pomis,
siluarumque deos sacrataque flumina nymphis,
pacis opus magnos naturae condit in usus.
astrorum quidam uarias dixere figuras
signaque diffuso passim labentia caelo
in proprium cuiusque genus causasque tulere:
Persea et Andromedan poena matremque dolentem
solantemque patrem raptuque Lycaone natam
officioque Iouis Cynosuram, lacte Capellam
et furto Cycnum, pietate ad sidera ductam
Erigonen ictuque Nepam spolioque Leonem
et morsu Cancrum, Pisces Cythereide uersa,
Lanigerum uicto ducentem sidera ponto
ceteraque ex uariis pendentia casibus astra
aethera per summum uoluerunt fixa reuolui.
quorum carminibus nihil est nisi fabula caelum,
terraque composuit caelum, quae pendet ab illo.
quin etiam pecorum ritus et Pana sonantem
in calamos Sicula memorat tellure creatus;
nec siluis siluestre canit perque horrida motus
rura serit dulcis musamque inducit in arua.
ecce alius pictas uolucris ac bella ferarum,
ille uenenatos anguis aconitaque et herbas
fata refert uitamque sua radice ferentis.
quin etiam tenebris immersum Tartaron atra
in lucem de nocte uocant orbemque reuoluunt
interius uersum naturae foedere rupto.
omne genus rerum doctae cecinere sorores,
omnis ad accessus Heliconis semita trita est,
et iam confusi manant de fontibus amnes

nec capiunt haustum turbamque ad nota ruentem.
integra quaeramus rorantis prata per herbas
undamque occultis meditantem murmur in antris,
quam neque durato gustarint ore uolucres,
ipse nec aetherio Phoebus libauerit igni.
nostra loquar; nulli uatum debebimus ora,
nec furtum, sed opus ueniet, soloque uolamus
in caelum curru, propria rate pellimus undas.
namque canam tacita naturam mente potentem
infusumque deum caelo terrisque fretoque
ingentem aequali moderantem foedere molem,
totumque alterno consensu uiuere mundum
et rationis agi motu, cum spiritus unus
per cunctas habitet partis atque irriget orbem
omnia peruolitans corpusque animale figuret.
quod nisi cognatis membris contexta maneret
machina et imposito pareret tota magistro,
ac tantum mundi regeret prudentia censum,
non esset statio terris, non ambitus astris,
haereretque uagus mundus standoque rigeret,
nec sua dispositos seruarent sidera cursus,
noxque alterna diem fugeret rursumque fugaret;
non imbres alerent terras, non aethera uenti,
nec pontus grauidas nubis, nec flumina pontum,
nec pelagus fontis, nec staret summa per omnis
par semper partis aequo digesta parente,
ut neque deficerent undae nec sideret orbis,
nec caelum iusto maiusue minusue uolaret.
motus alit, non mutat opus; sic omnia toto
dispensata manent mundo dominumque sequuntur.
hic igitur deus et ratio, quae cuncta gubernat,
ducit ab aetheriis terrena animalia signis :
quae quamquam longo cogit summota recessu

sentiri tamen, ut uitas ac fata ministrent
gentibus ac proprios per singula corpora mores.
nec nimis est quaerenda fides : sic temperat arua
caelum, sic uarias fruges redditque rapitque,
sic pontum mouet ac terris immittit et aufert :
atque haec seditio pelagus nunc sidere lunae
mota tenet nunc diuerso stimulata recessu,
nunc anni spatio Phoebum comitata uolantem ;
sic submersa fretis concharum et carcere clausa
ad lunae motum uariant animalia corpus
et tua damna, tuas imitantur, Delia, uiris ;
tu quoque fraternis sic perdis in oribus ora
atque iterum ex eisdem repetis, quantumque reliquit
aut dedit ille, refers et sidus sidere constas.
denique sic pecudes et muta animalia terris,
cum maneant ignara sui legisque per aeuum,
natura tamen ad mundum reuocante parentem
attollunt animos caelumque et sidera seruant
corporaque ad lunae nascentis cornua lustrant
uenturasque uident hiemes, reditura serena :
quis dubitet post haec hominem coniungere caelo ?
consilium natura dedit linguamque capaxque
ingenium uolucremque animum, quem denique in unum
descendit deus atque habitat seque ipse requirit.
mitto alias artis, quarum est permissa facultas,
infidas adeo nec nostri munera census,
mitto, quod aequali nihil est sub lege tributum,
quod patet auctores summi non pectoris esse,
mitto quod et certum est et ineuitabile fatum,
materiaeque datum est cogi, sed cogere mundo.
quis caelum possit nisi caeli munere nosse
et reperire deum nisi qui pars ipse deorum est ?
quisue hanc conuexi molem sine fine patentis

signorumque choros ac mundi flammea templa
aeternum et stellis aduersus sidera bellum
cernere et angusto sub pectore claudere posset,
ni tantos animis oculos natura dedisset
cognatamque sui mentem uertisset ad ipsam
et tantum dictasset opus, caeloque ueniret
quod uocat in caelum sacra ad commercia rerum
et primas quas dant leges nascentibus astra?
quis neget esse nefas inuitum prendere mundum
et uelut in semet captum deducere in orbem?
sed ne circuitu longo manifesta probentur,
ipsa fides operi faciet pondusque fidemque.
nam neque decipitur ratio nec decipit umquam;
rite sequenda uia est ueris accredita causis,
euentusque datur qualis praedicitur ante.
quod fortuna ratum faciat, quis dicere falsum
audeat et tantae suffragia uincere sortis?
haec ego diuino cupiam cum ad sidera flatu
ferre, nec in turba nec turbae carmina condam,
sed solus uacuo ueluti uectatus in orbe
liber agam currus, non occursantibus ullis
nec per iter socios commune gerentibus actus,
sed caelo noscenda canam mirantibus astris
et gaudente sui mundo per carmina uatis:
uel quibus illa sacros non inuidere meatus
notitiamque sui, minima est quae turba per orbem.
illa fluit, quae diuitias, quae diligit aurum,
imperia et fascis mollemque per otia luxum
et blandis diuersa sonis dulcemque per auris
affectum, ut modico noscenda ad fata labore.
hoc quoque fatorum est, legem perdiscere fati.

199.   *The Rarity of True Friendship*

PER tot signorum species contraria surgunt
   corpora totque modis quotiens inimica creantur.
idcirco nihil ex semet natura creauit
pectore amicitiae maius nec rarius umquam.
unus erat Pylades, unus qui mallet Orestes
ipse mori; lis una fuit per saecula mortis :
optauitque reum sponsor non posse reuerti,
sponsoremque reus timuit, ne solueret ipsum.
perque tot aetates hominum, tot tempora et annos,
tot bella et uarios etiam sub pace labores,
cum fortuna fidem quaerat, uix inuenit usquam.
at quanta est scelerum moles per saecula cuncta,
quamque onus inuidiae non excusabile terris !
quid loquar infectos fraterno sanguine fratres,
uenalis ad fata patres matrumque sepulcra ?
quid loquar ut subitam sceleratis gentibus olim
imposuit Phoebus noctem terrasque reliquit ?
quid loquar euersas urbis et prodita templa
et uarias pacis cladis et mixta uenena,
insidiasque fori, caedis in moenibus ipsis
et sub amicitiae grassantem nomine turbam ?
in populo scelus est, et abundant cuncta furoris,
et fas atque nefas mixtum, legesque per ipsas
saeuit nequities ; poenas iam noxia uincit.
scilicet in multis quoniam discordia signis
corpora nascuntur, pax est sublata per orbem,
et fidei rarum foedus paucisque tributum ;
utque sibi caelum, sic tellus dissidet ipsa,
atque hominum gentes inimica sorte feruntur.

M. MANILIVS

Line upon Line

VT rudibus pueris monstratur littera primum
    per faciem nomenque suum, tum ponitur usus;
tunc coniuncta suis formatur syllaba nodis;
hinc uerbis structura uenit per membra ligandis,
tunc rerum uires atque artis traditur usus,
perque pedes proprios nascentia carmina surgunt;
singulaque in summa prodest didicisse priora;
quae nisi constiterint primis fundata elementis,
effluat in uanum rerum praeposterus ordo,
uersaque, quae propere dederint praecepta magistri:
sic mihi per totum uolitanti carmine mundum
erutaque abstrusa penitus caligine fata
Pieridum numeris etiam modulata canenti,
quoque deus regnat reuocanti numen in arte
per partis ducenda fides, et singula rerum
sunt gradibus tradenda suis, ut cum omnia certa
notitia steterint, proprios reuocentur ad usus.
ac uelut in nudis cum surgunt montibus urbes,
conditor et uacuos muris circumdare collis
destinat, ante manus quam temptet scindere fossas,
quaerit opes: ruit ecce nemus, saltusque uetusti
procumbunt solemque nouum, noua sidera cernunt;
pellitur omne loco uolucrum genus atque ferarum,
antiquasque domos et nota cubilia linquunt.
ast alii silicem in muros et marmora templis
rimantur, ferrique rigor per tempora nota
quaeritur; hinc artes, hinc omnis conuenit usus.
tunc demum consurgit opus, cum cuncta supersunt,
ne medios rumpat cursus praepostera cura:
sic mihi cunctanti tantae succedere moli
materies primum rerum, ratione remota,
tradenda est, ratio sit ne post irrita, neue
argumenta nouis stupeant nascentia rebus.

201.   *A New Poetry*

IN noua surgentem maioraque uiribus ausum
    nec per inaccessos metuentem uadere saltus
ducite, Pierides.   uestros extendere finis
conor et inriguos in carmina ducere fontis.
non ego in excidium caeli nascentia bella
fulminis et flammis partus in matre sepultos,
non coniuratos reges Troiaque cadente
Hectora uenalem cineri Priamumque ferentem,
Colchida nec referam uendentem regna parentis
et lacerum fratrem stupro segetesque uirorum
taurorumque trucis flammas uigilemque draconem
et reducis annos auroque incendia facta
et male conceptos partus peiusque necatos ;
septenosque duces ereptaque fulmine flammis
moenia Thebarum et uictam, quia uicerat, urbem
germanosque patris referam matrisque nepotis
natorumque epulas conuersaque sidera retro
ereptumque diem ; nec Persica bella profundo
indicta et magna pontum sub classe latentem
inuersumque fretum terris, iter aequoris undis.
non annosa canam Messanae bella nocentis ;
non regis magni spatio maiore canenda,
quam sunt acta, loquar ; Romanae gentis origo
totque duces urbis, tot bella atque otia, et omnis
in populi unius leges ut cesserit orbis,
differtur.   facile est, uentis dare uela secundis
fecundumque solum uarias agitare per artis
auroque atque ebori decus addere, cum rudis ipsa
materies niteat.   speciosis condere rebus
carmina uulgatum est opus et componere simplex.
at mihi per numeros ignotaque nomina rerum

temporaque et uarios casus momentaque mundi
signorumque uices partisque in partibus ipsis
luctandum est, quae nosse nimis, quid ? dicere quantum est
carmine quid proprio ? pedibus quid iungere certis ?
huc ades, o quicumque meis aduertere coeptis
aurem oculosque potes, ueras et percipe uoces.
impendas animum ; nec dulcia carmina quaeras.
ornari res ipsa negat contenta doceri.

202.   *The Rule of Fate*

QVID tam sollicitis uitam consumimus annis
torquemurque metu caecaque cupidine rerum
aeternisque senes curis, dum quaerimus aeuum,
perdimus et nullo uotorum fine beati
uicturos agimus semper nec uiuimus umquam ?
pauperiorque bonis quisque est quo plura requirit,
nec quod habet numerat, tantum quod non habet optat :
cumque sui paruos usus natura reposcat,
materiam struimus magnae per uota ruinae
luxuriamque lucris emimus luxuque rapinas,
et summum census pretium est effundere censum ?
soluite, mortales, animos curasque leuate
totque superuacuis uitam deplete querelis.
fata regunt orbem, certa stant omnia lege,
longaque per certos signantur tempora casus.
nascentes morimur, finisque ab origine pendet.
hinc et opes et regna fluunt, et saepius orta
paupertas, artesque datae moresque creatis
et uitia et clades, damna et compendia rerum.
nemo carere dato poterit nec habere negatum
fortunamue suis inuitam prendere uotis
aut fugere instantem.   sors est sua cuique ferenda.

an, nisi fata darent leges uitaeque necisque,
fugissent ignes Aenean, Troia sub uno
non euersa uiro fatis uicisset in ipsis?
aut lupa proiectos nutrisset Martia fratres?
Roma casis enata foret, pecudumque magistri
in Capitolino sanxisset fulmina monte,
includiue sua potuisset Iuppiter arce,
captus et a captis orbis foret? igne sepulto
uulneribus uictor repetisset Mucius urbem?
solus et oppositis clausisset Horatius armis
pontem urbemque simul? rupisset foedera uirgo?
tresque sub unius fratres uirtute iacerent?
nulla acies tantum uicit.   pendebat ab uno
Roma uiro regnumque orbis sortita iacebat.
quid referam Cannas admotaque moenibus arma,
postque tuos, Trasimene, lacus Fabiumque morantem
Varronemque fuga magnum? quid dicere prosit
accepisse iugum uictae Carthaginis arces,
sperantem Hannibalem nostris cecidisse catenis
consilium regni furtiua morte luisse?
adde etiam uiris Italas Romamque suismet
pugnantem membris, adice et ciuilia bella
et Cinnam in Mario Mariumque in carcere uictum:
quod consul totiens exsul, quod de exsule consul
adiacuit Libycis compar iactura ruinis
eque crepidinibus cepit Carthaginis urbem.
hoc nisi fata darent, numquam fortuna tulisset.
quis te Niliaco periturum litore, Magne,
post uictas Mithridatis opes pelagusque receptum
et tris emenso meritos ex orbe triumphos,
crederet, ut corpus sepeliret naufragus ignis,
eiectaeque rogum facerent fragmenta carinae?
quis tantum mutare potest sine numine fati?

ille etiam caelo genitus caeloque receptus,
cum bene compositis uictor ciuilibus armis
iura togae regeret, totiens praedicta cauere
uulnera non potuit, toto spectante senatu
indicium dextra retinens, monitumque cruore
deleuit proprio, possent ut uincere fata.
quid numerem euersas urbis regumque ruinas
inque rogo Croesum Priamumque in litore truncum,
cui nec Troia rogus? quid Xerxen maius et ipso
naufragium pelago? quid capto sanguine regem
Romanis positum? raptosque ex ignibus ignis
cedentemque uiro flammam, qui templa ferebat?
quot subitae ueniunt ualidorum in corpora mortes
seque ipsae rursus fugiunt errantque per ignis?
ex ipsis quidam elati rediere sepulcris;
atque his uita duplex. illis uix contigit una.
ecce leuis perimit morbus grauiorque remittit,
succumbit sorti ratio, ui uincitur usus;
cura nocet, cessare iuuat, mora saepe malorum
dat pausas, laeduntque cibi, parcuntque uenena.
degenerant nati patribus uincuntque parentes
ingeniumque suum retinent; transitque per illum,
ex illo fortuna uenit. furit alter amore
et pontum transnare potest et uertere Troiam;
alterius frons est scribendis legibus apta.
ecce patrem nati perimunt, natosque parentes,
mutuaque armati coeunt in uulnera fratres.
non nostrum hoc bellum est; coguntur tanta moueri
inque suas ferri poenas lacerandaque membra.
quod Decios non omne tulit, non omne Camillos
tempus et inuicta deuictum mente Catonem,
materies in rem superat, sed lege repugnat.
quin nec paupertas breuiores excipit annos,

nec sunt. inmensis opibus uenalia fata ;
sed rapit ex tecto funus fortuna superbo
indicitque rogum summis statuitque sepulcrum.
quantum est hoc regnum, quod regibus imperat ipsis !
quin etiam infelix uirtus et noxia felix,
et male consultis pretium est, prudentia fallit,
nec fortuna probat causas sequiturque merentis,
sed uaga per cunctos nullo discrimine fertur.
scilicet est aliud, quod nos cogatque regatque,
maius et in proprias ducat mortalia leges
attribuatque suos ex se nascentibus annos
fortunaeque uices ; permiscet saepe ferarum
corpora cum membris hominum ; non seminis ille
partus erit : quid enim nobis commune ferisque ?
quisue in portenti noxam peccarit adulter ?
astra nouant formas, caelumque interserit ora.
denique si non est fati, cur traditur, ordo,
cunctaque temporibus certis uentura canuntur ?
nec tamen haec ratio facinus defendere pergit
uirtutemue suis fraudare in praemia donis.
nam neque mortiferas quisquam magis oderit herbas,
quod non arbitrio ueniunt, sed semine certo ;
gratia nec leuior tribuetur dulcibus escis
quod natura dedit fruges, non ulla uoluntas.
sic hominum meritis tanto fit gloria maior,
quod caelo gaudente uenit ; rursusque nocentis
oderimus magis in culpam poenasque creatos.
nec refert, scelus unde cadat ; scelus esse fatendum.
hoc quoque fatale est, sic ipsum expendere fatum.

203.   *Macrocosm and Microcosm*

SED quid iam tenui prodest ratione nitentem
    scrutari mundum, si mens sua cuique repugnat,
spemque timor tollit prohibetque a limine caeli?
condit enim quicquid uasto natura recessu
mortalisque fugit uisus et pectora nostra;
nec prodesse potest, quod fatis cuncta reguntur,
cum fatum nulla possit ratione uideri.
quid iuuat in semet sua per conuicia ferri
et fraudare bonis, quae nec deus inuidet ipse,
quosque dedit natura oculos deponere mentis?
perspicimus caelum; cur non et munera caeli?
inque ipsos penitus mundi descendere census
seminibusque suis tantam componere molem
et partum caeli sua per nutricia ferre
extremumque sequi pontum terraeque subire
pendentis tractus et toto uiuere in orbe,
quanta et pars superest, rationem ducere nostis.
iam nusquam natura latet; peruidimus omnem
et capto potimur mundo nostrumque parentem
pars sua perspicimus, genitique accedimus astris.
an dubium est, habitare deum sub pectore nostro,
in caelumque redire animas caeloque uenire?
utque sit ex omni constructus corpore mundus,
aëris atque ignis summi terraeque marisque,
spiritus at totum ratioque infusa gubernet,
sic esse in nobis terrenae corpora sortis
sanguineis animis, animum, qui iuncta gubernat,
dis pensatque hominem? quid mirum, noscere mundum
si possunt homines, quibus est et mundus in ipsis,
exemplumque dei quisque est in imagine parua?
an cuiquam genitos, nisi caelo, credere fas est
esse homines? proiecta iacent animalia cuncta

in terra uel mersa uadis uel in aëre pendent;
omnibus una quies, uenter censusque per artus,
et quia consilium non est, et lingua remissa.
unius inspectus rerum uiresque loquendi
ingeniumque capax; uariasque educitur artis
hic partus, qui cuncta regit: secessit in urbis,
edomuit terram ad fruges, animalia cepit
imposuitque uiam ponto, stetit unus in arcem
erectus capitis uictorque ad sidera mittit
sidereos oculos propiusque adspectat Olympum
inquiritque Iouem; nec sola fronte deorum
contentus manet, et caelum scrutatur in aluo
cognatumque sequens corpus se quaerit in astris.
huic in tanta fidem petimus, quam saepe uolucres
accipiunt trepidaeque boum sub pectore fibrae.
an minus est sacris rationem ducere signis,
quam pecudum mortis auiumque attendere cantus?
atque adeo faciem caeli non inuidet orbi
ipse deus uultusque suos corpusque recludit
uoluendo semper seque ipsum inculcat et offert,
ut bene cognosci possit doceatque uidentis,
qualis eat, cogatque suas attendere leges.
ipse uocat nostros animos ad sidera mundus
nec patitur, quia non condit, sua iura latere.
quis putet esse nefas nosci, quod cernere fas est?
nec contemne tuas quasi paruo in corpore uires;
quod ualet, immensum est.   sic auri pondera parui
exsuperant pretio numerosos aeris aceruos.
sic adamas, punctum lapidis, pretiosior auro est.
paruula sic totum peruisit pupula caelum,
sic animi sedes tenui sub corde locata
per totum angusto regnat de limite corpus.
materiae ne quaere modum, sed perspice uiris,
quas ratio, non pondus habet.   ratio omnia uincit.

204. *Andromeda*

ANDROMEDAE sequitur sidus, quae piscibus ortis
   bis sex in partis caelo uenit aurea dextro.
hanc quondam poenae dirorum culpa parentum
prodidit, infestus totis cum finibus omnis
incubuit pontus : timuit nauifraga tellus,
et quod erat regnum, pelagus fuit; una malorum
proposita est merces : uesano dedere ponto
Andromedan, teneros ut belua manderet artus.
hic Hymenaeus erat, solataque publica damna
priuatis; lacrimans ornatur uictima poenae
induiturque sinus non haec ad uota paratos,
uirginis et uiuae rapitur sine funere funus.
ac simul infesti uentum est ad litora ponti,
mollia per duras panduntur bracchia cautis;
adstrinxere pedes scopulis, iniectaque uincla,
et cruce uirginea moritura puella pependit.
seruatur tamen in poena uultusque pudorque;
supplicia ipsa decent; niuea ceruice reclinis
molliter ipsa suae custos est casta figurae.
defluxere sinus umeris, fugitque lacertos
uestis, et effusi scapulis haesere capilli.
te circum Alcyones pennis planxere uolantes
fleueruntque tuos miserando carmine casus
et tibi contextas umbram fecere per alas.
ad tua sustinuit fluctus spectacula pontus
assuetasque sibi desiit perfundere ripas.
extulit et liquido Nereis ab aequore uultum
et casus miserata tuos plorauit et annos.
ipsa leui flatu refouens pendentia membra
Aura per extremas resonauit flebile rupis.
tandem Gorgonei uictorem Persea monstri

felix illa dies redeuntem ad litora duxit.
isque ubi pendentem uidit de rupe puellam,
deriguit facie, quam non stupefecerat hostis,
uixque manu spolium tenuit, uictorque Medusae
uictus in Andromedast.   iam cautibus inuidet ipsis
felicisque uocat teneant quae membra catenas.
et postquam poenae causam cognouit ab ipsa,
destinat in thalamos per bellum uadere ponti,
altera si Gorgo ueniat, non territus ille.
concitat aërios cursus flentisque parentis
promissu uitae recreat pactusque maritam
ad litus remeat.   grauidus iam surgere pontus
coeperat, ac longo fugiebant agmine fluctus
impellentis onus monstri.   caput eminet undas
scindentis, pelagusque uomit (circumsonat aequor
dentibus), inque ipso rapidum mare nauigat ore.
hinc uasti surgunt immensis torquibus orbes,
tergaque consumunt pelagus; sonat undique Phorcys,
atque ipsi metuunt montes scopulique ruentem.
infelix uirgo, quamuis sub uindice tanto,
quae tua tunc fuerat facies? quas fugit in auras
spiritus? ut toto caruerunt sanguine membra,
cum tua fata cauis e rupibus ipsa uideres
adnantemque tibi poenam pelagusque ferentem,
quantula praeda maris quanti! sed subuolat alis
Perseus et caelo pendens iaculatur in hostem
Gorgoneo tinctum defigens sanguine ferrum.
illa subit contra uersamque a gurgite frontem
erigit et tortis innitens orbibus alte
emicat ac toto sublimis corpore fertur.
sed quantum illa subit semet iaculata profundo,
in tantum reuolat laxumque per aethera ludit
Perseus et ceti subeuntis uerberat ora.

nec cedit tamen illa uiro, sed saeuit in auras
morsibus, et uani crepitant sine uulnere dentes;
efflat et in caelum pelagus mergitque uolantem
sanguineis undis pontumque exstillat in astra.
spectabat pugnam pugnandi causa puella;
iamque oblita sui metuit pro uindice tali
suspirans animoque magis quam corpore pendet.
tandem confossis subsedit belua membris
plena maris, summas iterum nec nauigat undas
sed magnum uasto contexit corpore pontum,
tunc quoque terribilis nec uirginis ore uidenda.
perfundit liquido Perseus in marmore corpus
maior et ex undis ad cautis peruolat altas
soluitque haerentem uinclis de rupe puellam
desponsam pugna, nupturam dote mariti.
hic dedit Andromedae caelum stellasque sacrauit,
mercedem tanti belli, quo concidit ipsa
Gorgone non leuius monstrum, pelagusque leuauit.
quisquis in Andromedae surgentis tempora ponto
nascitur, inmitis ueniet poenaeque minister
carceris et duri custos, quo stante superbe
prostratae iaceant miserorum in limine matres,
pernoctesque patres cupiant extrema suorum
oscula et in proprias animam transferre medullas;
carnificisque uenit mortem uendentis imago
accensosque rogos et strictam saepe securem.
supplicium uectigal erit; qui denique posset
pendentem ex scopulis ipsam spectare puellam;
uinctorum dominus sociusque in parte catenae;
interdum poenis innoxia corpora seruat.

ALBINOVANVS PEDO

fl. 16 A. D.

205.   'Over the Seas our Galleys went'

IAM pridem post terga diem solemque relictum
iamque uident noti se extorres finibus orbis
per non concessas audaces ire tenebras
Vesperis ad metas extremaque litora mundi :
nunc illum, pigris inmania monstra sub undis
qui ferat, oceanum, qui saeuas undique pistris
aequoreasque canis, ratibus consurgere prensis.
accumulat fragor ipse metus : iam sidere limo
nauigia et rapido desertam flumine classem
seque feris credunt per inertia fata marinis
quam non felici laniandos sorte relinqui.
atque aliquis prora caecum sublimis ab alta
aera pugnaci luctatus rumpere uisu,
ut nihil erepto ualuit dinoscere mundo,
obstructo talis effundit pectore uoces :
'quo ferimur? fugit ipse dies orbemque relictum
ultima perpetuis claudit natura tenebris.
anne alio positas ultra sub cardine gentis
atque alium proris intactum quaerimus orbem?
di reuocant rerumque uetant cognoscere finem
mortalis oculos.   aliena quid aequora remis
et sacras uiolamus aquas diuumque quietas
turbamus sedes?'

P. OVIDIVS NASO

43 B. C.–18 A. D.

206.   *His Autobiography*

ILLE ego qui fuerim, tenerorum lusor amorum,
   quem legis, ut noris, accipe, Posteritas.
Sulmo mihi patria est, gelidis uberrimus undis,
   milia qui nouies distat ab Vrbe decem.
editus hic ego sum; nec non ut tempora noris,
   cum cecidit fato consul uterque pari.
siquid id est, usque a proauis uetus ordinis heres,
   non modo fortunae munere factus eques.
nec stirps prima fui; genito sum fratre creatus,
   qui tribus ante quater mensibus ortus erat.
Lucifer amborum natalibus affuit idem;
   una celebrata est per duo liba dies:
haec est armiferae festis de quinque Mineruae,
   quae fieri pugna prima cruenta solet.
protinus excolimur teneri, curaque parentis
   imus ad insignis Vrbis ab arte uiros.
frater ad eloquium uiridi tendebat ab aeuo,
   fortia uerbosi natus ad arma fori;
at mihi iam puero caelestia sacra placebant,
   inque suum furtim Musa trahebat opus.
saepe pater dixit 'Studium quid inutile temptas?
   Maeonides nullas ipse reliquit opes.'
motus eram dictis, totoque Helicone relicto
   scribere temptabam uerba soluta modis.
sponte sua carmen numeros ueniebat ad aptos,
   et quod temptabam scribere, uersus erat.
interea tacito passu labentibus annis
   liberior fratri sumpta mihique toga est,
induiturque umeris cum lato purpura clauo,
   et studium nobis, quod fuit ante, manet.

iamque decem uitae frater geminauerat annos
 cum perit, et coepi parte carere mei.
cepimus et tenerae primos aetatis honores,
 eque uiris quondam pars tribus una fui.
curia restabat.   claui mensura coacta est :
 maius erat nostris uiribus illud onus.
nec patiens corpus, nec mens fuit apta labori,
 sollicitaeque fugax ambitionis eram,
et petere Aoniae suadebant tuta sorores
 otia, iudicio semper amata meo.
temporis illius colui fouique poetas,
 quotque aderant uates, rebar adesse deos.
saepe suas uolucres legit mihi grandior aeuo,
 quaeque nocet serpens, quae iuuat herba, Macer.
saepe suos solitus recitare Propertius ignis
 iure sodalitii, quo mihi iunctus erat.
Ponticus heroo, Bassus quoque clarus iambis
 dulcia conuictus membra fuere mei ;
et tenuit nostras numerosus Horatius auris,
 dum ferit Ausonia carmina culta lyra.
Vergilium uidi tantum ; nec amara Tibullo
 tempus amicitiae fata dedere meae.
successor fuit hic tibi, Galle, Propertius illi :
 quartus ab his serie temporis ipse fui.
utque ego maiores, sic me coluere minores,
 notaque non tarde facta Thalia mea est.
carmina cum primum populo iuuenalia legi,
 barba resecta mihi bisue semelue fuit.
mouerat ingenium totam cantata per Vrbem
 nomine non uero dicta Corinna mihi.
multa quidem scripsi, sed quae uitiosa putaui
 emendaturis ignibus ipse dedi.
tunc quoque, cum fugerem, quaedam placitura cremaui,
 iratus studio carminibusque meis.

molle Cupidineis nec inexpugnabile telis
  cor mihi, quodque leuis causa moueret, erat.
cum tamen hic essem, minimoque accenderer igni,
  nomine sub nostro fabula nulla fuit.
paene mihi puero nec digna nec utilis uxor
  est data, quae tempus per breue nupta fuit.
illi successit, quamuis sine crimine coniunx,
  non tamen in nostro firma futura toro.
ultima, quae mecum seros permansit in annos,
  sustinuit coniunx exsulis esse uiri.
filia me mea bis prima fecunda iuuenta,
  sed non ex uno coniuge, fecit auum.
et iam complerat genitor sua fata, nouemque
  addiderat lustris altera lustra nouem.
non aliter fleui quam me fleturus ademptum
  ille fuit.   matri proxima iusta tuli.
felices ambo tempestiueque sepulti,
  ante diem poenae quod periere meae!
me quoque felicem, quod non uiuentibus illis
  sum miser, et de me quod doluere nihil!
si tamen exstinctis aliquid nisi nomina restant,
  et gracilis structos effugit umbra rogos:
fama, parentales, si uos mea contigit, umbrae,
  et sunt in Stygio crimina nostra foro:
scite, precor, causam—nec uos mihi fallere fas est—
  errorem iussae, non scelus, esse fugae.
manibus hoc satis est.   ad uos, studiosa, reuertor,
  pectora, quae uitae quaeritis acta meae.
iam mihi canities pulsis melioribus annis
  uenerat, antiquas miscueratque comas,
postque meos ortus Pisaea uinctus oliua
  abstulerat decies praemia uictor eques,
cum maris Euxini positos ad laeua Tomitas
  quaerere me laesi principis ira iubet.

causa meae cunctis nimium quoque nota ruinae
    indicio non est testificanda meo.
quid referam comitumque nefas famulosque nocentis?
    ipsa multa tuli non leuiora fuga.
indignata malis mens est succumbere, seque
    praestitit inuictam, uiribus usa suis;
oblitusque mei ductaeque per otia uitae
    insolita cepi temporis arma manu.
totque tuli casus pelago terraque quot inter
    occultum stellae conspicuumque polum.
tacta mihi tandem longis erroribus acto
    iuncta pharetratis Sarmatis ora Getis.
hic ego finitimis quamuis circumsoner armis,
    tristia, quo possum, carmine fata leuo.
quod quamuis nemo est, cuius referatur ad auris,
    sic tamen absumo decipioque diem.
ergo quod uiuo, durisque laboribus obsto,
    nec me sollicitae taedia lucis habent,
gratia, Musa, tibi! nam tu solacia praebes,
    tu curae requies, tu medicina uenis.
tu dux et comes es; tu nos abducis ab Histro,
    in medioque mihi das Helicone locum;
tu mihi, quod rarum est, uiuo sublime dedisti
    nomen, ab exsequiis quod dare fama solet.
nec, qui detrectat praesentia, Liuor iniquo
    ullum de nostris dente momordit opus.
nam tulerint magnos cum saecula nostra poetas,
    non fuit ingenio fama maligna meo,
cumque ego praeponam multos mihi, non minor illis
    dicor et in toto plurimus orbe legor.
siquid habent igitur uatum praesagia ueri,
    protinus ut moriar, non ero, terra, tuus.
siue fauore tuli, siue hanc ego carmine famam,
    iure tibi gratis, candide lector, ago.

207.   *Epic and Love Elegy*

i

ARMA graui numero uiolentaque bella parabam
       edere, materia conueniente modis;
par erat inferior uersus: risisse Cupido
       dicitur atque unum surripuisse pedem.
'quis tibi, saeue puer, dedit hoc in carmina iuris?
       Pieridum uates, non tua turba sumus.
quid, si praeripiat flauae Venus arma Mineruae,
       uentilet accensas flaua Minerua faces?
quis probet in siluis Cererem regnare iugosis,
       lege pharetratae uirginis arua coli?
crinibus insignem quis acuta cuspide Phoebum
       instruat, Aoniam Marte mouente lyram?
sunt tibi magna, puer, nimiumque potentia regna:
       cur opus adfectas, ambitiose, nouum?
an, quod ubique, tuumst? tua sunt Heliconia tempe?
       uix etiam Phoebo iam lyra tuta suast?
cum bene surrexit uersu noua pagina primo,
       attenuat neruos proximus ille meos;
nec mihi materiast numeris leuioribus apta,
       aut puer aut longas compta puella comas.'
questus eram, pharetra cum protinus ille soluta
       legit in exitium spicula facta meum
lunauitque genu sinuosum fortiter arcum
       'quod' que 'canas, uates, accipe' dixit 'opus!'
me miserum! certas habuit puer ille sagittas:
       uror, et in uacuo pectore regnat Amor.
sex mihi surgat opus numeris, in quinque residat:
       ferrea cum uestris bella ualete modis!
cingere litorea flauentia tempora myrto,
       Musa, per undenos emodulanda pedes!

ii

CARMEN ad iratum dum tu perducis Achillen
　　primaque iuratis induis arma uiris,
nos, Macer, ignaua Veneris cessamus in umbra,
　　et tener ausuros grandia frangit Amor.
saepe meae 'tandem' dixi 'discede' puellae:
　　in gremio sedit protinus illa meo;
saepe 'pudet' dixi: lacrimis uix illa retentis
　　'me miseram, iam te' dixit 'amare pudet?'
inplicuitque suos circum mea colla lacertos
　　et, quae me perdunt, oscula mille dedit.
uincor, et ingenium sumptis reuocatur ab armis,
　　resque domi gestas et mea bella cano.
sceptra tamen sumpsi, curaque tragoedia nostra
　　creuit, et huic operi quamlibet aptus eram:
risit Amor pallamque meam pictosque cothurnos
　　sceptraque priuata tam cito sumpta manu;
hinc quoque me dominae numen deduxit iniquae,
　　deque cothurnato uate triumphat Amor.
quod licet, aut artes teneri profitemur Amoris,
　　(ei mihi! praeceptis urgeor ipse meis)
aut, quod Penelopes uerbis reddatur Vlixi,
　　scribimus et lacrimas, Phylli relicta, tuas,
quod Paris et Macareus et quod male gratus Iaso
　　Hippolytique parens Hippolytusque legant,
quodque tenens strictum Dido miserabilis ensem
　　dicat et Aoniae Lesbis amata lyrae.
quam cito de toto rediit meus orbe Sabinus
　　scriptaque diuersis rettulit ille locis!
candida Penelope signum cognouit Vlixis,
　　legit ab Hyppolyto scripta nouerca suo
iam pius Aeneas miserae rescripsit Elissae,
　　quodque legat Phyllis, si modo uiuit, adest;

tristis ad Hypsipylen ab Iasone littera uenit;
  det uotam Phoebo Lesbis amata lyram.
nec tibi, qua tutum uati, Macer, arma canenti
  aureus in medio Marte tacetur Amor:
at Paris est illic et adultera, nobile crimen,
  et comes exstincto Laudamia uiro.
si bene te noui, non bella libentius istis
  dicis et a uestris in mea castra uenis.

208.　　　*Tragedy and Love Elegy*

STAT uetus et multos incaedua silua per annos:
  credibilest illi numen inesse loco;
fons sacer in medio speluncaque pumice pendens,
  et latere ex omni dulce queruntur aues.
hic ego dum spatior tectus nemoralibus umbris,
  et mea quod, quaero, Musa moueret opus,
uenit odoratos Elegea nexa capillos,
  et, puto, pes illi longior alter erat:
forma decens, uestis tenuissima, uultus amantis;
  et pedibus uitium causa decoris erat.
uenit et ingenti uiolenta Tragoedia passu
  (fronte comae torua, palla iacebat humi;
laeua manus sceptrum late regale mouebat,
  Lydius alta pedum uincla cothurnus erat)
et prior 'ecquis erit' dixit 'tibi finis amandi,
  o argumenti lente poeta tui?
nequitiam uinosa tuam conuiuia narrant,
  narrant in multas conpita secta uias.
saepe aliquis digito uatem designat euntem,
  atque ait "hic hic est, quem ferus urit Amor."
fabula, nec sentis, tota iactaris in Vrbe,
  dum tua praeterito facta pudore refers.

tempus erat thyrso pulsum grauiore moueri ;
   cessatum satis est : incipe maius opus !
materia premis ingenium ; cane facta uirorum :
   " haec animo " dices " area facta meost ".
quod tenerae cantent, lusit tua Musa, puellae,
   primaque per numeros acta iuuenta suos ;
nunc habeam per te Romana Tragoedia nomen !
   inplebit reges spiritus iste meos.'
hactenus, et mouit pictis innixa cothurnis
   densum caesarie terque quaterque caput.
altera, si memini, limis subrisit ocellis ;
   (fallor, an in dextra myrtea uirga fuit ?)
' quid grauibus uerbis, animosa Tragoedia,' dixit
   ' me premis ? an numquam non grauis esse potes ?
inparibus tamen es numeris dignata moueri,
   in me pugnasti uersibus usa meis.
non ego contulerim sublimia carmina nostris :
   obruit exiguas regia uestra foris.
sum leuis et mecum leuis est, mea cura, Cupido :
   non sum materia fortior ipsa mea ;
rustica sit sine me lasciui mater Amoris :
   huic ego proueni lena comesque deae ;
quam tu non poteris duro reserare cothurno,
   haec est blanditiis ianua laxa meis ;
et tamen emerui plus, quam tu, posse, ferendo
   multa supercilio non patienda tuo.
per me decepto didicit custode Corinna
   liminis adstricti sollicitare fidem
delabique toro tunica uelata soluta
   atque inpercussos nocte mouere pedes.
uel quotiens foribus ceris incisa pependi
   non uerita a populo praetereunte legi ;
quin ego me memini, dum custos saeuus abiret,
   ancillae missam delituisse sinu ;

quid, cum me munus natali mittis, at illa
  rumpit et adposita uerba retersit aqua ?
prima tuae moui felicia semina mentis :
  munus habes, quod te iam petit ista, meum.'
desierat : coepi 'per uos utramque rogamus,
  in uacuas auris uerba timentis eant.
altera me sceptro decoras altoque cothurno :
  iam nunc contacto magnus in ore sonus ;
altera das nostro uicturum nomen amori :
  ergo ades et longis uersibus adde breuis !
exiguum uati concede, Tragoedia, tempus :
  tu labor aeternus ; quod petit illa, breuest.'
mota. dedit ueniam : teneri properentur Amores,
  dum uacat ; a tergo grandius urguet opus.

209.   *Love and War*

                        i

MILITAT omnis amans, et habet sua castra Cupido :
  Attice, crede mihi, militat omnis amans.
quae bellost habilis, Veneri quoque conuenit aetas :
  turpe senex miles, turpe senilis amor ;
quos petiere duces annos in milite forti,
  hos petit in socio bella puella uiro ;
peruigilant ambo ; terra requiescit uterque :
  ille foris dominae seruat, at ille ducis ;
militis officium longast uia : mitte puellam,
  strenuus exempto fine sequetur amans ;
ibit in aduersos montis duplicataque nimbo
  flumina, congestas exteret ille niuis,
nec freta pressurus tumidos causabitur Euros
  aptaque uerrendis sidera quaeret aquis.
quis nisi uel miles uel amans et frigora noctis
  et denso mixtas perferet imbre niuis ?

mittitur infestos alter speculator in hostis,
  in riuale oculos alter, ut hoste, tenet.
ille grauis urbis, hic durae limen amicae
  obsidet; hic portas frangit, at ille foris.
saepe soporatos inuadere profuit hostis
  caedere et armata uulgus inerme manu;
sic fera Threicii ceciderunt agmina Rhesi,
  et dominum capti deseruistis equi;
saepe maritorum somnis utuntur amantes,
  et sua sopitis hostibus arma mouent.
custodum transire manus uigilumque cateruas
  militis et miseri semper amantis opus.
Mars dubius nec certa Venus: uictique resurgunt,
  quosque neges umquam posse iacere, cadunt.
ergo desidiam quicumque uocabat amorem,
  desinat: ingeniist experientis amor.
ardet in abducta Briseide magnus Achilles:
  dum licet, Argiuas frangite, Troes, opes!
Hector ab Andromaches conplexibus ibat ad arma,
  et, galeam capiti quae daret, uxor erat.
summa ducum, Atrides, uisa Priameide fertur
  Maenadis effusis obstipuisse comis;
Mars quoque deprensus fabrilia uincula sensit:
  notior in caelo fabula nulla fuit.
ipse ego segnis eram discinctaque in otia natus;
  mollierant animos lectus et umbra meos;
inpulit ignauum formosae cura puellae
  iussit et in castris aera merere suis;
inde uides agilem nocturnaque bella gerentem,
  qui nolet fieri desidiosus, amet!

P. OVIDIVS NASO

ii

ITE triumphales circum mea tempora laurus !
  uicimus ; in nostrost, ecce, Corinna sinu,
quam uir, quam custos, quam ianua firma, tot hostes
  seruabant, ne qua posset ab arte capi.
haec est praecipuo uictoria digna triumpho,
  in qua, quaecumquest, sanguine praeda caret.
non humiles muri, non paruis oppida fossis
  cincta, sed est ductu capta puella meo.
Pergama cum caderent bello superata bilustri,
  ex tot in Atridis pars quota laudis erat ?
at mea sepositast et ab omni milite dissors
  gloria, nec titulum muneris alter habet :
me duce ad hanc uoti finem, me milite ueni ;
  ipse eques, ipse pedes, signifer ipse fui.
nec casum fortuna meis inmiscuit actis :
  huc ades, o cura parte Triumphe mea !
nec bellist noua causa mei : nisi rapta fuisset
  Tyndaris, Europae pax Asiaeque foret ;
femina siluestris Lapithas populumque biformem
  turpiter adposito uertit in arma mero ;
femina Troianos iterum noua bella mouere
  inpulit in regno, iuste Latine, tuo ;
femina Romanis etiamnunc Vrbe recenti
  inmisit soceros armaque saeua dedit.
uidi ego pro niuea pugnantis coniuge tauros :
  spectatrix animos ipsa iuuenca dabat.
me quoque, qui multos, sed me sine caede, Cupido
  iussit militiae signa mouere suae.

210.   *The Captive of Love*

ESSE quid hoc dicam, quod tam mihi dura uidentur
    strata, neque in lecto pallia nostra sedent,
et uacuus somno noctem, quam longa, peregi,
    lassaque uersati corporis ossa dolent?
nam, puto, sentirem, siquo temptarer amore.
    an subit et tecta callidus arte nocet?
sic erat; haeserunt tenues in corde sagittae,
    et possessa ferus pectora uersat Amor.
cedimus an subitum luctando accendimus ignem?
    cedamus! leue fit, quod bene fertur, onus;
uidi ego iactatas mota face crescere flammas
    et uidi nullo concutiente mori;
uerbera plura ferunt, quam quos iuuat usus aratri,
    detractant prensi dum iuga prima boues;
asper equus duris contunditur ora lupatis,
    frena minus sentit, quisquis ad arma facit.
acrius inuitos multoque ferocius urget,
    quam qui seruitium ferre fatentur, Amor.
en ego confiteor: tua sum noua praeda, Cupido:
    porrigimus uictas ad tua iura manus.
nil opus est bello: ueniam pacemque rogamus,
    nec tibi laus armis uictus inermis ero.
necte comam myrto, maternas iunge columbas!
    qui deceat, currum uitricus ipse dabit,
inque dato curru, populo clamante triumphum,
    stabis et adiunctas arte mouebis auis;
ducentur capti iuuenes captaeque puellae:
    haec tibi magnificus pompa triumphus erit.
ipse ego, praeda recens, factum modo uulnus habebo
    et noua captiua uincula mente feram;

Mens Bona ducetur manibus post terga retortis
  et Pudor et castris quidquid Amoris obest.
omnia te metuent, ad te sua bracchia tendens
  uulgus 'io' magna uoce 'triumphe' canet.
Blanditiae comites tibi erunt Errorque Furorque,
  adsidue partis turba secuta tuas :
his tu militibus superas hominesque deosque,
  haec tibi si demas commoda, nudus eris.
laeta triumphanti de summo mater Olympo
  plaudet et adpositas sparget in ora rosas,
tu pinnas gemma, gemma uariante capillos
  ibis in auratis aureus ipse rotis.
tunc quoque non paucos, si te bene nouimus, ures,
  tunc quoque praeteriens uulnera multa dabis ;
non possunt, licet ipse uelis, cessare sagittae,
  feruida uicino flamma uapore nocet.
talis erat domita Bacchus Gangetide terra :
  tu grauis alitibus, tigribus ille fuit.
ergo ego cum possim sacri pars esse triumphi,
  parce tuas in me perdere, uictor, opes !
adspice cognati felicia Caesaris arma :
  qua uicit, uictos protegit ille manu.

211.   *Love and Song*

IVSTA precor : quae me nuper praedata puellast,
  aut amet aut faciat, cur ego semper amem !
a, nimium uolui ! tantum patiatur amari :
  audierit nostras tot Cytherea preces !
accipe, per longos tibi qui deseruiat annos,
  accipe, qui pura norit amare fide !
si me non ueterum commendant magna parentum
  nomina, si nostri sanguinis auctor eques,

nec meus innumeris renouatur campus aratris,
    temperat et sumptus parcus uterque parens :
at Phoebus comitesque nouem uitisque repertor
    hinc faciunt, at me qui tibi donat, Amor,
at nulli cessura fides, sine crimine mores
    nudaque simplicitas purpureusque pudor.
non mihi mille placent, non sum desultor amoris :
    tu mihi, siqua fides, cura perennis eris ;
tecum, quos dederint annos mihi fila sororum,
    uiuere contingat, te moriente mori ;
te mihi materiem felicem in carmina praebe :
    prouenient causa carmina digna sua.
carmine nomen habent exterrita cornibus Io
    et quam fluminea lusit adulter aue
quaeque super pontum simulato uecta iuuenco
    uirginea tenuit cornua uara manu :
nos quoque per totum pariter cantabimur orbem,
    iunctaque semper erunt nomina nostra tuis.

212.   *Cruel Dawn*

IAM super oceanum uenit a seniore marito
    flaua pruinoso quae uehit axe diem.
quo properas, Aurora ? mane ! sic Memnonis umbris
    annua sollemni caede parentet auis !
nunc iuuat in teneris dominae iacuisse lacertis ;
    si quando, lateri nunc bene iuncta meost.
nunc etiam somni pingues et frigidus aer,
    et liquidum tenui gutture cantat auis.
quo properas, ingrata uiris, ingrata puellis ?
    roscida purpurea supprime lora manu !
ante tuos ortus melius sua sidera seruat
    nauita nec media nescius errat aqua ;
te surgit quamuis lassus ueniente uiator,
    et miles saeuas aptat ad arma manus ;

prima bidente uides oneratos arua colentis,
  prima uocas tardos sub iuga panda boues ;
tu pueros somno fraudas tradisque magistris,
  ut subeant tenerae uerbera saeua manus,
atque eadem sponsum inuitos ante atria mittis,
  unius ut uerbi grandia damna ferant ;
nec tu consulto, nec tu iucunda diserto :
  cogitur ad litis surgere uterque nouas ;
tu, cum feminei possint cessare labores,
  lanificam reuocas ad sua pensa manum.
omnia perpeterer ; sed surgere mane puellas,
  quis, nisi cui non est ulla puella, ferat ?
optaui quotiens, ne Nox tibi cedere uellet,
  ne fugerent uultus sidera mota tuos ;
optaui quotiens, aut uentus frangeret axem,
  aut caderet spissa nube retentus equus !
inuida, quo properas ? quod erat tibi filius ater,
  materni fuerit pectoris ille color ?
Tithono uellem de te narrare liceret ;
  femina non caelo turpior ulla foret ;
illum dum refugis, longo quia grandior aeuo,
  surgis ad inuisas a sene mane rotas ;
at si, quem mauis, Cephalum conplexa teneres,
  clamares : ' lente currite, Noctis equi ! '
cur ego plectar amans, si uir tibi marcet ab annis ?
  num me nupsisti conciliante seni ?
adspice, quot somnos iuueni donarit amato
  Luna ! neque illius forma secunda tuae.
ipse deum genitor, ne te tam saepe uideret,
  commisit noctis in sua uota duas.
iurgia finieram ; scires audisse : rubebat ;
  nec tamen adsueto tardius orta dies.

213.   *The Loves of Rivers*

AMNIS harundinibus limosas obsite ripas,
    ad dominam propero : siste parumper aquas !
nec tibi sunt pontes nec quae sine remigis actu
    concaua traiecto cumba rudente uehat.
paruus eras, memini, nec te transire refugi,
    summaque uix talos contigit unda meos ;
nunc ruis adposito niuibus de monte solutis
    et turpi crassas gurgite uoluis aquas.
quid properasse iuuat, quid parca dedisse quieti
    tempora, quid nocti conseruisse diem,
si tamen his standumst, si non datur artibus ullis
    ulterior nostro ripa premenda pedi ?
nunc ego, quas habuit pinnas Danaeius heros,
    terribili densum cum tulit angue caput,
nunc opto currum, de quo Cerealia primum
    semina uenerunt in rude missa solum.
prodigiosa loquor, ueterum mendacia uatum,
    nec tulit haec umquam nec feret ulla dies ;
tu potius, ripis effuse capacibus amnis,
    (sic aeternus eas !) labere fine tuo !
non eris inuidiae, torrens, mihi crede, ferendae,
    si dicar per te forte retentus amans.
flumina deberent iuuenes in amore iuuare ;
    flumina senserunt ipsa quid esset amor :
Inachus in Melie Bithynide pallidus isse
    dicitur et gelidis incaluisse uadis ;
nondum Troia fuit lustris obsessa duobus,
    cum rapuit uultus, Xanthe, Neaera tuos.
quid ? non Alpheon diuersis currere terris
    uirginis Arcadiae certus adegit amor ?

te quoque promissam Xutho, Peneie, Creusam
    Phthiotum terris occuluisse ferunt.
quid referam Asopon, quem cepit Martia Thebe,
    natarum Thebe quinque futura parens?
cornua si tua nunc ubi sint, Acheloe, requiram,
    Herculis irata fracta querere manu:
nec tanti Calydon nec tota Aetolia tantı,
    una tamen tanti Deianira fuit.
ille fluens diues septena per ostia Nilus,
    qui patriam tantae tam bene celat aquae,
fertur in Euanthe collectam Inopide flammam
    uincere gurgitibus non potuisse suis;
siccus ut amplecti Salmonida posset Enipeus,
    cedere iussit aquam: iussa recessit aqua.
nec te praetereo, qui per caua saxa uolutans
    Tiburis Argei pomifera arua rigas,
Ilia cui placuit, quamuis erat horrida cultu,
    ungue notata comas, ungue notata genas:
illa gemens patruique nefas delictaque Martis
    errabat nudo per loca sola pede;
hanc Anien rapidiş animosus uidit ab undis
    glaucaque de mediis sustulit ora uadis
atque ita 'quid nostras' dixit 'teris anxia ripas,
    Ilia, ab Idaeo Laumedonte genus?
quo cultus abiere tui? quid sola uagaris,
    uitta nec euinctas inpedit alba comas?
quid fles et madidos lacrimis corrumpis ocellos
    pectoraque insana plangis aperta manu?
ille habet et silices et uiuum in pectore ferrum,
    qui tenero lacrimas lentus in ore uidet.
Ilia, pone metus! tibi regia nostra patebit,
    teque colent amnes: Ilia, pone metus!
tu centum aut pluris inter dominabere nymphas:
    nam centum aut plures flumina nostra tenent;

ne me sperne, precor, tantum, Troiana propago :
   munera promissis uberiora feres.'
dixerat ; illa oculos in humum deiecta modestos
   spargebat teneros flebilis imbre sinus ;
ter molita fugam ter ad altas restitit undas
   currendi uiris eripiente metu ;
sera tamen scindens inimico pollice crinem
   edidit indignos ore tremente sonos :
'o utinam mea lecta forent patrioque sepulcro
   condita, cum poterant uirginis ossa legi !
cur, modo Vestalis, taedas inuitor ad ullas
   turpis et Iliacis infitianda focis ?
quid moror et digitis designor adultera uulgi ?
   desint famosus quae notet ora pudor ! '
hactenus, et uestem tumidis praetendit ocellis
   atque ita se in rapidas perdita misit aquas :
supposuisse manus ad pectora lubricus amnis
   dicitur et socii iura dedisse tori.
te quoque credibilest aliqua caluisse puella ;
   sed nemora et siluae crimina uestra tegunt.
dum loquor, increscis latis spatiosior undis,
   nec capit admissas alueus altus aquas :
quid mecum, furiose, tibi ? quid mutua differs
   gaudia ? quid coeptum, rustice, rumpis iter ?
quid, si legitimum flueres, si nobile flumen,
   si tibi per terras maxima fama foret ?
nomen habes nullum, riuis collecte caducis,
   nec tibi sunt fontes nec tibi certa domus ;
fontis habes instar pluuiamque niuisque solutas,
   quas tibi diuitias pigra ministrat hiemps ;
aut lutulentus agis brumali tempore cursus,
   aut premis arentem puluerulentus humum :
quis te tum potuit sitiens haurire uiator ?
   quis dixit grata uoce ' perennis eas ' ?

damnosus pecori curris, damnosior agris;
    forsitan haec alios, me mea damna mouent.
huic ego uae! demens narrabam fluminum amores!
    iactasse indigne nomina tanta pudet;
nescio quem hunc spectans Acheloon et Inachon amnem
    et potui nomen, Nile, referre tuum!
at tibi pro meritis, opto, non candide torrens,
    sint rapidi soles siccaque semper hiemps!

214.   *Farewell to Love-poetry*

QVAERE nouum uatem, tenerorum mater Amorum:
    raditur his elegis ultima meta meis;
quos ego conposui, Paeligni ruris alumnus
    (nec me deliciae dedecuere meae),
siquid id est, usque a proauis uetus ordinis heres,
    non modo militiae turbine factus eques.
Mantua Vergilio, gaudet Verona Catullo;
    Paelignae dicar gloria gentis ego,
quam sua libertas ad honesta coegerat arma,
    cum timuit socias anxia Roma manus.
atque aliquis spectans hospes Sulmonis aquosi
    moenia, quae campi iugera pauca tenent,
'quae tantum' dicat 'potuistis ferre poetam,
    quantulacumque estis, uos ego magna uoco'.
culte puer puerique parens Amathusia culti,
    aurea de campo uellite signa meo!
corniger increpuit thyrso grauiore Lyaeus:
    pulsandast magnis area maior equis.
inbelles elegi, genialis Musa, ualete,
    post mea mansurum fata superstes opus!

215.   *The Dead Parrot*

PSITTACVS, Eois imitatrix ales ab Indis,
    occidit : exsequias ite frequenter, aues ;
ite, piae uolucres, et plangite pectora pinnis
    et rigido teneras ungue notate genas ;
horrida pro maestis lanietur pluma capillis,
    pro longa resonent cornea rostra tuba !
quod scelus Ismarii quereris, Philomela, tyranni,
    expletast annis ista querela suis ;
alitis in rarae miserum deuertere funus :
    magna, sed antiquast causa doloris Itys.
omnes, quae liquido libratis in aere cursus,
    tu tamen ante alios, turtur amice, dole !
plena fuit uobis omni concordia uita,
    et stetit ad finem longa tenaxque fides :
quod fuit Argolico iuuenis Phoceus Orestae,
    hoc tibi, dum licuit, psittace, turtur erat.
quid tamen ista fides, quid rari forma coloris,
    quid uox mutandis ingeniosa sonis,
quid iuuat, ut datus es, nostrae placuisse puellae ?
    infelix, auium gloria, nempe iaces !
tu poteras fragilis pinnis hebetare smaragdos
    tincta gerens rubro Punica rostra croco.
non fuit in terris uocum simulantior ales :
    reddebas blaeso tam bene uerba sono !
raptus es inuidia ; non tu fera bella mouebas ;
    garrulus et placidae pacis amator eras.
ecce, coturnices inter sua proelia uiuunt,
    forsitan et fiant inde frequenter anus.
plenus eras minimo nec prae sermonis amore
    in multos poteras ora uacare cibos ;

nux erat esca tibi causaeque papauera somni.
　　pellebatque sitim simplicis umor aquae.
uiuit edax uultur ducensque per aera gyros
　　miluus et pluuiae graculus auctor aquae ;
uiuit et armiferae cornix inuisa Mineruae,
　　illa quidem saeclis uix moritura nouem ;
occidit illa loquax humanae uocis imago,
　　psittacus, extremo munus ab orbe datum !
optima prima fere manibus rapiuntur auaris,
　　inplentur numeris deteriora suis :
tristia Phylacidae Thersites funera uidit,
　　iamque cinis uiuis fratribus Hector erat.
quid referam timidae pro te pia uota puellae,
　　uota procelloso per mare rapta Noto ?
septima lux uenit non exhibitura sequentem
　　(et stabat uacuo iam tibi Parca colo),
nec tamen ignauo stupuerunt uerba palato :
　　clamauit moriens lingua ‘ Corinna, uale ! ’
colle sub Elysio nigra nemus ilice frondet,
　　udaque perpetuo gramine terra uiret :
sique fides dubiis, uolucrum locus ille piarum
　　dicitur, obscenae quo prohibentur aues ;
illic innocui late pascuntur olores
　　et uiuax phoenix, unica semper auis ;
explicat ipsa suas ales Iunonia pinnas,
　　oscula dat cupido blanda columba mari.
psittacus has inter nemorali sede receptus
　　conuertit uolucris in sua uerba pias.
ossa tegit tumulus, tumulus pro corpore magnus,
　　quo lapis exiguus par sibi carmen habet :
‘ colligor ex ipso dominae placuisse sepulcro ;
　　ora fuere mihi plus aue docta loqui.’

216. *Phyllis to Demophoon*

HOSPITA, Demophoon, tua te Rhodopeia Phyllis
  ultra promissum tempus abesse queror.
cornua cum lunae pleno semel orbe coissent,
  litoribus nostris ancora pacta tuast:
luna quater latuit, toto quater orbe recreuit,
  nec uehit Actaeas Sithonis unda ratis.
tempora si numeres, quae nos numeramus amantes,
  non uenit ante suam nostra querela diem;
spes quoque lenta fuit: tarde, quae credita laedunt,
  credimus! inuitus nunc et amore noces.
saepe fui mendax pro te mihi, saepe notaui
  alba procellosos uela referre notos;
Thesea deuoui, quia te dimittere nollet:
  nec tenuit cursus forsitan ille tuos;
interdum timui, ne, dum uada tendis ad Hebri,
  mersa foret cana naufraga puppis aqua;
saepe deos adiens, ut tu, scelerate, ualeres,
  cum prece turicremis sum uenerata sacris;
saepe, uidens uentos caelo pelagoque fauentis,
  ipsa mihi dixi 'si ualet ille, uenit';
denique fidus amor, quidquid properantibus obstat,
  finxit, et ad causas ingeniosa fui.
at tu lentus abes, nec te iurata reducunt
  numina, nec nostro motus amore redis.
Demophoon, uentis et uerba et uela dedisti:
  uela queror reditu, uerba carere fide.
dic mihi, quid feci, nisi non sapienter amaui?
  crimine te potui demeruisse meo.
unum in me scelus est, quod te, scelerate, recepi,
  sed scelus hoc meriti pondus et instar habet.

iura, fides ubi nunc commissaque dextera dextrae,
    quique erat in falso plurimus ore deus?
promissus socios ubi nunc Hymenaeus in annos,
    qui mihi coniugii sponsor et obses erat?
per mare, quod totum uentis agitatur et undis,
    per quod saepe ieras, per quod iturus eras,
perque tuum mihi iurasti, nisi fictus et illest,
    concita qui uentis aequora mulcet, auum,
per Venerem nimiumque mihi facientia tela,
    altera tela arcus, altera tela facis,
Iunonemque, toris quae praesidet alma maritis,
    et per taediferae mystica sacra deae:
si de tot laesis sua numina quisque deorum
    uindicet, in poenas non satis unus eris.
at laceras etiam puppis furiosa refeci,
    ut, qua desererer, firma carina foret,
remigiumque dedi, quod me fugiturus haberes:
    heu! patior telis uulnera facta meis!
credidimus blandis, quorum tibi copia, uerbis,
    credidimus generi nominibusque tuis,
credidimus lacrimis: an et hae simulare docentur?
    hae quoque habent artis, quaque iubentur, eunt?
dis quoque credidimus. quo iam tot pignora nobis?
    parte satis potui qualibet inde capi.
nec moueor, quod te iuui portuque locoque:
    (debuit haec meriti summa fuisse mei!)
turpiter hospitium lecto cumulasse iugali
    paenitet et lateri conseruisse latus.
quae fuit ante illam, mallem suprema fuisset
    nox mihi, dum potui Phyllis honesta mori.
speraui melius, quia me meruisse putaui:
    quaecumque ex merito spes uenit, aequa uenit.
fallere credentem non est operosa puellam
    gloria: simplicitas digna fauore fuit.

sum decepta tuis et amans et femina uerbis:
　　di faciant, laudis summa sit ista tuae,
inter et Aegidas, media statuaris in urbe,
　　magnificus titulis stet pater ante suis;
cum fuerit Sciron lectus toruusque Procrustes
　　et Sinis et tauri mixtaque forma uiri
et domitae bello Thebae fusique bimembres
　　et pulsata nigri regia caeca Die,
hoc tua post illos titulo signetur imago:
　　'hic est, cuius amans hospita capta dolost.'
de tanta rerum turba factisque parentis
　　sedit in ingenio Cressa relicta tuo;
quod solum excusat, solum miraris in illo
　　heredem patriae, perfide, fraudis agis.
illa (nec inuideo) fruitur meliore marito
　　inque capistratis tigribus alta sedet,
at mea despecti fugiunt conubia Thraces,
　　quod ferar externum praeposuisse meis,
atque aliquis 'iam nunc doctas eat' inquit 'Athenas:
　　armiferam Thracen qui regat, alter erit.
exitus acta probat'.　careat successibus, opto,
　　quisquis ab euentu facta notanda putat;
at si nostra tuo spumescant aequora remo,
　　iam mihi, iam dicar consuluisse meis.
sed neque consului, nec te mea regia tanget
　　fessaque Bistonia membra lauabis aqua.
illa meis oculis species abeuntis inhaeret,
　　cum premeret portus classis itura meos:
ausus es amplecti colloque infusus amantis
　　oscula per longas iungere pressa moras,
cumque tuis lacrimis lacrimas confundere nostras,
　　quodque foret uelis aura secunda, queri,
et mihi discedens suprema dicere uoce:
　　'Phylli, fac exspectes Demophoonta tuum!'

exspectem, qui me numquam uisurus abisti?
  exspectem pelago uela negata meo?
et tamen exspecto, redeas modo serus amanti,
  ut tua sit solo tempore lapsa fides!
quid precor infelix? te iam tenet altera coniunx
  forsitan et, nobis qui male fauit, Amor,
atque tibi excidimus: nullam, puto, Phyllida nosti;
  ei mihi, si, quae sim Phyllis et unde, rogas,
quae tibi, Demophoon, longis erroribus acto
  Threicios portus hospitiumque dedi,
cuius opes auxere meae, cui diues egenti
  munera multa dedi, multa datura fui;
quae tibi subieci latissima regna Lycurgi,
  nomine femineo uix satis apta regi,
qua patet umbrosum Rhodope glacialis ad Haemum,
  et sacer admissas exigit Hebrus aquas,
cui mea uirginitas auibus libata sinistris
  castaque fallaci zona recincta manu!
pronuba Tisiphone thalamis ululauit in illis,
  et cecinit maestum deuia carmen auis;
adfuit Allecto breuibus torquata colubris,
  suntque sepulcrali lumina mota face.
maesta tamen scopulos fruticosaque litora calco;
  quaque patent oculis litora lata meis,
siue die laxatur humus, seu frigida lucent
  sidera, prospicio, quis freta uentus agat,
et quaecumque procul uenientia lintea uidi,
  protinus illa meos auguror esse deos;
in freta procurro, uix me retinentibus undis,
  mobile qua primas porrigit aequor aquas;
quo magis accedunt, minus et minus utilis adsto:
  linquor et ancillis excipienda cado.
est sinus, adductos modice falcatus in arcus;
  ultima praerupta cornua mole rigent:

hinc mihi suppositas inmittere corpus in undas
    mens fuit et, quoniam fallere pergis, erit.
ad tua me fluctus proiectam litora portent,
    occurramque oculis intumulata tuis,
duritia ferrum ut superes adamantaque teque,
    'non tibi sic' dices 'Phylli, sequendus eram'.
saepe uenenorum sitis est mihi, saepe cruenta
    traiectam gladio morte perire iuuat ;
colla quoque, insidis quia se nectenda lacertis
    praebuerunt, laqueis inplicuisse iuuat.
stat nece matura tenerum pensare pudorem ;
    in necis electu parua futura morast.
inscribere meo causa inuidiosa sepulcro ;
    aut hoc aut simili carmine notus eris :
'Phyllida Demophoon leto dedit hospes amantem :
    ille necis causam praebuit, ipsa manum.'

217.   *Elegy on the Death of Tibullus*

MEMNONA si mater, mater plorauit Achillem,
    et tangunt magnas tristia fata deas,
flebilis indignos, Elegea, solue capillos !
    a ! nimis ex uero nunc tibi nomen erit :
ille tui uates operis, tua fama, Tibullus
    ardet in exstructo, corpus inane, rogo.
ecce, puer Veneris fert euersamque pharetram
    et fractos arcus et sine luce facem ;
adspice, demissis ut eat miserabilis alis
    pectoraque infesta tundat aperta manu ;
excipiunt lacrimas sparsi per colla capilli,
    oraque singultu concutiente sonant :
fratris in Aeneae sic illum funere dicunt
    egressum tectis, pulcher Iule, tuis ;

nec minus est confusa Venus moriente Tibullo
　　quam iuueni rupit cum ferus inguen aper.
at sacri uates et diuum cura uocamur;
　　sunt etiam qui nos numen habere putent.
scilicet omne sacrum mors inportuna profanat,
　　omnibus obscuras inicit illa manus!
quid pater Ismario, quid mater, profuit Orpheo?
　　carmine quid uictas obstipuisse feras?
'aelinon' in siluis idem pater 'aelinon!' altis
　　dicitur inuita concinuisse lyra;
adice Maeoniden, a quo ceu fonte perenni
　　uatum Pieriis ora rigantur aquis;
hunc quoque summa dies nigro submersit Auerno.
　　defugiunt auidos carmina sola rogos:
durat, opus uatum, Troiani fama laboris
　　tardaque nocturno tela retexta dolo.
sic Nemesis longum, sic Delia nomen habebunt,
　　altera cura recens, altera primus amor.
quid uos sacra iuuant? quid nunc Aegyptia prosunt
　　sistra? quid in uacuo secubuisse toro?
cum rapiunt mala fata bonos (ignoscite fasso!),
　　sollicitor nullos esse putare deos.
uiue pius: moriere; pius cole sacra: colentem
　　mors grauis a templis in caua busta trahet;
carminibus confide bonis: iacet, ecce, Tibullus;
　　uix manet e toto parua quod urna capit.
tene, sacer uates, flammae rapuere rogales
　　pectoribus pasci nec timuere tuis?
aurea sanctorum potuissent templa deorum
　　urere, quae tantum sustinere nefas.
auertit uultus Erycis quae possidet arces:
　　sunt quoque qui lacrimas continuisse negant.
sed tamen hoc melius quam si Phaeacia tellus
　　ignotum uili supposuisset humo:

hinc certe grauidos fugientis pressit ocellos
    mater et in cineres ultima dona tulit;
hinc soror in partem misera cum matre doloris
    uenit inornatas dilaniata comas,
cumque tuis sua iunxerunt Nemesisque priorque
    oscula nec solos destituere rogos.
Delia descendens 'felicius' inquit 'amata
    sum tibi: uixisti, dum tuus ignis eram'.
cui Nemesis 'quid' ait 'tibi sunt mea damna dolori?
    me tenuit moriens deficiente manu'.
si tamen e nobis aliquid nisi nomen et umbra
    restat, in Elysia ualle Tibullus erit:
obuius huic uenias hedera iuuenalia cinctus
    tempora cum Caluo, docte Catulle, tuo;
tu quoque, si falsumst temerati crimen amici,
    sanguinis atque animae prodige Galle tuae.
his comes umbra tuast; siquast modo corporis umbra,
    auxisti numeros, culte Tibulle, pios.
ossa quieta, precor, tuta requiescite in urna,
    et sit humus cineri non onerosa tuo!

218.   *A Friend in Need*

O MIHI post nullos umquam memorande sodalis,
    O cui praecipue sors mea uisa sua est,
attonitum qui me, memini, carissime, primus
    ausus es adloquio sustinuisse tuo,
qui mihi consilium uiuendi mite dedisti,
    cum foret in misero pectore mortis amor,
scis bene, cui dicam, positis pro nomine signis,
    officium nec te fallit, amice, tuum.
haec mihi semper erunt imis infixa medullis,
    perpetuusque animae debitor huius ero,

spiritus et uacuas prius hic tenuandus in auras
    ibit, et in tepido deseret ossa rogo,
quam subeant animo meritorum obliuia nostro,
    et longa pietas excidat ista die.
di tibi sint faciles, tibi di nullius egentem
    fortunam praestent dissimilemque meae.
si tamen haec nauis uento ferretur amico,
    ignoraretur forsitan ista fides.
Thesea Perithous non tam sensisset amicum,
    si non infernas uiuus adisset aquas.
ut foret exemplum ueri Phoceus amoris,
    fecerunt furiae, tristis Oresta, tuae.
si non Euryalus Rutulos cecidisset in hostis,
    Hyrtacidae Nisi gloria nulla foret.
scilicet ut fuluum spectatur in ignibus aurum,
    tempore sic duro est inspicienda fides.
dum iuuat et uultu ridet Fortuna sereno,
    indelibatas cuncta sequuntur opes:
at simul intonuit, fugiunt, nec noscitur ulli,
    agminibus comitum qui modo cinctus erat.
atque haec, exemplis quondam collecta priorum,
    nunc mihi sunt propriis cognita uera malis.
uix duo tresue mihi de tot superestis amici;
    cetera Fortunae, non mea turba fuit.
quo magis, o pauci, rebus succurrite laesis,
    et date naufragio litora tuta meo,
neue metu falso nimium trepidate, timentes,
    hac offendatur ne pietate deus!
saepe fidem aduersis etiam laudauit in armis
    inque suis amat hanc Caesar, in hoste probat.
causa mea est melior, qui non contraria foui
    arma, sed hanc merui simplicitate fugam.
inuigiles igitur nostris pro casibus, oro,
    deminui siqua numinis ira potest.

scire meos casus siquis desiderat omnis,
  plus quam quod fieri res sinit ille petit.
tot mala sum passus quot in aethere sidera lucent,
  paruaque quot siccus corpora puluis habet:
multaque credibili tulimus maiora ratamque,
  quamuis acciderint, non habitura fidem.
pars etiam quaedam mecum moriatur oportet,
  meque uelim possit dissimulante tegi.
si uox infragilis, pectus mihi firmius aere,
  pluraque cum linguis pluribus ora forent,
non tamen idcirco complecterer omnia uerbis,
  materia uiris exsuperante meas.
pro duce Neritio docti mala nostra poetae
  scribite: Neritio nam mala plura tuli.
ille breui spatio multis errauit in annis
  inter Dulichias Iliacasque domos:
nos freta sideribus totis distantia mensos
  sors tulit in Geticos Sarmaticosque sinus.
ille habuit fidamque manum sociosque fidelis:
  me profugum comites deseruere mei.
ille suam laetus patriam uictorque petebat:
  a patria fugi uictus et exsul ego.
nec mihi Dulichium domus est Ithaceue Samosue,
  poena quibus non est grandis abesse locis,
sed quae de septem totum circumspicit orbem
  montibus, imperii Roma deumque locus.
illi corpus erat durum patiensque laborum:
  inualidae uires ingenuaeque mihi.
ille erat assidue saeuis agitatus in armis:
  adsuetus studiis mollibus ipse fui.
me deus oppressit, nullo mala nostra leuante:
  bellatrix illi diua ferebat opem.
cumque minor Ioue sit, tumidis qui regnat in undis,
  illum Neptuni, me Iouis ira premit.

adde, quod illius pars maxima ficta laborum,
  ponitur in nostris fabula nulla malis.
denique quaesitos tetigit tamen ille penatis,
  quaeque diu petiit, contigit arua tamen:
at mihi perpetuo patria tellure carendum est,
  ni fuerit laesi mollior ira dei.

219.   *To Maximus: on the Death*
            of Celsus

QVAE mihi de rapto tua uenit epistola Celso,
  protinus est lacrimis umida facta meis.
quodque nefas dictu, fieri nec posse putaui,
  inuitis oculis littera lecta tua est.
nec quicquam ad nostras peruenit acerbius auris
  ut sumus in Ponto, perueniatque, precor.
ante meos oculos tamquam praesentis imago
  haeret, et exstinctum uiuere fingit amor.
saepe refert animus lusus grauitate carentis,
  seria cum liquida saepe peracta fide.
nulla tamen subeunt mihi tempora densius illis,
  quae uellem uitae summa fuisse meae,
cum domus ingenti subito mea lapsa ruina
  concidit in domini procubuitque caput.
adfuit ille mihi, cum me pars magna reliquit,
  Maxime! fortunae nec fuit ipse comes.
illum ego non aliter flentem mea funera uidi,
  ponendus quam si frater in igne foret.
haesit in amplexu consolatusque iacentem est,
  cumque meis lacrimis miscuit usque suas.
o! quotiens uitae custos inuisus amarae
  continuit promptas in mea fata manus!
o! quotiens dixit 'placabilis ira deorum est:
  uiue nec ignosci tu tibi posse nega'.

uox tamen illa fuit celeberrima, ' respice, quantum
   debeat auxilium Maximus esse tibi.
Maximus incumbet, quaque est pietate, rogabit,
   ne sit ad extremum Caesaris ira tenax :
cumque suis fratris uiris adhibebit, et omnem,
   quo leuius doleas, experietur opem.'
haec mihi uerba malae minuerunt taedia uitae.
   quae tu ne fuerint, Maxime, uana, caue.
huc quoque uenturum mihi se iurare uolebat,
   non nisi te longae ius sibi dante uiae.
nam tua non alio coluit penetralia ritu,
   terrarum dominos quam colis ipse deos.
crede mihi, multos habeas cum dignus amicos,
   non fuit e multis quolibet ille minor,
si modo non census nec clarum nomen auorum,
   sed probitas magnos ingeniumque facit.
iure igitur lacrimas Celso libamus adempto,
   cum fugerem, uiuo quas dedit ille mihi :
carmina iure damus raros testantia mores,
   ut tua uenturi nomina, Celse, legant.
hoc est, quod possim Geticis tibi mittere ab aruis :
   hoc solum est, istic quod liquet esse meum.
funera non potui comitare, nec ungere corpus :
   atque tuis toto diuidor orbe rogis.
qui potuit, quem tu pro numine uiuus habebas,
   praestitit officium Maximus omne tibi.
ille tibi exsequias et magni funus honoris
   fecit, et in gelidos uersit amoma sinus,
diluit et lacrimis maerens unguenta profusis,
   ossaque uicina condita texit humo.
qui quoniam exstinctis quae debet, praestat amicis,
   et nos exstinctis adnumerare potest.

220.   *Lines Written in Sickness*

HAEC mea, si casu miraris, epistula quare
 alterius digitis scripta sit : aeger eram.
aeger in extremis ignoti partibus orbis,
 incertusque meae paene salutis eram.
quem mihi nunc animum dira regione iacenti
 inter Sauromatas esse Getasque putes,
nec caelum patior, nec aquis adsueuimus istis,
 terraque nescio quo non placet ipsa modo.
non domus apta satis, non hic cibus utilis aegro,
 nullus Apollinea qui leuet arte malum,
non qui soletur, non qui labentia tarde
 tempora narrando fallat, amicus adest.
lassus in extremis iaceo populisque locisque,
 et subit adfecto nunc mihi quicquid abest.
omnia cum subeant, uincis tamen omnia, coniunx,
 et plus in nostro pectore parte tenes.
te loquor absentem, te uox mea nominat unam ;
 nulla uenit sine te nox mihi, nulla dies.
quin etiam sic me dicunt aliena locutum,
 ut foret amenti nomen in ore tuum.
si iam deficiam, suppressaque lingua palato
 uix instillato restituenda mero,
nuntiet huc aliquis dominam uenisse, resurgam,
 spesque tui nobis causa uigoris erit.
ergo ego sum dubius uitae, tu forsitan istic
 iucundum nostri nescia tempus agis ?
non agis ; adfirmo.   liquet hoc, carissima, nobis,
 tempus agi sine me non nisi triste tibi.
si tamen inpleuit mea sors, quos debuit, annos,
 et mihi uiuendi tam cito finis adest,

quantum erat, o magni, morituro parcere, diui,
　　ut saltem patria contumularer humo?
uel poena in tempus mortis dilata fuisset,
　　uel praecepisset mors properata fugam.
integer hanc potui nuper bene reddere lucem;
　　exsul ut occiderem, nunc mihi uita data est.
tam procul ignotis igitur moriemur in oris,
　　et fient ipso tristia fata loco;
nec mea consueto languescent corpora lecto,
　　depositum nec me qui fleat, ullus erit;
nec dominae lacrimis in nostra cadentibus ora
　　accedent animae tempora parua meae;
nec mandata dabo, nec cum clamore supremo
　　labentis oculos condet amica manus,
sed sine funeribus caput hoc, sine honore sepulcri
　　indeploratum barbara terra teget!
ecquid, ubi audieris, tota turbabere mente,
　　et feries pauida pectora fida manu?
ecquid, in has frustra tendens tua brachia partis,
　　clamabis miseri nomen inane uiri?
parce tamen lacerare genas, nec scinde capillos:
　　non tibi nunc primum, lux mea, raptus ero.
cum patriam amisi, tunc me periisse putato:
　　et prior et grauior mors fuit illa mihi.
nunc, si forte potes,—sed non potes, optima coniunx—
　　finitis gaude tot mihi morte malis.
quod potes, extenua forti mala corde ferendo,
　　ad quae iam pridem non rude pectus habes.
atque utinam pereant animae cum corpore nostrae,
　　effugiatque auidos pars mihi nulla rogos.
nam si morte carens uacua uolat altus in aura
　　spiritus, et Samii sunt rata dicta senis,
inter Sarmaticas Romana uagabitur umbras,
　　perque feros manis hospita semper erit;

ossa tamen facito parua referantur in urna:
    sic ego non etiam mortuus exsul ero.
non uetat hoc quisquam: fratrem Thebana peremptum
    supposuit tumulo rege uetante soror.
atque ea cum foliis et amomi puluere misce,
    inque suburbano condita pone solo;
quosque legat uersus oculo properante uiator,
    grandibus in tituli marmore caede notis:
HIC . EGO . QVI . IACEO . TENERORVM . LVSOR . AMORVM
    INGENIO . PERII . NASO . POETA . MEO.
AT . TIBI . QVI . TRANSIS . NE . SIT . GRAVE . QVISQVIS .
        AMASTI
    DICERE . NASONIS . MOLLITER . OSSA . CVBENT.
hoc satis in titulo est.   etenim maiora libelli
    et diuturna magis sunt monimenta mihi,
quos ego confido, quamuis nocuere, daturos
    nomen et auctori tempora longa suo.
tu tamen exstincto feralia munera semper
    deque tuis lacrimis umida serta dato.
quamuis in cineres corpus mutauerit ignis,
    sentiet officium maesta fauilla pium.
scribere plura libet.   sed uox mihi fessa loquendo
    dictandi uiris siccaque lingua negat.
accipe supremo dictum mihi forsitan ore,
    quod, tibi qui mittit, non habet ipse, uale!

221.   *The Immortality of Poetry*

QVID mihi, Liuor edax, ignauos obicis annos,
    ingeniique uocas carmen inertis opus;
non me more patrum, dum strenua sustinet aetas,
    praemia militiae puluerulenta sequi

nec me uerbosas leges ediscere nec me
    ingrato uocem prostituisse foro?
mortalest, quod quaeris, opus; mihi fama perennis
    quaeritur, in toto semper ut orbe canar.
uiuet Maeonides, Tenedos dum stabit et Ide,
    dum rapidas Simois in mare uoluet aquas;
uiuet et Ascraeus, dum mustis uua tumebit,
    dum cadet incurua falce resecta Ceres;
Battiades semper toto cantabitur orbe:
    quamuis ingenio non ualet, arte ualet;
nulla Sophocleo ueniet iactura cothurno;
    cum sole et luna semper Aratus erit;
dum fallax seruus, durus pater, inproba lena
    uiuent et meretrix blanda, Menandros erit;
Ennius arte carens animosique Accius oris
    casurum nullo tempore nomen habent.
Varronem primamque ratem quae nesciet aetas,
    aureaque Aesonio terga petita duci?
carmina sublimis tunc sunt peritura Lucreti,
    exitio terras cum dabit una dies;
Tityrus et segetes Aeneiaque arma legentur,
    Roma triumphati dum caput orbis erit;
donec erunt ignes arcusque Cupidinis arma,
    discentur numeri, culte Tibulle, tui;
Gallus et Hesperiis et Gallus notus Eois,
    et sua cum Gallo nota Lycoris erit.
ergo, cum silices, cum dens patientis aratri
    depereant aeuo, carmina morte carent:
cedant carminibus reges regumque triumphi,
    cedat et auriferi ripa benigna Tagi!
uilia miretur uulgus; mihi flauus Apollo
    pocula Castalia plena ministret aqua,
sustineamque coma metuentem frigora myrtum
    atque ita sollicito multus amante legar!

pascitur in uiuis Liuor, post fata quiescit,
 cum suus ex merito quemque tuetur honos.
ergo etiam cum me supremus adederit ignis,
 uiuam, parsque mei multa superstes erit.

ANONYMOUS

circa 10 A. D. (?).

222.   *Exordium to a Poem on the Sea*

TETHYA marmoreo fecundam pandere ponto
 et salis aequorea uiridantis mole cauernas
quaeque sub aestifluis Thetis umida continet antris
coeptanti, Venus alma, faue, quae, semina caeli
parturiente salo, diuini germinis aestu
spumea purpurei dum sanguinat unda profundi,
nasceris e pelago, placido dea prosata mundo!
nam cum prima foret rebus natura ferundis
in foedus conexa suum, ne staret inerti
machina mole uacans, tibi primum candidus aether
astrigeram faciem nitido gemmauit Olympo.
te fecunda sinu tellus amplexa resedit
ponderibus librata suis, elementaque iussa
aeternas seruare uices.   tu fetibus auges
cuncta suis, totus pariter tibi parturit orbis.
quare, diua, precor, quoniam tua munera paruo
ausus calle sequor, uitreo de gurgite uultus
dextera prome pios et numine laeta sereno
Pierias age pande uias : da Nerea molli
pacatum candere freto uotisque litata
fac saltem primas pelagi libemus harenas.

223. *From the Golden to the Iron Age*

VIRGINIS inde subest facies, cui plena sinistra
  fulget spica manu maturisque ardet aristis.
quam te, diua, uocem? tangunt mortalia si te
carmina nec surdam praebes uenerantibus aurem,
exosa heu mortale genus, medio mihi cursu
stabunt quadripedes et flexis laetus habenis
teque tuumque canam terris uenerabile numen.

  aurea pacati regeres cum saecula mundi,
Iustitia inuiolata malis, placidissima uirgo,
siue illa Astraei genus es, quem fama parentem
tradidit astrorum, seu uera intercidit aeuo
ortus fama tui, mediis te laeta ferebas
sublimis populis nec dedignata subire
tecta hominum et puros sine crimine, diua, penatis,
iura dabas cultuque nouo rude uulgus in omnis
formabas uitae sinceris artibus usus.
nondum uesanos rabies nudauerat ensis
nec consanguineis fuerat discordia nota,
ignotique maris cursus priuataque tellus
grata satis, neque per dubios auidissima uentos
spes procul amotas fabricata naue petebat
diuitias, fructusque dabat placata colono
sponte sua tellus nec parui terminus agri
praestabat dominis sine eo tutissima rura.

  at postquam argenti creuit deformior aetas,
rarius inuisit maculatas fraudibus urbis

seraque ab excelsis descendens montibus ore
uelato tristisque genas abscondita rica,
nulliusque larem, nullos adit illa penatis.
tantum cum trepidum uulgus coetusque notauit
increpat 'o patrum suboles oblita priorum,
degeneres semper semperque habitura minores,
quid me, cuius abit usus, per uota uocatis?
quaerenda est sedes nobis noua, saecula uestra
Martibus indomitis tradam scelerique cruento'.
haec effata super montis abit alite cursu,
attonitos linquens populos grauiora pauentis.

aerea sed postquam proles terris data nec iam
semina uirtutis uitiis demersa resistunt
ferrique inuento mens est laetata metallo
polluit et taurus mensas adsuetus aratro,
deseruit propere terras iustissima uirgo
et caeli est sortita locum, qua proximus illi
tardus in occasum sequitur sua plaustra Bootes.

224.   *At the Tomb of Hector*

MARTIA progenies, Hector, tellure sub ima
   (fas audire tamen si mea uerba tibi),
respira, quoniam uindex tibi contigit heres,
   qui patriae famam proferat usque tuae.
Ilios en surgit rursum inclita, gens colit illam
   te Marte inferior, Martis amica tamen.
Myrmidonas periisse omnes dic, Hector, Achilli,
   Thessaliam et magnis esse sub Aeneadis.

C. IVLIVS PHAEDRVS

15 B. C.-45 A. D.

225.   *Socrates*

VVLGARE amici nomen, sed rara est fides.
   cum paruas aedis sibi fundasset Socrates
(cuius non fugio mortem si famam adsequar,
et cedo inuidiae, dummodo absoluar cinis),
ex populo sic nescio quis, ut fieri solet;
'quaeso, tam angustam talis uir ponis domum?'
'utinam' inquit 'ueris hanc amicis impleam!'

226.   *Opportunity*

CVRSV uolucri pendens, cum nouacula,
   caluus, comosa fronte, nudo occipitio
(quem si occuparis, teneas; elapsum semel
non ipse possit Iuppiter reprehendere),
occasionem rerum significat breuem.
   effectus impediret ne segnis mora,
finxere antiqui talem effigiem Temporis.

227.   *Epilogue*

ADHVC supersunt multa quae possim loqui,
   et copiosa abundat rerum uarietas;
sed temperatae suaues sunt argutiae,
immodicae offendunt.   quare, uir sanctissime,
Particulo, chartis nomen uicturum meis,
Latinis dum manebit pretium litteris,
si non ingenium, certe breuitatem adproba,
quae commendari tanto debet iustius,
quanto poetae sunt molesti ualidius.

272

228.   *Poetry and Science*

(Prologue to a Poem on Aetna)

AVREA securi quis nescit saecula regis?
   cum domitis nemo Cererem iactaret in aruis
uenturisque malas prohiberet fructibus herbas,
annua sed saturae complerent horrea messes,
ipse suo flueret Bacchus pede mellaque lentis
penderent foliis et pingui Pallas oliuae,
secretos amnis ageret cum gratia ruris?
non cessit cuiquam melius sua tempora nosse.
ultima quis tacuit iuuenum certamina Colchos?
quis non Argolico defleuit Pergamon igni
impositam et tristi natorum funere matrem
auersumue diem sparsumue in semina dentem?
quis non periurae doluit mendacia puppis
desertam uacuo Minoida litore questus,
quicquid et antiquum iactata est fabula carmen?

   fortius ignotas molimur pectore curas:
qui tanto motus operi, quae causa perennis
explicet in densum flammas et trudat ab imo
ingenti sonitu molis et proxima quaeque
ignibus irriguis urat—mens carminis haec est.

   principio ne quem capiat fallacia uatum
sedis esse dei tumidisque e faucibus ignem
Volcani ruere et clausis resonare cauernis
festinantis opus: non est tam sordida diuis
cura neque extremas ius est dimittere in artis
sidera; subducto regnant sublimia caelo
illa neque artificum curant tractare laborem.

   discrepat a prima facies haec altera uatum:

illis Cyclopas memorant fornacibus usos,
cum super incudem numerosa in uerbera fortes
horrendum magno quaterent sub pondere fulmen
armarentque Iouem : turpe est sine pignore carmen.
    proxima uiuaces Aetnaei uerticis ignis
impia sollicitat Phlegraeis fabula castris.
temptauere (nefas) olim detrudere mundo
sidera captiuique Iouis transferre gigantes
imperium et uicto leges imponere caelo.
(his natura sua est aluo tenus, ima per orbis
squameus intortos sinuat uestigia serpens.)
construitur magnis ad proelia montibus agger :
Pelion Ossa grauat, summus premit Ossan Olympus.
iam coaceruatas nituntur scandere molis,
impius et miles metuentia comminus astra
prouocat, infestus cunctos ad proelia diuos
prouocat.   admotis conterrita sidera signis,
Iuppiter et caelo metuit dextramque corusca
armatus flamma remouet caligine mundum.
incursant uasto primum clamore gigantes :
hic magno tonat ore pater geminantque fauentes
undique discordes comitum simul agmine uenti.
densa per attonitas rumpuntur flumina nubis
atque in bellandum quae cuique potentia diuom
in commune uenit.   iam patri dextera Pallas
et Mars laeuos erat, iam cetera turba deorum,
stant utrimque deae : ualidos tum Iuppiter ignis
increpat et iacto proturbat fulmine montis.
illinc disiectae uerterunt terga ruinae
infertae diuis acies atque impius hostis
praeceps cum castris agitur materque iacentis
impellens natos.   tunc pax est reddita mundo,
tunc liber cessat ; uenit per sidera : caelum

defensique decus mundi nunc redditur astris.
gurgite Trinacrio morientem Iuppiter Aetna
obruit Enceladon, uasto qui pondere montis
aestuat et petulans exspirat faucibus ignem.

haec est uentosae uolgata licentia famae.
uatibus ingenium est: hinc audit nobile carmen.
plurima pars scaenae rerum est fallacia: uates
sub terris nigros uiderunt carmine manis
atque inter cineres Ditis pallentia regna,
mentiti uates Stygias undasque canisque.
hi Tityon poena strauere in iugera foedum;
sollicitant illi te circum, Tantale, cena
sollicitantque siti; Minos, tuaque, Aeace, in umbris
iura canunt idemque rotant Ixionis orbem,—
quicquid et interius falsi sibi conscia terra est.
nec tu, terra, satis: speculantur numina diuom
nec metuunt oculos alieno admittere caelo.
norunt bella deum, norunt abscondita nobis
coniugia et falsa quotiens sub imagine peccet,
taurus in Europen, in Ledam candidus ales,
Iuppiter, ut Danaae pretiosus fluxerit imber.

debita carminibus libertas ista, sed omnis
in uero mihi cura: canam, quo feruida motu
aestuet Aetna nouosque rapax sibi conferat ignis.

229. *Precatio Terrae*

DEA sancta Tellus, rerum naturae parens,
   quae cuncta generas et regeneras indidem,
quae sola praestas tuam tutelam gentibus,
caeli ac maris diua arbitra rerumque omnium,
per quam silet natura et somnos concipit,
itemque lucem reparas et noctem fugas:
tu Ditis umbras tegis et inmensum chaos
uentosque et imbris tempestatesque cohibes

et, cum libet, dimittis et misces freta
fugasque solis et procellas concitas,
itemque, cum uis, hilarem promittis diem.
tu alimenta uitae tribuis perpetua fide,
et, cum recesserit anima, in tete refugimus :
ita, quidquid tribuis, in te cuncta recidunt.
merito uocaris Magna tu Mater deum,
pietate quia uicisti diuum numina ;
tu es illa uere gentium et diuum parens :
sine qua nec moritur quicquam nec nasci potest :
tu es Magna tuque diuum regina es, dea.
te, diua, adoro tuumque ego numen inuoco,
facilisque praestes hoc mihi quod te rogo ;
referamque, diua, gratias merito tibi.
fidem quaeso, exaudi, et faue coeptis meis ;
hoc quod peto a te, diua, mihi praesta uolens.
herbas, quascumque generat maiestas tua,
salutis causa tribuis cunctis gentibus :
hanc nunc mihi permittas medicinam tuam.
ueniat medicina cum tuis uirtutibus :
quidque ex his fecero, habeat euentum bonum,
cuique easdem dedero quique easdem a me acceperint,
sanos eosdem praestes.   nunc, diua, hoc mihi
maiestas praestet tua quod supplex postulo.

230.   circa 35 A. D.

Epitaph of Homonoea and Atimetus

TV qui secura procedis mente, parumper
siste gradum, quaeso, uerbaque pauca lege.
illa ego quae claris fueram praelata puellis,
    hoc Homonoea breui condita sum tumulo,

276

cui formam Paphie, Charites tribuere decorem,
  quam Pallas cunctis artibus erudiit.
nondum bis denos aetas mea uiderat annos,
  iniecere manus inuida fata mihi.
nec pro me queror hoc, morte est mihi tristior ipsa
  maeror Atimeti coniugis ille mei.
' sit tibi terra leuis, mulier dignissima uita
  quaeque tuis olim perfruerere bonis.'

Si pensare animas sinerent crudelia fata
  et posset redimi morte aliena salus,
quantulacumque meae debentur tempora uitae,
  pensassem pro te, cara Homonoea, libens.
at nunc quod possum, fugiam lucemque deosque,
  ut te matura per Styga morte sequar.
' parce tuam, coniux, fletu quassare iuuentam
  fataque maerendo sollicitare mea.
nil prosunt lacrimae nec possunt fata moueri.
  uiximus, hic omnis exitus unus habet.
parce : ita non unquam similem experiare dolorem
  et faueant uotis numina cuncta tuis.
quodque mihi eripuit mors inmatura iuuentae,
  id tibi uicturo proroget ulterius.'

231. *The Complaint of the Garden God*

QVID frustra quereris, colone, mecum
  quod quondam bene fructuosa malus
autumnis sterilis duobus adstem?
  non me praegrauat, ut putas, senectus,
  nec sum grandine uerberata dura,
  nec gemmas modo germine exeuntis
  seri frigoris ustulauit aura,

nec uenti pluuiaeue siccitasue,
quod de se quererer, malum dederunt ;
non sturnus mihi gracculusue raptor
aut cornix anus aut aquosus anser
aut coruus nocuit siticulosus :
sed quod carmina pessimi poetae
ramis sustineo laboriosis.

L. ANNAEVS SENECA

4 B.C.-65 A.D.

232. *Time*

OMNIA tempus edax depascitur, omnia carpit,
omnia sede mouet, nil sinit esse diu.
flumina deficiunt, profugum mare litora siccant,
    subsidunt montes et iuga celsa ruunt.
quid tam parua loquor ? moles pulcherrima caeli
    ardebit flammis tota repente suis.
omnia mors poscit.   lex est, non poena, perire :
    hic aliquo mundus tempore nullus erit.

233. *Corsica*

BARBARA praeruptis inclusa est Corsica saxis,
horrida, desertis undique uasta locis.
non poma autumnus, segetes non educat aestas
    canaque Palladio munere bruma caret.
imbriferum nullo uer est laetabile fetu
    nullaque in infausto nascitur herba solo.
non panis, non haustus aquae, non ultimus ignis :
    hic sola haec duo sunt, exsul et exsilium.

234.   *Athens*

QVISQVIS Cecropias hospes cognoscis Athenas,
    quae ueteris famae uix tibi signa dabunt,
'hasne dei' dices 'caelo petiere relicto?
    pugnaque partitis haec fuit ora deis?'
idem Agamemnonias dices cum uideris arces:
    'heu uictrix uicta uastior urbe iacet!'
hae sunt, quas merito quondam est mirata uetustas;
    magnarum rerum magna sepulcra uides!

235.   *Britain*

VICTA prius nulli, nullo spectata triumpho
    inlibata tuos gens patet in titulos.
fabula uisa diu medioque recondita ponto
    libera uictori quam cito colla dedit!

236.   *On the Death of Crispus*

ABLATVS mihi Crispus est amicus,
    pro quo si pretium dari liceret,
nostros diuiderem libenter annos.
nunc pars optima me mei reliquit,
Crispus, praesidium meum, uoluptas,
pectus, deliciae: nihil sine illo
laetum mens mea iam putabit esse.
consumptus male debilisque uiuam:
plus quam dimidium mei recessit.

237. *The Only Immortality*

i

HAEC urbem circa stulti monumenta laboris
  quasque uides molis, Appia, marmoreas,
pyramidasque ausas uicinum attingere caelum,
  pyramidas, medio quas fugit umbra die,
et Mausoleum, miserae solacia mortis,
  intulit externum quo Cleopatra uirum,
concutiet sternetque dies, quoque altius exstat
  quodque opus, hoc illud carpet edetque magis.
carmina sola carent fato mortemque repellunt:
  carminibus uiues semper, Homere, tuis.

ii

Nullum opus exsurgit quod non annosa uetustas
  expugnet, quod non uertat iniqua dies,
tu licet extollas magnos ad sidera montis
  et Lydas aeques marmore pyramidas.
ingenio mors nulla nocet, uacat undique tutum:
  inlaesum semper carmina nomen habent.

238. *The Last Pilgrimage*

QVANTVS incedit populus per urbis
  ad noui ludos auidus theatri,
quantus Eleum ruit ad Tonantem,
  quinta cum sacrum reuocauit aestas;
quanta, cum longae redit hora nocti
crescere et somnos cupiens quietos
Libra Phoebeos tenet aequa currus,
turba secretam Cererem frequentat

et citi tectis properant relictis
Attici noctem celebrare mystae:
tanta per campos agitur silentis
turba; pars tarda graditur senecta,
tristis et longa satiata uita;
pars adhuc currit melioris aeui:
uirgines nondum thalamis iugatae
et comis nondum positis ephebi
matris et nomen modo doctus infans.
his datum solis, minus ut timerent,
igne praelato releuare noctem;
ceteri uadunt per opaca tristes.
qualis est uobis animus, remota
luce cum maestus sibi quisque sensit
obrutum tota caput esse terra?
stat chaos densum tenebraeque turpes
et color noctis malus ac silentis
otium mundi uacuaeque nubes.

　sera nos illo referat senectus:
nemo ad id sero uenit, unde numquam,
cum semel uenit, poterit reuerti;
quid iuuat durum properare fatum?
omnis haec magnis uaga turba terris
ibit ad manis facietque inerti
uela Cocyto: tibi crescit omne,
et quod occasus uidet et quod ortus.
parce uenturis: tibi, mors, paramur.
sis licet segnis, properamus ipsi:
prima quae uitam dedit hora carpit.

239.

Fatal Beauty

ANCEPS forma bonum mortalibus,
    exigui donum breue temporis,
ut uelox celeri pede laberis!
Non sic prata nouo uere decentia
aestatis calidae despoliat uapor,
saeuit solstitio cum medius dies
et noctes breuibus praecipitant rotis
languescunt folio et lilia pallido:
ut gratae capiti deficiunt comae
et fulgor teneris qui radiat genis
momento rapitur nullaque non dies
formonsi spolium corporis abstulit.
res est forma fugax: quis sapiens bono
confidat fragili? dum licet, utere.
tempus te tacitum subruit, horaque
semper praeterita deterior subit.

    Quid deserta petis? tutior auiis
non est forma locis: te nemore abdito
cum Titan medium constituit diem,
cingent turba licens Naides improbae,
formonsos solitae claudere fontibus,
et somnis facient insidias tuis
Panas quae Dryades montiuagos petunt.

240.

Death has no Terror

VERVM est an timidos fabula decipit
    umbras corporibus uiuere conditis,
cum coniunx oculis imposuit manum
supremusque dies solibus obstitit
et tristis cineres urna cohercuit?

non prodest animam tradere funeri,
sed restat miseris uiuere longius?
an toti morimur nullaque pars manet
nostri, cum profugo spiritus halitu
immixtus nebulis cessit in aera
et nudum tetigit subdita fax latus?

   Quicquid sol oriens, quicquid et occidens
nouit, caeruleis Oceanus fretis
quicquid bis ueniens et fugiens lauat,
aetas Pegaseo corripiet gradu.
quo bis sena uolant sidera turbine,
quo cursu properat uoluere saecula
astrorum dominus, quo properat modo
obliquis Hecate currere flexibus:
hoc omnes petimus. fata nec amplius,
iuratos superis qui tetigit lacus,
usquam est; ut calidis fumus ab ignibus
uanescit, spatium per breue sordidus,
ut nubis, grauidas quas modo uidimus,
arctoi Boreae dissicit impetus:
sic hic, quo regimur, spiritus effluet.
post mortem nihil est ipsaque mors nihil,
uelocis spatii meta nouissima;
spem ponant auidi, solliciti metum:
tempus nos auidum deuorat et chaos.
mors indiuidua est, noxia corpori
nec parcens animae: Taenara et aspero
regnum sub domino limen et obsidens
custos non facili Cerberus ostio
rumores uacui uerbaque inania
et par sollicito fabula somnio.
quaeris quo iaceas post obitum loco?
quo non nata iacent.

241.   *Hymeneal*

AD regum thalamos numine prospero
  qui caelum superi quique regunt fretum
adsint cum populis rite fauentibus.
primum sceptriferis colla Tonantibus
taurus celsa ferat tergore candido ;
Lucinam niuei femina corporis
intemptata iugo placet et asperi
Martis sanguineas quae cohibet manus,
quae dat belligeris foedera gentibus
et cornu retinet diuite copiam,
donetur tenera mitior hostia.
et tu, qui facibus legitimis ades,
noctem discutiens auspice dextera
huc incede gradu marcidus ebrio,
praecingens roseo tempora uinculo.
et tu quae, gemini praeuia temporis,
tarde, stella, redis semper amantibus :
te matres, auide te cupiunt nurus
quam primum radios spargere lucidos.

        Vincit uirgineus decor
        longe Cecropias nurus,
        et quas Taygeti iugis
        exercet iuuenum modo
        muris quod caret oppidum,
        et quas Aonius latex
        Alpheosque sacer lauat.

        si forma uelit aspici,
        cedent Aesonio duci

proles fulminis improbi
aptat qui iuga tigribus,
nec non, qui tripodas mouet,
frater uirginis asperae,
cedet Castore cum suo
Pollux caestibus aptior.
sic, sic, caelicolae, precor,
uincat femina coniuges,
uir longe superet uiros.

Haec cum femineo constitit in choro,
unius facies praenitet omnibus,
sic cum sole perit sidereus decor,
et densi latitant Pleiadum greges
cum Phoebe solidum lumine non suo
orbem circuitis cornibus alligat.
ostro sic niueus puniceo color
perfusus rubuit, sic nitidum iubar
pastor luce noua roscidus aspicit.
ereptus thalamis Phasidis horridi,
effrenae solitus pectora coniugis
inuita trepidus prendere dextera,
felix Aeoliam corripe uirginem
nunc primum soceris, sponse, uolentibus.
concesso, iuuenes, ludite iurgio,
hinc illinc, iuuenes, mittite carmina.
rara est in dominos iusta licentia.

Candida thyrsigeri proles generosa Lyaei,
multifidam iam tempus erat succendere pinum:
excute sollemnem digitis marcentibus ignem,
festa dicax fundat conuicia fescenninus,
soluat turba iocos—tacitis eat illa tenebris,
si qua peregrino nubit furtiua marito.

242.   *The Lot of Kings*

QVIS uos exagitat furor,
   alternis dare sanguinem
et sceptrum scelere aggredi?
nescitis, cupidi arcium,
regnum quo iaceat loco.
regem non faciunt opes,
non uestis Tyriae color,
non frontis nota regiae,
non auro nitidae trabes:
rex est qui posuit metus
et diri mala pectoris,
quem non ambitio inpotens
et numquam stabilis fauor
uulgi praecipitis mouet,
non quicquid fodit Occidens
aut unda Tagus aurea
claro deuehit alueo,
non quicquid Libycis terit
feruens area messibus,
quem non concutiet cadens
obliqui uia fulminis,
non Eurus rapiens mare
aut saeuo rabidus freto
uentosi tumor Hadriae,
quem non lancea militis,
non strictus domuit chalybs,
qui tuto positus loco
infra se uidet omnia
occurritque suo libens
fato nec queritur mori.
    Reges conueniant licet

qui sparsos agitant Dahas,
qui rubri uada litoris
et gemmis mare lucidum
late sanguineis tenent,
aut qui Caspia fortibus
recludunt iuga Sarmatis,
certet Danuuii uadum
audet qui pedes ingredi
et (quocumque loco iacent)
Seres uellere nobiles :
nil ullis opus est equis,
nil armis et inertibus
telis quae procul ingerit
Parthus, cum simulat fugas,
admotis nihil est opus
urbis sternere machinis,
longe saxa rotantibus.
mens regnum bona possidet.
rex est qui metuet nihil,
rex est qui cupiet nihil :
hoc regnum sibi quisque dat.

Stet quicumque uolet potens
aulae culmine lubrico :
me dulcis saturet quies ;
obscuro positus loco
leni perfruar otio,
nullis notaque litibus
aetas per tacitum fluat.
sic cum transierint mei
nullo cum strepitu dies,
plebeius moriar senex.
illi mors grauis incubat
qui, notus nimis omnibus,
ignotus moritur sibi.

243. *Mutability*

NVLLA sors longa est : dolor ac uoluptas
inuicem cedunt ; breuior uoluptas.
ima permutat leuis hora summis :
ille qui donat diadema fronti,
quem genu nixae tremuere gentes,
cuius ad nutum posuere bella
Medus et Phoebi propioris Indus
et Dahae Parthis equitem minati,
anxius sceptrum tenet et mouentis
cuncta diuinat metuitque casus
mobilis rerum dubiumque tempus.

Vos quibus rector maris atque terrae
ius dedit magnum necis atque uitae,
ponite inflatos tumidosque uultus :
quicquid a uobis minor expauescit,
maior hoc uobis dominus minatur ;
omne sub regno grauiore regnum est.
quem dies uidit ueniens superbum,
hunc dies uidit fugiens iacentem.

Nemo confidat nimium secundis,
nemo desperet meliora lassis :
miscet haec illis prohibensque Clotho
stare Fortunam rotat omne fatum.
nemo tam diuos habuit fauentis
crastinum ut posset sibi polliceri :
res deus nostras celeri citatas
                turbine uersat.

244.   *The Saying of Orpheus*

VERVM est quod cecinit sacer
    Thressae sub Rhodopes iugis
aptans Pieriam chelyn
Orpheus Calliopae genus,
aeternum fieri nihil.
    Illius stetit ad modos
torrentis rapidi fragor,
oblitusque sequi fugam
amisit liquor impetum ;
et dum fluminibus mora est,
defecisse putant Geten
Hebrum Bistones ultimi.
aduexit uolucrem nemus
et silua residens uenit :
aut si qua aera peruolat,
auditis uaga cantibus
ales deficiens cadit ;
abrumpit scopulos Athos
Centauros obiter ferens,
et iuxta Rhodope stetit
laxata niue cantibus ;
et quercum fugiens suam
ad uatem properat Dryas ;
ad cantus ueniunt tuos
ipsis cum latebris ferae,
iuxtaque inpauidum pecus
sedit Marmaricus leo
nec dammae trepidant lupos
et serpens latebras fugit.
    Quin per Taenarias foris

manis cum tacitos adit
maerentem feriens chelyn,
cantu Tartara flebili
et tristis Erebi deos
uidit nec timuit Stygis
iuratos superis lacus.
haesit non stabilis rota
uicto languida turbine,
increuit Tityi iecur,
dum cantus uolucris tenet ;
et uinci lapis improbus
et uatem uoluit sequi ;
tunc primum Phrygius senex
undis stantibus immemor
excussit rabidam sitim
nec pomis adhibet manus.
auditum quoque nauita,
inferni ratis aequoris
nullo remigio uenit.
sic cum uinceret inferos
Orpheus carmine funditus,
consumptos iterum deae
supplent Eurydices colus !
sed dum respicit immemor
nec credens sibi redditam
Orpheus Eurydicen sequi,
cantus praemia perdidit :
quae nata est iterum perit.
tunc, solamina cantibus
quaerens, flebilibus modis
haec Orpheus cecinit Getis :

    Leges in superos datas
et qui tempora digerit

quattuor praecipitis deus
anni, disposuit uices;
nulli non auidi colus
Parcas stamina nectere:
quod natum est, patitur mori.
    Vati credere Thracio
deuictus iubet Hercules.
iam, iam legibus obrutis
mundo cum ueniet dies,
australis polus obruet
quicquid per Libyam iacet
et sparsus Garamas tenet;
arctous polus obruet
quicquid subiacet axibus
et siccus Boreas ferit.
amisso trepidus polo
Titan excutiet diem.
caeli regia concidens
ortus atque obitus trahet
atque omnis pariter deos
perdet mors aliqua et chaos,
et mors fata nouissima
in se constituet sibi.
quis mundum capiet locus?
discedet uia Tartari,
fractis ut pateat polis?
an quod diuidit aethera
a terris spatium sat est
et mundi nimium malis?
quis tantum capiet nefas,
fratrum quis superans locus
pontum Tartara sidera
regna unus capiet tria?

L. IVNIVS MODERATVS COLVMELLA

245. *The Flowery Spring*

QVIN et odoratis messis iam floribus instat:
iam uer purpureum, iam uersicoloribus anni
fetibus alma parens pingi sua tempora gaudet.
iam Phrygiae loti gemmantia lumina promunt
et coniuentis oculos uiolaria soluunt,
oscitat et leo et ingenuo confusa rubore
uirgineas adaperta genas rosa praestat honores
caelitibus templisque Sabaeum miscet odorem.
nunc uos Pegasidum comites Acheloidas oro
Maenaliosque choros Dryadum nymphasque Napaeas,
quae colitis nemus Amphrysi, quae Thessala Tempe,
quae iuga Cyllenes et opaci rura Lycaei
antraque Castaliis semper rorantia guttis,
et quae Sicanii flores legistis Halaesi
cum Cereris proles uestris intenta choreis
aequoris Hennaei uernantia lilia carpsit
raptaque, Lethaei coniunx mox facta tyranni,
sideribus tristis umbras et Tartara caelo
praeposuit Ditemque Ioui letumque saluti
et nunc inferno potitur Proserpina regno:
uos quoque iam posito luctu maestoque timore
huc facili gressu teneras aduertite plantas
tellurisque comas sacris aptate canistris.
hinc nullae insidiae nymphis, non ulla rapina;
casta Fides nobis colitur sanctique Penates.
omnia plena iocis, securo plena cachinno,
plena mero, laetisque uirent conuiuia pratis.

nunc uer egelidum, nunc est mollissimus annus,
dum Phoebus tener ac tenera decumbere in herba
suadet et arguto fugientis gramine fontis
nec rigidos potare iuuat nec sole tepentis.
iamque Dionaeis redimitur floribus hortus,
iam rosa mitescit Sarrano clarior ostro.
nec tam nubifugo Borea Latonia Phoebe
purpureo radiat uultu, nec Sirius ardor
sic micat aut rutilus Pyrois aut ore corusco
Hesperus, Eoo remeat cum Lucifer ortu,
nec tam sidereo fulget Thaumantias arcu,
quam nitidis hilares conlucent fetibus horti.
quare age uel iubare exorto iam nocte suprema,
uel dum Phoebus equos in gurgite mersat Hibero,
sicubi odoratas praetexit amaracus umbras,
carpite, narcissique comas sterilisque balausti.
et tu, ne Corydonis opes despernat Alexis,
formoso Nais puero formosior ipsa
fer calathis uiolam et nigro permixta ligustro
balsama cum casia nectens croceosque corymbos
sparge mero Bacchi, nam Bacchus condit odores.
et uos, agrestes, duro qui pollice mollis
demetitis flores, cano iam uimine textum
sirpiculum ferrugineis cumulate hyacinthis.
iam rosa distendat contorti stamina iunci
pressaque flammeola rumpatur fiscina calta.
mercibus ut uernis diues Vortumnus abundet,
et titubante gradu, multo madefactus Iaccho,
aere sinus gerulus plenos grauis urbe reportet

ANONYMOUS

54-5 A.D.

246.   *Redeunt Saturnia Regna*

(GLYCERANVS.   MYSTES)

Gl.   QVID tacitus, Mystes?   *My.* curae mea gaudia
             turbant :
    cura dapes sequitur, magis inter pocula surgit
    et grauis anxietas laetis incumbere gaudet.
Gl.   non satis accipio.   *My.* nec me iuuat omnia fari.
Gl.   forsitan imposuit pecori lupus?   *My.* haud timet
             hostis
    turba canum uigilans.   *Gl.* uigiles quoque somnus
             obumbrat.
My.   altius est, Glycerane, aliquid, non quod patet : erras.
Gl.   atquin turbari sine uentis non solet aequor.
My.   quod minime reris, satias mea gaudia uexat.
Gl.   deliciae somnusque solent adamare querelas.
My.   ergo si causas curarum scire laboras—
Gl.   quae spargit ramos, tremula nos uestiet umbra
    ulmus, et in tenero corpus summittere prato
    herba iubet : tu dic quae sit tibi causa tacendi.
My.   cernis ut adtrito diffusus caespite pagus
    annua uota ferat sollemnisque imbuat aras?
    spirant templa mero, resonant caua tympana palmis,
    Maenalides teneras ducunt per sacra choreas,
    tibia laeta canit, pendet sacer hircus ab ulmo
    et iam nudatis ceruicibus exuit exta.
    ergo nunc dubio pugnant discrimine nati
    et negat huic aeuo stolidum pecus aurea regna?
    Saturni rediere dies Astraeaque uirgo
    tutaque in antiquos redierunt saecula mores.

294

condit secura totas spe messor aristas,
languescit senio Bacchus, pecus errat in herba,
nec gladio metimus nec clausis oppida muris
bella tacenda parant; nullo iam noxia partu
femina quaecumque est hostem parit.   arua iuuentus
nuda fodit tardoque puer domifactus aratro
miratur patriis pendentem sedibus ensem.
est procul a nobis infelix gloria Sullae
trinaque tempestas, moriens cum Roma supremas
desperauit opes et Martia uendidit arma.
nunc tellus inculta nouos parit ubere fetus,
nunc ratibus tutis fera non irascitur unda;
mordent frena tigres, subeunt iuga saeua leones.
casta faue, Lucina: tuus iam regnat Apollo!

C. CALPVRNIVS SICVLVS

circa 55 A. D.

247.   *A Singing Match*

(MELIBOEVS.   CORYDON.   AMYNTAS)

M. QVID tacitus, Corydon, uultuque subinde minaci
quidue sub hac platano, quam garrulus adstrepit
umor,
insueta statione sedes? iuuat herbida forsan
ripa leuatque diem uicini spiritus amnis?
C. carmina iam dudum, non quae nemorale resultent,
uoluimus, o Meliboee; sed haec, quibus aurea possint
saecula cantari, quibus et deus ipse canatur,
qui populos urbisque regit pacemque togatam.
M. dulce quidem resonas, nec te diuersus Apollo

295

      despicit, o iuuenis, sed magnae numina Romae
      non ita cantari debent, ut ouile Menalcae.
C. quidquid id est, siluestre licet uideatur acutis
      auribus et nostro tantum memorabile pago;
      non mea rusticitas, si non ualet arte polita
      carminis, at certe ualeat pietate probari?
      rupe sub hac eadem, quam proxima pinus obumbrat,
      haec eadem nobis frater meditatur Amyntas,
      quem uicina meis natalibus admouet aetas.
M. iam puerum calamos et odorae uincula cerae
      iungere non cohibes, leuibus quem saepe cicutis
      ludere conantem uetuisti fronte paterna?
      dicentem, Corydon, te non semel ista notaui:
      'frange, puer, calamos et inanis desere Musas;
      i, potius glandis rubicundaque collige corna,
      duc ad mulctra greges et lac uenale per urbem
      non tacitus porta. quid enim tibi fistula reddet,
      quo tutere famem? certe mea carmina nemo
      praeter ab his scopulis uentosa remurmurat echo.'
C. haec ego, confiteor, dixi, Meliboee, sed olim:
      non eadem nobis sunt tempora, non deus idem.
      spes magis adridet: certe ne fraga rubosque
      colligerem uiridique famem solarer hibisco,
      tu facis et tua nos alit indulgentia farre;
      tu nostras miseratus opes docilemque iuuentam
      hiberna prohibes ieiunia soluere fago.
      ecce nihil querulum per te, Meliboee, sonamus;
      per te secura saturi recubamus in umbra
      et fruimur siluis Amaryllidos, ultima nuper,
      ultima terrarum, nisi tu, Meliboee, fuisses,
      litora uisuri trucibusque obnoxia Mauris
      pascua Geryonis, liquidis ubi cursibus ingens
      dicitur occiduas impellere Baetis arenas.

scilicet extremo nunc uilis in orbe iacerem,
a dolor! et pecudes inter conductus Iberas
irrita septena modularer sibila canna;
nec quisquam nostras inter dumeta Camenas
respiceret; non ipse daret mihi forsitan aurem,
ipse deus, uacuam, longeque sonantia uota
scilicet extremo non exaudiret in orbe.
sed nisi forte tuas melior sonus aduocat auris
et nostris aliena magis tibi carmina rident,
uis, hodierna tua subigatur pagina lima?
nam tibi non tantum uenturos dicere uentos
agricolis qualemque ferat sol aureus ortum
attribuere dei, sed dulcia carmina saepe
concinis, et modo te Baccheis Musa corymbis
munerat et lauro modo pulcher obumbrat Apollo.
quod si tu faueas trepido mihi, forsitan illos
experiar calamos, here quos mihi doctus Iollas
donauit dixitque: 'trucis haec fistula tauros
conciliat: nostroque sonat dulcissima Fauno.
Tityrus hanc habuit, cecinit qui primus in istis
montibus Hyblaea modulabile carmen auena.'

M. magna petis, Corydon, si Tityrus esse laboras.
ille fuit uates sacer et qui posset auena
praesonuisse chelyn, blandae cui saepe canenti
adlusere ferae, cui substitit aduena quercus.
quem modo cantantem rutilo spargebat acantho
Nais et implicitos comebat pectine crinis.

C. est—fateor, Meliboee,—deus: sed nec mihi Phoebus
forsitan abnuerit; tu tantum commodus audi:
scimus enim, quam te non aspernetur Apollo.

M. incipe, nam faueo; sed prospice, ne tibi forte
tinnula tam fragili respiret fistula buxo,
quam resonare solet, si quando laudat Alexin.

297

hos potius, magis hos calamos sectare : canalis
exprime qui dignas cecinerunt consule siluas.
incipe, ne dubita, uenit en et frater Amyntas ;
cantibus iste tuis alterno succinet ore.
ducite, nec mora sit, uicibusque reducite carmen ;
tuque prior, Corydon, tu proximus ibis, Amynta.

C.   ab Ioue principium, si quis canit aethera, sumat,
si quis Atlantiaci pondus molitur Olympi :
at mihi, qui nostras praesenti numine terras
perpetuamque regit iuuenili robore pacem,
laetus et augusto felix adrideat ore.

A.   me quoque facundo comitatus Apolline Caesar
respiciat, montis neu dedignetur adire,
quos et Phoebus amat, quos Iupiter ipse tuetur :
in quibus augustos uisurae saepe triumphos
laurus fructificant uicinaque nascitur arbos.

C.   ipse polos etiam qui temperat igne geluque,
Iupiter ipse parens, cui tu iam proximus esse,
Caesar, ouas, posito paulisper fulmine saepe
Cresia rura petit uiridique reclinis in antro
carmina Dictaeis audit Curetica siluis.

A.   aspicis, ut uirides audito Caesare siluae
conticeant ? memini, quamuis urgente procella
sic nemus immotis subito requiescere ramis,
et dixi : ' deus hinc, certe deus expulit euros.'
nec mora ; Parrhasiae sonuerunt sibila cannae.

C.   adspicis, ut teneros subitus uigor excitet agnos ?
utque superfuso magis ubera lacte grauentur
et nuper tonsis exundent uellera fetis ?
hoc ego iam, memini, semel hac in ualle notaui
et uenisse Palen pecoris dixisse magistros.

A.   scilicet omnis eum tellus, gens omnis adorat,
diligiturque deis, quem sic taciturna uerentur

arbuta, cuius iners audito nomine tellus
incaluit floremque dedit ; cui silua uocato
densat odore comas, stupefacta regerminat arbos.

C.   illius ut primum senserunt numina terrae,
coepit et uberior sulcis fallentibus olim
luxuriare seges tandemque legumina plenis
uix resonant siliquis ; nec praefocata malignum
messis habet lolium nec inertibus albet auenis.

A.   iam neque damnatos metuit iactare ligones
fossor et inuento, si fors dedit, utitur auro ;
nec timet, ut nuper, dum iugera uersat arator,
ne sonet offenso contraria uomere massa,
iamque palam presso magis et magis instat aratro.

C.   ille dat, ut primas Cereri dare cultor aristas
possit et intacto Bromium perfundere uino,
ut nudus ruptas saliat calcator in uuas
utque bono plaudat paganica turba magistro,
qui facit egregios ad peruia compita ludos.

A.   ille meis pacem dat montibus : ecce per illum,
seu cantare iuuat seu ter pede laeta ferire
gramina, nullus obest ; licet et cantare choreis
et cantus uiridante licet mihi condere libro,
turbida nec calamos iam surdant classica nostros.

C.   numine Caesareo securior ipse Lycaeus
Pan recolit siluas et amoena Faunus in umbra
securus recubat placidoque in fonte lauatur
Nais et humanum non calcatura cruorem
per iuga siccato uelox pede currit Oreas.

A.   di, precor, hunc iuuenem, quem uos (neque fallor) ab
      ipso
aethere misistis, post longa reducite uitae
tempora uel potius mortale resoluite pensum
et date perpetuo caelestia fila metallo :

    sit deus et nolit pensare palatia caelo!

C.   tu modo mutata seu Iupiter ipse figura,
    Caesar, ades seu quis superum sub imagine falsa
    mortalique lates (es enim deus): hunc, precor, orbem
    hos, precor, aeternus populos rege! sit tibi caeli
    uilis amor coeptamque, pater, ne desere pacem!

M. rustica credebam nemoralis carmina uobis
    concessisse deas et obesis auribus apta;
    uerum, quae paribus modo concinuistis auenis,
    tam liquidum, tam dulce cadunt, ut non ego malim
    quod Peligna solent examina lambere nectar.

C.   o mihi quae tereti decurrent carmina uersu
    tunc, Meliboee, meum si quando montibus istis
    dicar habere Larem, si quando nostra uidere
    pascua contigerit! uellit nam saepius aurem
    inuida Paupertas et dicit: 'ouilia cura!'
    at tu, si qua tamen non aspernanda putabis,
    fer, Meliboee, deo mea carmina: nam tibi fas est
    sacra Palatini penetralia uisere Phoebi.
    tum mihi talis eris, qualis qui dulce sonantem
    Tityron e siluis dominam deduxit in urbem
    ostenditque deis et 'spreto' dixit 'ouili,
    Tityre, rura prius, sed post cantabimus arma'.

A.   respiciat nostros utinam fortuna labores
    pulcrior et meritae faucat deus ipse iuuentae!
    nos tamen interea tenerum mactabimus haedum
    et pariter subitae peragemus fercula cenae.

M. nunc ad flumen ouis deducite: iam fremit aestas,
    iam sol contractas pedibus magis admouet umbras.

M. ANNAEVS LVCANVS (?)

39-65 A. D.

248.   *His Own Epitaph*

CORDVBA me genuit, rapuit Nero, praelia dixi.
   quae gessere pares hinc socer, inde gener.
continuo numquam direxi carmina ductu,
   quae tractim serpant: plus mihi comma placet.
fulminis in morem, quae sint miranda, citentur:
   haec uere sapiet dictio, quae feriet!

ANONYMOUS

circa 60 A. D.

249.   *Laus Pisonis*

SED prius emenso Titan uergetur Olympo,
   quam mea tot laudes decurrere carmina possint.
felix et longa iuuenis dignissime uita
eximiumque tuae gentis decus, accipe nostram
cartulam et ut ueri complectere pignus amoris.
quod si digna tua minus est mea pagina laude,
at uoluisse sat est: animum, non carmina iacto.
tu modo laetus ades: forsan meliora canemus
et uiris dabit ipse fauor, dabit ipsa feracem
spes animum: dignare tuos aperire Penatis,
hoc solum petimus.   nec enim me diuitis auri
imperiosa fames et habendi saeua libido
impulerunt, sed laudis amor.   iuuat, optime, tecum
degere cumque tuis uirtutibus omne per aeuum
carminibus certare meis: sublimior ibo,
si famae mihi pandis iter, si detrahis umbram.
abdita quid prodest generosi uena metalli,
si cultore caret? quid inerti condita portu,
si ductoris eget, ratis efficit, omnia quamuis
armamenta gerat teretique fluentia malo

possit ab excusso dimittere uela rudenti:
ipse per Ausonias Aeneia carmina gentis
qui sonat, ingenti qui nomine pulsat Olympum
Maeoniumque senem Romano prouocat ore,
forsitan illius nemoris latuisset in umbra,
quod canit, et sterili tantum cantasset auena
ignotus populis, si Maecenate careret.
qui tamen haut uni patefecit limina uati
nec sua Vergilio permisit carmina soli.
Maecenas tragico quatientem pulpita gestu
erexit Varium, Maecenas alta tonantis
eruit et populis ostendit syrmata Gracchi:
carmina Romanis etiam resonantia chordis,
Ausoniamque chelyn gracilis patefecit Horati.
o decus, in totum merito uenerabilis aeuum,
Pierii tutela chori, quo praeside tuti
non umquam uates inopi timuere senectae,
quod si quis nostris precibus locus, et mea uota
si mentem subiere tuam, memorabilis olim
tu mihi Maecenas tereti cantabere uersu.
possumus aeternae nomen committere famae
si tamen hoc ulli de se promittere fas est
et deus ultor abest; superest animosa uoluntas
ipsaque nescio quid mens excellentius audet.
tu nanti protende manum: tu, Piso, latentem
exsere. nos humilis domus, at sincera, parentum
et tenuis fortuna sua caligine celat.
possumus impositis caput exonerare tenebris
et lucem spectare nouam, si quid modo laetus
annuis et nostris subscribis, candide, uotis.
est mihi, crede, meis animus constantior annis,
quamuis nunc iuuenile decus mihi pingere malas
coeperit et nondum uicesima uenerit aestas.

PETRONIVS ARBITER

20 (?)-66 A. D.

250.   *Thorns and Roses*

INVENIAT, quod quisque uelit : non omnibus unum est,
    quod placet : hic spinas colligit, ille rosas.

251.   '*Come to me in my dreams*'

TE uigilans oculis, animo te nocte requiro,
    uicta iacent solo cum mea membra toro.
uidi ego me tecum falsa sub imagine somni :
    somnia tu uinces si mihi uera uenis.

252.   *True Nobility*

VNA est nobilitas argumentumque coloris
    ingenui, timidas non habuisse manus.

253.   *Contrasts*

ILLIC alternis depugnat pontus et aer,
    hic riuo tenui peruia ridet humus.
illic demersas conplorat nauita puppis,
    hic pastor miti perluit amne pecus.
illic inmanis mors obuia soluit hiatus,
    hic gaudet curua falce recisa Ceres.
illic inter aquas urit sitis arida fauces,
    hic dea fert iuncto basia multa uiro.
nauiget et fluctus lasset mendicus Vlixes :
    in terris uiuit candida Penelope !

PETRONIVS ARBITER

254.   *Fire and Ice*

ME niue candenti petiit modo Iulia.   rebar
    igne carere niuem : nix tamen ignis erat.
quid niue frigidius ? nostrum tamen urere pectus
    nix potuit manibus, Iulia, missa tuis.
quis locus insidiis dabitur mihi tutus amoris,
    frigore concreta si latet ignis aqua ?
Iulia sola potes nostras exstinguere flammas :
    non niue, non glacie, sed potes igne pari.

L. VERGINIVS RVFVS

63 **A. D.**

255.   *His Own Epitaph*

HIC situs est Rufus, pulso qui Vindice quondam
    imperium adseruit non sibi, sed patriae.

P. PAPINIVS STATIVS

40-96 **A. D.**

256.   *Lucan's Birthday*

LVCANI proprium diem frequentet
    quisquis collibus Isthmiae Diones
docto pectora concitatus oestro
pendentis bibit ungulae liquorem.
ipsi quos penes est honor canendi,
uocalis citharae repertor Arcas,
et tu Bassaridum rotator Euhan,
et Paean et Hyantiae sorores
laetae purpureas nouate uittas,
crinem comite, candidamque uestem

304

perfundant hederae recentiores.
docti largius euagentur amnes,
et plus Aoniae uirete siluae,
et, si qua patet aut diem recepit,
sertis mollibus expleatur umbra.
centum Thespiacis odora lucis
stent altaria uictimaeque centum,
quas Dirce lauat aut alit Cithaeron.
Lucanum canimus, fauete linguis,
uestra est ista dies, fauete, Musae,
dum qui uos geminas tulit per artes,
et uinctae pede uocis et solutae,
Romani colitur chori sacerdos.

   Felix heu nimis et beata tellus,
quae pronos Hyperionis meatus
summis Oceani uides in undis
stridoremque rotae cadentis audis;
quae Tritonide fertilis Athenas
unctis, Baetica, prouocas trapetis:
Lucanum potes imputare terris!
hoc plus quam Senecam dedisse mundo
aut dulcem generasse Gallionem.
attollat refluos in astra fontis
Graio nobilior Melete Baetis;
Baetim, Mantua, prouocare noli.

   Natum protinus atque humum per ipsam
primo murmure dulce uagientem
blando Calliope sinu recepit.
tum primum posito remissa luctu
longos Orpheos exuit dolores
et dixit: 'puer o dicate Musis,
longaeuos cito transiture uates,
non tu flumina nec greges ferarum

nec plectro Geticas mouebis ornos,
sed septem iuga Martiumque Thybrim
et doctos equites et eloquente
cantu purpureum trahes senatum.
nocturnas alii Phrygum ruinas
et tarde reducis uias Vlixis
et puppem temerariam Mineruae
trita uatibus orbita sequantur:
tu carus Latio memorque gentis
carmen fortior exseres togatum.
ac primum teneris adhuc in annis
ludes Hectora Thessalosque currus
et supplex Priami potentis aurum,
et sedis reserabis inferorum;
ingratus Nero dulcibus theatris
et noster tibi proferetur Orpheus.
dices culminibus Remi uagantis
infandos domini nocentis ignis. ―
hinc castae titulum decusque Pollae
iucunda dabis adlocutione.
mox coepta generosior iuuenta
albos ossibus Italis Philippos
et Pharsalica bella detonabis,
quod fulmen ducis inter arma diui,
libertate grauem pia Catonem
et gratum popularitate Magnum.
tu Pelusiaci scelus Canopi
deflebis pius et Pharo cruenta
Pompeio dabis altius sepulcrum.
haec primo iuuenis canes sub aeuo,
ante annos Culicis Maroniani.
cedet Musa rudis ferocis Enni
et docti furor arduus Lucreti,

et qui per freta duxit Argonautas,
et qui corpora prima transfigurat.
quid maius loquar? ipsa te Latinis
Aeneis uenerabitur canentem.

Nec solum dabo carminum nitorem,
sed taedis genialibus dicabo
doctam atque ingenio tuo decoram
qualem blanda Venus daretque Iuno;
forma, simplicitate, comitate,
censu, sanguine, gratia, decore,
et uestros hymenaeon ante postis
festis cantibus ipsa personabo.

O saeuae nimium grauesque Parcae!
o numquam data longa fata summis!
cur plus, ardua, casibus patetis?
cur saeua uice magna non senescunt?
sic natum Nasamonii Tonantis
post ortus obitusque fulminatos
angusto Babylon premit sepulcro.
sic fixum Paridis manu trementis
Peliden Thetis horruit cadentem.
sic ripis ego murmurantis Hebri
non mutum caput Orpheos sequebar.
sic et tu, rabidi nefas tyranni,
iussus praecipitem subire Lethen,
dum pugnas canis arduaque uoce
das solatia grandibus sepulcris,
(o dirum scelus! o scelus!) tacebis.'

Sic fata est leuiterque decidentis
abrasit lacrimas nitente plectro.

At tu, seu rapidum poli per axem
famae curribus arduis leuatus,
qua surgunt animae potentiores,

terras despicis et sepulcra rides;
seu pacis merito nemus reclusi
felix Elysii tenes in oris,
quo Pharsalica turba congregatur,
et te nobile carmen insonantem
Pompei comitantur et Catones; —
seu magna sacer et superbus umbra
noscis Tartaron et procul nocentum
audis uerbera pallidumque uisa
matris lampade respicis Neronem:
adsis lucidus et uocante Polla
unum, quaeso, diem deos silentum
exores.   solet hoc patere limen
ad nuptas redeuntibus maritis.
haec te non thiasis procax dolosis
falsi numinis induit figura,
ipsum sed colit et frequentat ipsum
imis altius insitum medullis;
ac solatia uera subministrat
uultus, qui simili notatus auro
stratis praenitet incubatque somno
securae.   procul hinc abite, Mortes:
haec uitae genialis est origo.
cedat luctus atrox genisque manent
iam dulces lacrimae, dolorque festus
quicquid fleuerat ante, nunc adoret.

257.   *On the Death of a Favourite
Parrot*

PSITTACE dux uolucrum, domini facunda uoluptas,
   humanae sollers imitator psittace linguae,
quis tua tam subito praeclusit murmura fato?
hesternas, miserande, dapes moriturus inisti

nobiscum, et gratae carpentem munera mensae
errantemque toris mediae plus tempore noctis
uidimus. affatus etiam meditataque uerba
reddideras. at nunc aeterna silentia Lethes
ille canorus habes. cedat Phaethontia uulgi
fabula : non soli celebrant sua funera cygni.

A tibi quanta domus rutila testudine fulgens,
conexusque ebori uirgarum argenteus ordo,
argutumque tuo stridentia limina cornu !
heu querulae iam sponte fores ! uacat ille beatus
carcer, et angusti nusquam conuicia tecti !

Huc doctae stipentur aues quis nobile fandi
ius natura dedit : plangat Phoebeius ales,
auditasque memor penitus dimittere uoces
sturnus, et Aonio uersae certamine picae,
quique refert iungens iterata uocabula perdix,
et quae Bistonio queritur soror orba cubili.
ferte simul gemitus cognataque ducite flammis
funera, et hoc cunctae miserandum addiscite carmen :
' occidit aeriae celeberrima gloria gentis
psittacus, ille plagae uiridis regnator Eoae ;
quem non gemmata uolucris Iunonia cauda
uinceret aspectu, gelidi non Phasidis ales,
nec quas humenti Numidae rapuere sub austro.'

Ille salutator regum nomenque locutus
Caesareum et queruli quondam uice functus amici,
nunc conuiua leuis monstrataque reddere uerba
tam facilis ! quo tu, Melior dilecte, recluso
numquam solus eras. at non inglorius umbris
mittitur : Assyrio cineres adolentur amomo
et tenues Arabum respirant gramine plumae
Sicaniisque crocis ; senio nec fessus inerti
scandet odoratos phoenix felicior ignis.

258.   The Marriage of Stella and
              Violentilla

VNDE sacro Latii sonuerunt carmine montes?
    cui, Paean, noua plectra moues humeroque comanti
facundum suspendis ebur? procul ecce canoro
demigrant Helicone deae quatiuntque nouena
lampade sollemnem thalamis coeuntibus ignem
et de Pieriis uocalem fontibus undam.
quas inter uultu petulans Elegia propinquat
celsior adsueto, diuasque hortatur et ambit
alternum fultura pedem, decimamque uideri
se cupit et medias fallit permixta sorores.
ipsa manu nuptam genetrix Aeneia ducit
lumina demissam et dulci probitate rubentem;
ipsa toros et sacra parat cultuque Latino
dissimulata deam crinem uultusque genasque
temperat atque noua gestit minor ire marita.

    Nosco diem causasque sacri: te concinit iste
(pande foris!), te, Stella, chorus; tibi Phoebus et Euhan
et de Maenalia uolucer Tegeaticus umbra
serta ferunt, nec blandus Amor nec Gratia cessat
amplexum niueos optatae coniugis artus
floribus innumeris et olenti spargere nimbo.
tu modo fronte rosas, uiolis modo lilia mixta
excipis et dominae niueis a uultibus obstas.

    Ergo dies aderat Parcarum conditus albo
uellere, quo Stellae Violentillaeque professus
clamaretur hymen.   cedant curaeque metusque,
cessent mendaces obliqui carminis astus,
fama tace: subiit leges et frena momordit
ille solutus amor: consumpta est fabula uulgi,

et narrata diu uiderunt oscula ciues.
tu tamen attonitus, quamuis data copia tantae
noctis, adhuc optas permissaque numine dextro
uota paues.   pone o dulcis suspiria uates,
pone : tua est.   licet expositum per limen aperto
ire redire gradu : iam nusquam ianitor aut lex
aut pudor.   amplexu tandem satiare petito
(contigit !) et duras pariter reminiscere noctis.

   Digna quidem merces, et si tibi Iuno labores
Herculeos, Stygiis et si concurrere monstris
fata darent, si Cyaneos raperere per aestus.
hanc propter tanti Pisaea lege trementem
currere et Oenomai fremitus audire sequentis.
nec si Dardania pastor temerarius Ida
sedisses haec dona forent, nec si alma per auras
te potius prensum aueheret Tithonia biga.

   Sed quae causa toros inopinaque gaudia uati
attulit, hic mecum, dum feruent agmine postes
atriaque et multa pulsantur limina uirga,
hic, Erato iucunda, doce.   uacat apta mouere
colloquia, et docti norunt audire penates.

   Forte, serenati qua stat plaga lactea caeli,
alma Venus thalamo pulsa modo nocte iacebat
amplexu duro Getici resoluta mariti.
fulcra torosque deae tenerum premit agmen Amorum ;
signa petunt, quas ferre faces, quae pectora figi
imperet ; an terris saeuire an malit in undis,
an miscere deos an adhuc uexare Tonantem.
ipsi animus nondum nec cordi fixa uoluntas.
fessa iacet stratis, ubi quondam conscia culpae
Lemnia deprenso repserunt uincula lecto.
hic puer e turba uolucrum cui plurimus ignis
ore, manuque leui numquam frustrata sagitta,

agmine de medio tenera sic dulce profatur
uoce (pharetrati pressere silentia fratres) :
' scis ut, mater,' ait ' nulla mihi dextera segnis
militia ; quemcumque hominum diuumque dedisti,
uritur.   at quondam lacrimis et supplice dextra
et uotis precibusque uirum concede moueri,
o genetrix : duro nec enim ex adamante creati,
sed tua turba sumus.   clarus de gente Latina
est iuuenis, quem patriciis maioribus ortum
nobilitas gauisa tulit praesagaque formae
protinus e nostro posuit cognomina caelo.
hunc egomet tota quondam (tibi dulce) pharetra
improbus et densa trepidantem cuspide fixi.
quamuis Ausoniis multum gener ille petitus
matribus, edomui et uictum dominaeque potentis
ferre iugum et longos iussi sperare per annos.
ast illam summa leuiter (sic namque iubebas)
lampade parcentes et inerti strinximus arcu.
ex illo quantos iuuenis premat anxius ignis
testis ego attonitus, quantum me nocte dieque
urgentem ferat.   haud ulli uehementior umquam
incubui, genetrix, iterataque uulnera fodi.
uidi ego et immiti cupidum decurrere campo
Hippomenen, nec sic meta pallebat in ipsa ;
uidi et Abydeni iuuenis certantia remis
bracchia laudauique manus et saepe natanti
praeluxi : minor ille calor quo saeua tepebant
aequora : tu ueteres, iuuenis, transgressus amores.
ipse ego te tantos stupui durasse per aestus,
firmauique animos blandisque madentia plumis
lumina detersi.   quotiens mihi questus Apollo
sic uatem maerere suum ! iam, mater, amatos
indulge thalamos.   noster comes ille piusque

signifer: armiferos poterat memorare labores
claraque facta uirum et torrentis sanguine campos,
sed tibi plectra dedit mitisque incedere uates
maluit et nostra laurum subtexere myrto;
hic iuuenum lapsus suaque haut hesterna reuoluit
uulnera; pro! quanta est Paphii reuerentia, mater,
numinis: hic nostrae defleuit fata columbae.'

Finis erat: tenera matris ceruice pependit
blandus et admotis tepefecit pectora pennis.
illa refert uultum non aspernata rogantis:
'grande quidem rarumque uiris quos ipsa probaui
Pierius uotum iuuenis cupit. hanc ego formae
egregium mirata decus cui gloria patrum
et generis certabat honos, tellure cadentem
excepi fouique sinu; nec colla genasque
comere nec pingui crinem deducere amomo
cessauit mea, nate, manus. mihi dulcis imago
prosiluit. celsae procul aspice frontis honores
suggestumque comae. Latias metire quid ultra
emineat matres; quantum Latonia nymphas
uirgo premit quantumque egomet Nereidas exsto.
haec et caeruleis mecum consurgere digna
fluctibus et nostra potuit considere concha;
et si flammigeras potuisset scandere sedis
hasque intrare domos, ipsi erraretis, Amores.
huic quamuis census dederim largita beatos,
uincit opes animo. queritor iam Seras auaros
angustum spoliare nemus Clymeneaque desse
germina nec uiridis satis inlacrimare sorores;
uellera Sidonio iam pauca rubescere tabo
raraque longaeuis niuibus crystalla gelari.
huic Hermum fuluoque Tagum decurrere limo
(nec satis ad cultus), huic Inda monilia Glaucum

Proteaque atque omnem Nereida quaerere iussi.
hanc si Thessalicos uidisses, Phoebe, per agros,
erraret secura Daphne.   si in litore Naxi
Theseum iuxta foret haec conspecta cubile,
Gnosida desertam profugus liquisset et Euhan.
quod nisi me longis placasset Iuno querelis,
falsus huic pinnas et cornua sumeret aethrae
rector, in hanc uafro cecidisset Iuppiter auro.
sed dabitur iuueni, cui tu, mea summa potestas,
nate, cupis, thalami quamuis iuga ferre secundi
saepe neget maerens.   ipsam iam cedere sensi
inque uicem tepuisse uiro.'   sic fata leuauit
sidereos artus thalamique egressa superbum
limen Amyclaeos ad frena citauit olores.
iungit Amor laetamque uehens per nubila matrem
gemmato temone sedet.   iam Thybridis arces
Iliacae : pandit nitidos domus alta penatis,
claraque gaudentes plauserunt limina cygni.

   Digna deae sedes, nitidis nec sordet ab astris.
hic Libycus Phrygiusque silex, hic dura Laconum
saxa uirent ; hic flexus onyx et concolor alto
uena mari, rupesque nitent quis purpura saepe
Oebalis et Tyrii moderator liuet aeni.
pendent innumeris fastigia nixa columnis ;
robora Dalmatico lucent satiata metallo.
excludunt radios siluis demissa uetustis
frigora, perspicui uiuunt in marmore fontes.
nec seruat natura uices : hic Sirius alget,
bruma tepet, uersumque domus sibi temperat annum.

   Exsultat uisu tectisque potentis alumnae
non secus alma Venus quam si Paphon aequore ab alto
Idaliasque domos Erycinaque templa subiret.
tunc ipsam solo reclinem adfata cubili :

P. PAPINIVS STATIVS

'quonam hic usque sopor uacuique modestia lecti,
o mihi Laurentis inter dilecta puellas?
quis morum fideique modus? numquamne uirili
summittere iugo? ueniet iam tristior aetas:
exerce formam et fugientibus utere donis.
non ideo tibi tale decus uultusque superbos
meque dedi, uiduos ut transmittare per annos
ceu non cara mihi. satis o nimiumque priores
despexisse procos. at enim hic tibi sanguine toto
deditus unam omnis inter miratur amatque,
nec formae nec stirpis egens: nam docta per Vrbem
carmina qui iuuenes, quae non didicere puellae?
hunc et bis senos (sic indulgentia pergat
praesidis Ausonii) cernes attollere fascis
ante diem; certe iam nunc Cybeleia mouit
limina et Euboicae carmen legit ille Sibyllae.
iamque parens Latius cuius praenoscere mentem
fas mihi, purpureos habitus iuuenique curule
indulgebit ebur, Dacasque (et gloria maior)
exuuias laurosque dabit celebrare recentis.
ergo age, iunge toros atque otia deme iuuentae.
quas ego non gentis, quae non face corda iugali?
alituum pecudumque mihi durique ferarum
non renuere greges; ipsum in conubia terrae
aethera, cum pluuiis rarescunt nubila, soluo.
sic rerum series mundique reuertitur aetas.
unde nouum Troiae decus ardentumque deorum
raptorem, Phrygio si non ego iuncta marito?
Lydius unde meos iterasset Thybris Iulos?
quis septemgeminae posuisset moenia Romae
imperii Latiale caput nisi Dardana furto
cepisset Martem, nec me prohibente, sacerdos?'
    His mulcet dictis taciteque inspirat honorem

conubii. redeunt animo iam dona precesque
et lacrimae uigilesque uiri prope limina questus,
Asteris et uati totam cantata per Vrbem,
Asteris ante dapes, nocte Asteris, Asteris ortu,
quantum non clamatus Hylas. iamque aspera coepit
flectere corda libens et iam sibi dura uideri.

Macte toris, Latios inter placidissime uates,
quod durum permensus iter coeptique laboris
prendisti portus. uiduae sic transfuga Pisae
amnis in externos longe flammatus amores
flumina demerso trahit intemerata canali,
donec Sicanios tandem prolatus anhelo
ore bibat fontis : miratur dulcia Nais
oscula nec credit pelago uenisse maritum.

Quis tibi tunc alacri caelestum in munere claro,
Stella, dies? quanto salierunt pectora uoto,
dulcia cum dominae dexter conubia uultus
adnuit! ire polo nitidosque errare per axis
uisus. Amyclaeis minus exsultauit harenis
pastor ad Idaeas Helena ueniente carinas;
Thessala nec talem uiderunt Pelea Tempe,
cum Thetin Haemoniis Chiron accedere terris
erecto prospexit equo. quam longa morantur
sidera! quam segnis uotis Aurora mariti!

At procul ut Stellae thalamos sensere parari
Letous uatum pater et Semeleius Euhan;
hic mouet Ortygia, mouet hic rapida agmina Nysa.
huic Lycii montes gelidaeque umbracula Thymbrae
et, Parnase, sonas: illi Pangaea resultant
Ismaraque et quondam genialis litora Naxi.
tunc caras iniere fores comitique canoro
hic chelyn, hic flauam maculoso nebrida tergo,
hic thyrsos, hic plectra ferunt; hic enthea lauro

tempora, Minoa crinem premit ille corona.

Vixdum emissa dies, et iam socialia praesto
omina, iam festa feruet domus utraque pompa.
fronde uirent postes, effulgent compita flammis,
et pars immensae gaudet celeberrima Romae.
omnis honos, cuncti ueniunt ad limina fasces ·
omnis plebeio teritur praetexta tumultu;
hinc eques, hinc iuuenum questus, stola mixta laborat.
felices utrosque uocant, sed in agmine plures
inuidere uiro.   iamdudum poste reclinis
quaerit Hymen thalamis intactum dicere carmen,
quo uatem mulcere queat.   dat Iuno uerenda
uincula et insigni geminat Concordia taeda.
hic fuit ille dies: noctem canat ipse maritus!
quantum nosse licet, sic uicta sopore doloso
Martia fluminea posuit latus Ilia ripa;
non talis niueos tinxit Lauinia uultus
cum Turno spectante rubet; non Claudia talis
respexit populos mota iam uirgo carina.

Nunc opus, Aonidum comites tripodumque ministri,
diuersis certare modis: eat enthea uittis
atque hederis redimita cohors, ut pollet ouanti
quisque lyra.   sed praecipui qui nobile gressu
extremo fraudatis opus, date carmina festis
digna toris.   hunc ipse Coo plaudente Philetas
Callimachusque senex Vmbroque Propertius antro
ambissent laudare diem, nec tristis in ipsis
Naso Tomis diuesque foco lucente Tibullus.

Me certe non unus amor simplexque canendi
causa trahit: tecum similes iunctaeque Camenae,
Stella, mihi, multumque pares bacchamur ad aras
et sociam doctis haurimus ab amnibus undam.
at te nascentem gremio mea prima recepit

317

Parthenope, dulcisque solo tu gloria nostro
reptasti. nitidum consurgat ad aethera tellus
Eubois et pulcra tumeat Sebethos alumna;
nec sibi sulpureis Lucrinae Naides antris
nec Pompeiani placeant magis otia Sarni.

Eia age, praeclaros Latio properate nepotes,
qui leges, qui castra regant, qui carmina ludant.
acceleret partu decimum bona Cynthia mensem,
sed parcat Lucina precor; tuque ipse parenti
parce, puer, ne mollem uterum, ne stantia laedas
pectora; cumque tuos tacito natura recessu
formarit uultus, multum de patre decoris,
plus de matre feras. at tu, pulcerrima forma
Italidum, tandem merito possessa marito,
uincla diu quaesita foue: sic damna decoris
nulla tibi; longe uirides sic flore iuuentae
perdurent uultus, tardeque haec forma senescat.

259.   *A Villa at Tibur*

CERNERE facundi Tibur glaciale Vopisci
    si quis et inserto geminos Aniene penatis,
aut potuit sociae commercia noscere ripae
certantisque sibi dominum defendere uillas,
illum nec calido latrauit Sirius astro
nec grauis aspexit Nemeae frondentis alumnus:
talis hiems tectis, frangunt sic improba solem
frigora, Pisaeumque domus non aestuat annum.
uisa manu tenera telam scripsisse Voluptas:
tum Venus Idaliis unxit fastigia sucis
permulsitque comis blandumque reliquit honorem
sedibus et uolucris uetuit discedere natos.

O longum memoranda dies! quae mente reporto
gaudia, quam lassos per tot miracula uisus!
ingenium quam mite solo! quae forma beatis
ante manus artemque locis! non largius usquam
indulsit natura sibi. nemora alta citatis
incubuere uadis; fallax responsat imago
frondibus, et longas eadem fugit umbra per undas.
ipse Anien (miranda fides) infraque superque
spumeus hic tumidam rabiem saxosaque ponit
murmura, ceu placidi ueritus turbare Vopisci
Pieriosque dies et habentis carmina somnos.
litus utrumque domi, nec te mitissimus amnis
diuidit. alternas seruant praetoria ripas,
non externa sibi fluuiumue obstare queruntur.
Sestiacos nunc fama sinus pelagusque natatum
iactet et audaci uictos delphinas ephebo!
hic aeterna quies, nullis hic iura procellis,
numquam feruor aquis. datur hic transmittere uisus
et uoces et paene manus. sic Chalcida fluctus
expellunt reflui? sic dissociata profundo
Bruttia Sicanium circumspicit ora Pelorum?
quid primum mediumue canam, quo fine quiescam?
auratasne trabis an Mauros undique postis
an picturata lucentia marmora uena
mirer, an emissas per cuncta cubilia nymphas?
huc oculis, huc mente trahor. uenerabile dicam
lucorum senium? te, quae uada fluminis infra
cernis, an ad siluas quae respicis, aula, tacentis,
qua tibi tuta quies offensaque turbine nullo
nox silet et pigros inuitant murmura somnos?
an quae graminea suscepta crepidine fumant
balnea et impositum riuis algentibus ignem?
quaque uaporiferis iunctus fornacibus amnis

ridet anhelantis uicino flumine nymphas?
uidi artis ueterumque manus uariisque metalla
uiua modis. labor est auri memorare figuras
aut ebur aut dignas digitis contingere gemmas;
quicquid et argento primum uel in aere minori
lusit et enormis manus est experta colossos.
dum uagor aspectu uisusque per omnia duco,
calcabam necopinus opes. nam splendor ab alto
defluus et nitidum referentes aera testae
monstrauere solum; uarias ubi picta per artis
gaudet humus superatque nouis asarota figuris:
expauere gradus.
                    Quid nunc iungentia mirer
aut quid partitis distantia tecta trichoris?
quid te, quae mediis seruata penatibus arbor
tecta per et postis liquidas emergis in auras,
quo non sub domino saeuas passura bipennis?
et nunc ignaro forsan uel lubrica Nais
uel non abruptos tibi demet Hamadryas annos.
quid referam alternas gemino super aggere mensas
albentisque lacus altosque in gurgite fontis?
teque, per obliquum penitus quae laberis amnem,
Marcia, et audaci transcurris flumina plumbo,
ne solum Ioniis sub fluctibus Elidis amnem
dulcis ad Aetnaeos deducat semita portus?
illic ipse antris Anien et fonte relicto
nocte sub arcana glaucos exutus amictus
huc illuc fragili prosternit pectora musco,
aut ingens in stagna cadit uitreasque natatu
plaudit aquas. illa recubat Tiburnus in umbra,
illic sulpureos cupit Albula mergere crinis;
haec domus Egeriae nemoralem abiungere Phoeben
et Dryadum uiduare choris algentia possit

Taygeta et siluis accersere Pana Lycaeis.
quod ni templa darent alias Tirynthia sortis,
et Praenestinae poterant migrare Sorores.

    Quid bifera Alcinoi laudem pomaria uosque,
qui numquam uacui prodistis in aethera, rami?
cedant Telegoni, cedant Laurentia Turni
iugera Lucrinaeque domus litusque cruenti
Antiphatae; cedant uitreae iuga perfida Circes
Dulichiis ululata lupis, arcesque superbae
Anxuris et sedes Phrygio quas mitis alumno
debet anus; cedant, quae te iam solibus artis
Antia nimbosa reuocabunt litora bruma.

    Scilicet hic illi meditantur pondera mores;
hic premitur fecunda quies uirtusque serena
fronte grauis sanusque nitor luxuque carentes
deliciae, quas ipse suis digressus Athenis
mallet deserto senior Gargettius horto;
haec per et Aegaeas hiemes Hyadumque niuosum
sidus et Oleniis dignum petiisse sub astris,
si Maleae credenda ratis Siculosque per aestus
sit uia: cur oculis sordet uicina uoluptas?
hic tua Tiburtes Faunos chelys et iuuat ipsum
Alciden dictumque lyra maiore Catillum;
seu tibi Pindaricis animus contendere plectris,
siue chelyn tollas heroa ad robora, siue
liuentem satiram nigra rubigine uibres,
seu tua non alia splendescat epistola cura.
digne Midae Croesique bonis et Perside gaza.
macte bonis animi! cuius stagnantia rura
debuit et flauis Hermus transcurrere ripis
et limo splendente Tagus. sic docta frequentes
otia, sic omni detectus pectora nube
finem Nestoreae precor egrediare senectae.

260. *To Claudius Etruscus on the
Death of his Father*

SVMMA deum, Pietas, cuius gratissima caelo
rara profanatas inspectant numina terras,
huc uittata comam niueoque insignis amictu,
qualis adhuc praesens nullaque expulsa nocentum
fraude rudis populos atque aurea regna colebas,
mitibus exsequiis ades et lugentis Etrusci
cerne pios fletus laudataque lumina terge.
nam quis inexpleto rumpentem pectora questu
complexumque rogos incumbentemque fauillis
aspiciens non aut primaeuae funera plangi
coniugis aut nati modo pubescentia credat
ora rapi flammis? pater est qui fletur. adeste
dique hominesque sacris. procul hinc, procul ite nocentes,
si cui corde nefas tacitum fessique senectus
longa patris, si quis pulsatae conscius anguem
matris et inferna rigidum timet Aeacon urna :
insontis castosque uoco. tenet ecce senilis
leniter implicitos uultus sanctamque parentis
canitiem spargit lacrimis animaeque supremum
frigus amat ; celeris genitoris filius annos
(mira fides !) nigrasque putat properasse Sorores.
    Exsultent placidi Lethaea ad flumina manes,
Elysiae gaudete domus ; date serta per aras,
festaque pallentis hilarent altaria lucos.
felix, a, nimium felix plorataque nato
umbra uenit. longe Furiarum sibila, longe
tergeminus custos, penitus uia longa patescat

manibus egregiis: eat horrendumque silentis
accedat domini solium, gratisque supremas
perferat, et totidem iuueni roget anxius annos.

Macte pio gemitu! dabimus solatia dignis
luctibus Aoniasque tuo sacrabimus ultro
inferias, Etrusce, seni! tu largus Eoa
germina, tu messis Cilicumque Arabumque superbas
merge rogis; ferat ignis opes heredis et alto
aggere missuri nitido pia nubila caelo
stipentur cineres: nos non arsura feremus
munera, uenturosque tuus durabit in annos
me monstrante dolor. neque enim mihi flere parentem
ignotum; similis gemui proiectus ad ignis.
ille mihi tua damna dies compescere cantu
suadet, et ipse tuli quos nunc tibi confero questus.

Non tibi clara quidem, senior placidissime, gentis
linea nec proauis demissum stemma, sed ingens
suppleuit fortuna genus culpamque parentum
occuluit. nec enim dominos de plebe tulisti,
sed quibus occasus pariter famulantur et ortus.
nec pudor iste tibi: quid enim terrisque poloque
parendi sine lege manet? uice cuncta reguntur
alternisque premunt. propriis sub regibus omnis
terra; premit felix regum diademata Roma;
hanc ducibus frenare datum; mox crescit in illos
imperium superis. sed habent et numina legem:
seruit et astrorum uelox chorus et uaga seruit
luna, nec iniussae totiens redit orbita lucis.
et (modo si fas est aequare iacentia summis)
pertulit Eurysthei Tirynthius horrida regis
pacta, nec erubuit famulantis fistula Phoebi.

Sed neque barbaricis Latio transmissus ab oris:
Smyrna tibi gentile solum potusque uerendo

fonte Meles Hermique uadum, quo Lydius intrat
Bacchus et aurato reficit sua cornua limo.
laeta dehinc series uariisque ex ordine curis
auctus honos ; semperque gradi prope numina, semper
Caesareum coluisse latus sacrisque deorum
arcanis haerere datum.   Tibereia primum
aula tibi uixdum ora noua mutante iuuenta
panditur.   hic annis multa super indole uictis
libertas oblata uenit ; nec proximus heres,
immitis quamquam et Furiis agitatus, abegit.
huic et in Arctoas tendis comes usque pruinas
terribilem affatu passus uisuque tyrannum
immanemque suis, ut qui metuenda ferarum
corda domant mersasque iubent iam sanguine tacto
reddere ab ore manus et nulla uiuere praeda.
praecipuos sed enim merito surrexit in actus
nondum stelligerum senior dimissus in axem
Claudius et longo transmittit habere nepoti.
quis superos metuens pariter tot templa, tot aras
promeruisse datur ? summi Iouis aliger Arcas
nuntius ; imbrifera potitur Thaumantide Iuno ;
stat celer obsequio iussa ad Neptunia Triton :
tu totiens mutata ducum iuga rite tulisti
integer, inque omni felix tua cumba profundo.

Iamque piam lux alta domum praecelsaque toto
intrauit Fortuna gradu ; iam creditur uni
sanctarum digestus opum partaeque per omnis
diuitiae populos magnique impendia mundi.
quicquid ab auriferis eiectat Hiberia fossis,
Dalmatico quod monte nitet, quod messibus Afris
uerritur, aestiferi quicquid terit area Nili,
quodque legit mersus pelagi scrutator Eoi,
et Lacedaemonii pecuaria culta Galaesi

perspicuaeque niues Massylaque robora et Indi
dentis honos : uni parent commissa ministro,
quae Boreas quaeque Eurus atrox, quae nubilus **Auster**
inuehit : hibernos citius numeraueris imbris
siluarumque comas.   uigil idem animique sagacis
cognitus euoluit quantum Romana sub omni
pila die quantumque tribus, quid templa, quid alti
undarum cursus, quid propugnacula poscant
aequoris aut longe series porrecta uiarum ;
quod domini celsis niteat laquearibus aurum,
quae diuum in uultus igni formanda liquescat
massa, quid Ausoniae scriptum crepet igne Monetae.
hinc tibi rara quies animoque exclusa uoluptas,
exiguaeque dapes et numquam laesa profundo
cura mero ; sed iura tamen genialia cordi
et mentem uincire toris ac iungere festa
conubia et fidos domino genuisse clientis.

   Quis sublime genus formamque insignis Etruscae
nesciat ? haud quamquam proprio mihi cognita uisu,
sed decus eximium famae par reddit imago,
uultibus et similis natorum gratia monstrat.
nec uulgare genus ; fascis summamque curulem
frater et Ausonios ensis mandataque fidus
signa tulit, cum prima trucis amentia Dacos
impulit et magno gens est damnata triumpho.
sic quicquid patrio cessatum a sanguine, mater
reddidit, obscurumque latus clarescere uidit
conubio gauisa domus.   nec pignora longe ;
quippe bis ad partus uenit Lucina manuque
ipsa leui grauidos tetigit fecunda labores.
felix a ! si longa dies, si cernere uultus
natorum uiridisque genas tibi iusta dedissent
stamina ! sed media cecidere abrupta iuuenta :

gaudia florentisque manu scidit Atropos annos ;
qualia pallentis declinant lilia culmos
pubentesque rosae primos moriuntur ad austros,
aut ubi uerna nouis exspirat purpura pratis.
illa sagittiferi circumuolitastis Amores
funera maternoque rogos unxistis amomo ;
nec modus aut pennis laceris aut crinibus ignem
spargere, collectaeque pyram struxere pharetrae.
quas tunc inferias aut quae lamenta dedisses
maternis, Etrusce, rogis, qui funera patris
haud matura putas atque hos pius ingemis annos !

  Illum et qui nutu superas nunc temperat arcis
progeniem claram terris partitus et astris,
laetus Idumaei donauit honore triumphi,
dignatusque loco uictricis et ordine pompae
non uetuit, tenuesque nihil minuere parentes.
atque idem in cuneos populo deduxit equestris,
mutauitque genus laeuaeque ignobile ferrum
exuit et celso natorum aequauit honorem.
dextra bis octonis fluxerunt saecula lustris,
atque aeui sine nube tenor.   quam diues in usus
natorum totoque uolens excedere censu,
testis adhuc largi nitor inde assuetus Etrusci,
cui tua non humilis dedit indulgentia mores.
hunc siquidem amplexu semper reuocante tenebas
blandus et imperio numquam pater ; huius honori
pronior ipse etiam gaudebat cedere frater.

  Quas tibi deuoti iuuenes pro patre renato,
summe ducum, gratis, aut quae pia uota rependunt !
tu (seu tarda situ rebusque exhausta senectus
errauit, seu blanda diu Fortuna regressum
maluit) attonitum et uenturi fulminis ictus
horrentem tonitru tantum lenique procella

contentus monuisse senem; cumque horrida supra
aequora curarum socius procul Itala rura
linqueret, hic mollis Campani litoris oras
et Diomedeas concedere iussus in arcis,
atque hospes, non exsul, erat. nec longa moratus
Romuleum reseras iterum, Germanice, limen
maerentemque foues inclinatosque penatis
erigis. haut mirum, ductor placidissime, quando
haec est quae uictis parcentia foedera Cattis,
quaeque suum Dacis donat clementia montem,
quae modo Marcomanos post horrida bella uagosque
Sauromatas Latio non est dignata triumpho.
 · Iamque in fine dies, et inexorabile pensum
deficit. hic maesti pietas me poscit Etrusci
qualia nec Siculae modulantur carmina rupes
nec fati iam certus olor saeuique marita
Tereos. heu quantis lassantem bracchia uidi
planctibus et prono fusum super oscula uultu!
uix famuli comitesque tenent, uix arduus ignis
summouet. haut aliter gemuit per Sunia Theseus
litora qui falsis deceperat Aegea uelis.
tunc immane gemens foedatusque ora tepentis
affatur cineres: ' cur nos, fidissime, linquis
fortuna redeunte, pater? modo numina magni
praesidis atque breuis superum placauimus iras,
nec frueris? tantique orbatus muneris usu
ad manis, ingrate, fugis? nec flectere Parcas
aut placare malae datur aspera numina Lethes?
felix, cui magna patrem ceruice uehenti
sacra Mycenaeae patuit reuerentia flammae!
quique tener saeuis genitorem Scipio Poenis
abstulit, et Lydi pietas temeraria Lausi.
ergo et Thessalici coniunx pensare mariti

funus, et immitem potuit Styga uincere supplex
Thracius? hoc quanto melius pro patre liceret!
non totus rapiere tamen, nec funera mittam
longius; hic manis, hic intra tecta tenebo:
tu custos dominusque laris, tibi cuncta tuorum
parebunt; ego rite minor semperque secundus
assiduas libabo dapes et pocula sacris
manibus effigiesque colam: te lucida saxa,
te similem doctae referet mihi linea cerae;
nunc ebur et fuluum uultus imitabitur aurum.
inde uiam morum longaeque examina uitae
affatusque pios monituraque somnia poscam.'

Talia dicentem genitor dulcedine laeta
audit, et immitis lente descendit ad umbras
uerbaque dilectae fert narraturus Etruscae.

Salue supremum, senior mitissime patrum,
supremumque uale, qui numquam sospite nato
triste chaos maestique situs patiere sepulcri.
semper odoratis spirabunt floribus arae,
semper et Assyrios felix bibet urna liquores
et lacrimas, qui maior honos. hic sacra litabit
manibus eque tua tumulum tellure leuabit.
nostra quoque exemplo meritus tibi carmine sancit
hoc etiam gaudens cinerem donasse sepulcro.

261.   '*He hath outsoared the shadow
of our night*'

HIC finis rapto ! quin tu iam uulnera sedas
et tollis mersum luctu caput ? omnia functa
aut moritura uides : obeunt noctesque diesque
astraque, nec solidis prodest sua machina terris.
nam populus mortale genus; plebisque caducae
quis fleat interitus ? hos bella, hos aequora poscunt ;
his amor exitio, furor his et saeua cupido,
ut sileam morbos ; hos ora rigentia brumae,
illos implacido letalis Sirius igni,
hos manet imbrifero pallens Autumnus hiatu.
quicquid init ortus, finem timet.   ibimus omnes,
ibimus : immensis urnam quatit Aeacus umbris.

   Ast hic, quem gemimus, felix hominesque deosque
et dubios casus et caecae lubrica uitae
effugit, immunis fatis.   non ille rogauit,
non timuit renuitue mori : nos anxia plebes,
nos miseri, quibus unde dies suprema, quis aeui
exitus incertum, quibus instet fulmen ab astris,
quae nubes fatale sonet.   nil flecteris istis ?
sed flectere libens.   ades huc emissus ab atro
limine, cui soli cuncta impetrare facultas,
Glaucia !—nam insontis animas nec portitor arcet,
nec durae comes ille serae :—tu pectora mulce,
tu prohibe manare genas noctisque beatas
dulcibus alloquiis et uiuis uultibus imple,
et periisse nega : desolatamque sororem,
qui potes, et miseros perge insinuare parentis.

262.   *To Sleep*

CRIMINE quo merui, iuuenis, placidissime diuum,
   quoue errore miser, donis ut solus egerem,
Somne, tuis? tacet omne pecus uolucresque feraeque
et simulant fessos curuata cacumina somnos,
nec trucibus fluuiis idem sonus; occidit horror
aequoris, et terris maria acclinata quiescunt.
septima iam rediens Phoebe mihi respicit aegras
stare genas; totidem Oetaeae Paphiaeque reuisunt
lampades et totiens nostros Tithonia questus
praeterit et gelido parcit miserata flagello.
unde ego sufficiam? non si mihi lumina mille
quae uafer alterna tantum statione tenebat
Argus et haud umquam uigilabat corpore toto.
at nunc heu! si aliquis longa sub nocte puellae
bracchia nexa tenens ultro te, Somne, repellit,
inde ueni. nec te totas infundere pennas
luminibus compello meis (hoc turba precetur
laetior): extremo me tange cacumine uirgae
(sufficit) aut leuiter suspenso poplite transi.

M. VALERIVS MARTIALIS

40-104? A. D.

263. *Bilbilis*

VERONA docti syllabas amat uatis,
  Marone felix Mantua est,
censetur Aponi Liuio suo tellus
  Stellaque nec Flacco minus,
Apollodoro plaudit imbrifer Nilus,
  Nasone Paeligni sonant,
duosque Senecas unicumque Lucanum
  facunda loquitur Corduba,
gaudent iocosae Canio suo Gades,
  Emerita Deciano meo :
te, Liciniane, gloriabitur nostra,
  nec me tacebit Bilbilis.

264. *He sends his Book to Caesius*

NOSTI si bene Caesium, libelle,
  montanae decus Vmbriae Sabinum,
Auli municipem mei Pudentis,
illi tu dabis haec uel occupato.
instent mille licet premantque curae,
nostris carminibus tamen uacabit.
nam me diligit ille proximumque
Turni nobilibus leget libellis.
o quantum mihi nominis paratur !
o quae gloria ! quam frequens amator !
te conuiuia, te forum sonabit,
aedes, compita, porticus, tabernae.
uni mitteris, omnibus legeris.

265.   *To Silius Italicus*

*To lay aside the Punica, and read the light
Verses of Martial*

SILI, Castalidum decus sororum,
  qui periuria barbari furoris
ingenti premis ore perfidosque
astus Hannibalis leuisque Poenos
magnis cedere cogis Africanis:
paulum seposita seueritate,
dum blanda uagus alea December
incertis sonat hinc et hinc fritillis
et ludit tropa nequiore talo,
nostris otia commoda Camenis,
nec torua lege fronte, sed remissa
lasciuis madidos iocis libellos.
sic forsan tener ausus est Catullus
magno mittere passerem Maroni.

266.   *Life not Legends*

QVI legis Oedipoden caligantemque Thyesten,
  Colchidas et Scyllas, quid nisi monstra legis?
quid tibi raptus Hylas, quid Parthenopaeus et Attis,
  quid tibi dormitor proderit Endymion?
exutusue puer pinnis labentibus? aut qui
  odit amatrices Hermaphroditus aquas?
quid te uana iuuant miserae ludibria chartae?
  hoc lege, quod possit dicere uita 'Meum est'.
non hic Centauros, non Gorgonas Harpyiasque
  inuenies: hominem pagina nostra sapit.
sed non uis, Mamurra, tuos cognoscere mores
  nec te scire: legas Aetia Callimachi.

267.   *To Valerius Flaccus*

The Decay of Poetry and Poets

i

TEMPORIBVS nostris aetas cum cedat auorum
  creuerit et maior cum duce Roma suo,
ingenium sacri miraris deesse Maronis,
  nec quemquam tanta bella sonare tuba.
sint Maecenates, non deerunt, Flacce, Marones,
  Vergiliumque tibi uel tua rura dabunt.
iugera perdiderat miserae uicina Cremonae
  flebat et abductas Tityrus aeger ouis.
risit Tuscus eques, paupertatemque malignam
  reppulit et celeri iussit abire fuga.
'accipe diuitias et uatum maximus esto;
  tu licet et nostrum' dixit 'Alexin ames'.
adstabat domini mensis pulcerrimus ille
  marmorea fundens nigra Falerna manu,
et libata dabat roseis carchesia labris,
  quae poterant ipsum sollicitare Iouem.
excidit attonito pinguis Galatea poetae,
  Thestylis et rubras messibus usta genas:
protinus ITALIAM concepit et ARMA VIRVMQVE,
  qui modo uix Culicem fleuerat ore rudi.
quid Varios Marsosque loquar ditataque uatum
  nomina, magnus erit quos numerare labor?
ergo ego Vergilius, si munera Maecenatis
  des mihi? Vergilius non ero, Marsus ero.

333

ii

O mihi curarum pretium non uile mearum,
  Flacce, Antenorei spes et alumne laris,
Pierios differ cantus citharamque sororum;
  aes dabit ex istis nulla puella tibi.
quid petis a Phoebo? nummos habet arca Mineruae;
  haec sapit, haec omnes fenerat una deos.
quid possunt hederae Bacchi dare?   Palladis arbor
  inclinat uarias pondere nigra comas.
praeter aquas Helicon et serta lyrasque dearum
  nil habet et magnum sed perinane sophos.
quid tibi cum Cirrha? quid cum Permesside nuda?
  Romanum propius diuitiusque forum est.
illic aera sonant: at circum pulpita nostra
  et sterilis cathedras basia sola crepant.

268.   *Character of a Happy Life*

i

QVINTILIANE, uagae moderator summe iuuentae,
  gloria Romanae, Quintiliane, togae,
uiuere quod propero pauper nec inutilis annis,
  da ueniam: properat uiuere nemo satis.
differat hoc patrios optat qui uincere census
  atriaque immodicis artat imaginibus.
me focus et nigros non indignantia fumos
  tecta iuuant et fons uiuus et herba rudis.
sit mihi uerna satur, sit non doctissima coniunx,
  sit nox cum somno, sit sine lite dies.

ii

Dum tu forsitan inquietus erras
clamosa, Iuuenalis, in Subura,
aut collem dominae teris Dianae;
dum per limina te potentiorum
sudatrix toga uentilat uagumque
maior Caelius et minor fatigant:
me multos repetita post Decembres
accepit mea rusticumque fecit
auro Bilbilis et superba ferro.
hic pigri colimus labore dulci
Boterdum Plateamque; Celtiberis
haec sunt nomina crassiora terris.
ingenti fruor improboque somno,
quem nec tertia saepe rumpit hora,
et totum mihi nunc repono, quidquid
ter denos uigilaueram per annos.
ignota est toga, sed datur petenti
rupta proxima uestis a cathedra.
surgentem focus excipit superba
uicini strue cultus iliceti,
multa uilica quem coronat olla.
dispensat pueris rogatque longos
leuis ponere uilicus capillos.
sic me uiuere, sic iuuat perire.

iii

Si tecum mihi, care Martialis,
securis liceat frui diebus,
si disponere tempus otiosum
et uerae pariter uacare uitae:
nec nos atria, nec domos potentum,
nec litis tetricas forumque triste

nossemus, nec imagines superbas;
sed gestatio, fabulae, libelli,
campus, porticus, umbra, uirgo, thermae,
haec essent loca semper, hi labores.
nunc uiuit necuter sibi bonosque
soles effugere atque abire sentit,
qui nobis pereunt et imputantur.
quisquam uiuere cum sciat, moratur?

iv

Vitam quae faciant beatiorem,
iucundissime Martialis, haec sunt:
res non parta labore, sed relicta;
non ingratus ager, focus perennis;
lis numquam, toga rara, mens quieta;
uires ingenuae, salubre corpus;
prudens simplicitas, pares amici;
conuictus facilis, sine arte mensa;
nox non ebria sed soluta curis;
non tristis torus et tamen pudicus;
somnus qui faciat breuis tenebras:
quod sis, esse uelis nihilque malis;
summum nec metuas diem nec optes.

269. *Quintus Ovidius' Birthday*

SI credis mihi, Quinte, quod mereris,
natalis, Ouidi, tuas Aprilis
ut nostras amo Martias Kalendas
felix utraque lux diesque nobis
signandi melioribus lapillis!
hic uitam tribuit, sed hic amicum.
plus dant, Quinte, mihi tuae Kalendae.

270.   *The Marriage of Pudens and
Claudia*

CLAVDIA, Rufe, meo nubit Peregrina Pudenti:
  macte esto taedis, o Hymenaee, tuis.
tam bene rara suo miscentur cinnama nardo,
  Massica Theseis tam bene uina fauis;
nec melius teneris iunguntur uitibus ulmi,
  nec plus lotos aquas, litora myrtus amat.
candida perpetuo reside, Concordia, lecto,
  tamque pari semper sit Venus aequa iugo.
diligat illa senem quondam, sed et ipsa marito
  tum quoque cum fuerit, non uideatur anus.

271.   *In Memoriam*

i

Alcimus

ALCIME, quem raptum domino crescentibus annis
  Lauicana leui caespite uelat humus,
accipe non Pario nutantia pondera saxo,
  quae cineri uanus dat ruitura labor,
sed facilis buxos et opacas palmitis umbras
  quaeque uirent lacrimis roscida prata meis.
accipe, care puer, ueri monimenta doloris:
  hic tibi perpetuo tempore uiuet honor.
cum mihi supremos Lachesis perneuerit annos,
  non aliter cineres mando iacere meos.

ii

Glaucias

Libertus Melioris ille notus,
tota qui cecidit dolente Roma,
cari deliciae breues patroni,
hoc sub marmore Glaucias humatus
iuncto Flaminiae iacet sepulcro :
castus moribus, integer pudore,
uelox ingenio, decore felix.
bis senis modo messibus peractis
uix unum puer applicabat annum.
qui fles talia, nil fleas, uiator.

iii

Paris

Quisquis Flaminiam teris, uiator,
noli nobile praeterire marmor.
Vrbis deliciae salesque Nili,
ars et gratia, lusus et uoluptas,
Romani decus et dolor theatri
atque omnes Veneres Cupidinesque
hoc sunt condita, quo Paris, sepulcro.

iv

Erotion

Puella senibus dulcior mihi cygnis,
agna Galaesi mollior Phalantini,
concha Lucrini delicatior stagni,
cui nec lapillos praeferas Erythraeos,
nec modo politum pecudis Indicae dentem
niuesque primas liliumque non tactum ;

quae crine uicit Baetici gregis uellus
Rhenique nodos aureamque nitellam;
fragrauit ore, quod rosarium Paesti,
quod Atticarum prima mella cerarum,
quod sucinorum rapta de manu gleba;
cui comparatus indecens erat pauo,
inamabilis sciurus et frequens phoenix:
adhuc recenti tepet Erotion busto,
quam pessimorum lex amara fatorum
sexta peregit hieme, nec tamen tota,
nostros amores gaudiumque lususque.
et esse tristem me meus uetat Paetus,
pectusque pulsans pariter et comam uellens:
'deflere non te uernulae pudet mortem!
ego coniugem' inquit 'extuli et tamen uiuo,
notam, superbam, nobilem, locupletem'.
quid esse nostro fortius potest Paeto?
ducentiens accepit et tamen uiuit.

272. '*The Ledean stars so famed for love*
Wondered at us from above.'

SI, Lucane, tibi uel si tibi, Tulle, darentur
qualia Ledaei fata Lacones habent,
nobilis haec esset pietatis rixa duobus,
quod pro fratre mori uellet uterque prior,
diceret infernas et qui prior isset ad umbras:
'Viue tuo, frater, tempore, uiue meo.'

273. *The Villa of Julius Martialis*

IVLI iugera pauca Martialis
hortis Hesperidum beatiora
longo Ianiculi iugo recumbunt:

lati collibus imminent recessus
et planus modico tumore uertex
caelo perfruitur sereniore,
et curuas nebula tegente uallis
solis luce nitet peculiari :
puris leniter admouentur astris
celsae culmina delicata uillae.
hinc septem dominos uidere montis
et totam licet aestimare Romam,
Albanos quoque Tusculosque collis
et quodcumque iacet sub urbe frigus,
Fidenas ueteres breuisque Rubras,
et quod uirgine nequiore gaudet
Annae pomiferum nemus Perennae.
illinc Flaminiae Salariaeque
gestator patet essedo tacente,
ne blando rota sit molesta somno,
quem nec rumpere nauticum celeuma,
nec clamor ualet helciariorum,
cum sit tam prope Muluius, sacrumque
lapsae per Tiberim uolent carinae.
hoc rus, seu potius domus uocanda est,
commendat dominus : tuam putabis ;
tam non inuida tamque liberalis,
tam comi patet hospitalitate.
credas Alcinoi pios Penatis,
aut facti modo diuitis Molorchi.
uos nunc omnia parua qui putatis,
centeno gelidum ligone Tibur
uel Praeneste domate pendulamque
uni dedite Setiam colono :
dum me iudice praeferantur istis
Iuli iugera pauca Martialis.

274.   *Diadumenos*

QVOD spirat tenera malum mordente puella,
    quod de Corycio quae uenit aura croco;
uinea quod primis cum floret cana racemis,
    gramina quod redolent, quae modo carpsit ouis;
quod myrtus, quod messor Arabs, quod sucina trita,
    pallidus Eoo ture quod ignis olet;
gleba quod aestiuo leuiter cum spargitur imbre,
    quod madidas nardo passa corona comas:
hoc tua, saeue puer Diadumene, basia fragrant.
    quid si tota dares illa sine inuidia?

275.   *Earinos*

                         i

NOMEN cum uiolis rosisque natum
    quo pars optima nominatur anni,
Hyblam quod sapit Atticosque flores,
quod nidos olet alitis superbae;
nomen nectare dulcius beato,
quo mallet Cybeles puer uocari
et qui pocula temperat Tonanti:
quod si Parrhasia sones in aula,
respondent Veneres Cupidinesque;
nomen nobile, molle, delicatum
uersu dicere non rudi uolebam:
sed tu syllaba contumax repugnas.
dicunt Eiarinon tamen poetae,
sed Graeci quibus est nihil negatum
et quos Ἄρες Ἄρες decet sonare.
nobis non licet esse tam disertis,
qui musas colimus seueriores.

ii

Si daret auctumnus mihi nomen, Oporinos essem :
  horrida si brumae sidera, Chimerinos.
dictus ab aestiuo Therinos tibi mense uocarer :
  tempora cui nomen uerna dedere quis est ?

276.　　　　*To a Schoolmaster*

LVDI magister, parce simplici turbae :
  sic te frequentes audiant capillati
et delicatae diligat chorus mensae,
nec calculator, nec notarius uelox
maiore quisquam circulo coronetur.
albae Leone flammeo calent luces
tostamque feruens Iulius coquit messem.
cirrata loris horridis Scythae pellis,
qua uapulauit Marsyas Celaenaeus,
ferulaeque tristes, sceptra paedagogorum,
cessent et Idus dormiant in Octobris :
aestate pueri si ualent, satis discunt.

277.　　　　*Long Life and Strong Life*

SEXAGESIMA, Marciane, messis
  acta est et, puto, iam secunda Cottae.
nec se taedia lectuli calentis
expertum meminit die uel uno.
ostendit digitum, sed impudicum,
Alconti Dasioque Symmachoque.
at nostri bene computentur anni
et quantum tetricae tulere febres,
aut languor grauis, aut mali dolores,
a uita meliore separentur :

342

infantes sumus, et senes uidemur.
aetatem Priamique Nestorisque
longam qui putat esse, Marciane,
multum decipiturque falliturque.
non est uiuere, sed ualere uita est.

278. *The Conditions of Friendship*

TRIGINTA mihi quattuorque messes
tecum, si memini, fuere, Iuli.
quarum dulcia mixta sunt amaris,
sed iucunda tamen fuere plura.
et si calculus omnis huc et illuc
diuersus bicolorque digeratur,
uincet candida turba nigriorem.
si uitare uoles acerba quaedam
et tristis animi cauere morsus,
nulli te facias nimis sodalem.
gaudebis minus et minus dolebis.

279. *Domestic Life*

DIFFICILIS facilis, iucundus acerbus es idem:
nec tecum possum uiuere nec sine te.

280. *Saturnalia*

VNCTIS falciferi senis diebus,
regnator quibus imperat fritillus,
uersu ludere non laborioso
permittis, puto, pileata Roma.
risisti ; licet ergo, nec uetamur.
pallentes procul hinc abite curae ;
quidquid uenerit obuium, loquamur

343

morosa sine cogitatione.
misce dimidios, puer, trientis,
quales Pythagoras dabat Neroni;
misce, Dindyme, sed frequentiores.
possum nihil ego sobrius; bibenti
succurrent mihi quindecim poetae.
da nunc basia, sed Catulliana:
quae si tot fuerint quot ille dixit,
donabo tibi passerem Catulli.

281. *To the Rhine to send Trajan
safe home*

NYMPHARVM pater amniumque, Rhene,
quicumque Odrysias bibunt pruinas,
sic semper liquidis fruaris undis,
nec te barbara contumeliosi
calcatum rota conterat bubulci;
sic et cornibus aureis receptis
et Romanus eas utraque ripa:
Traianum populis suis et urbi,
Tibris te dominus rogat, remittas.

282. *A purer Sappho*

OMNES Sulpiciam legant puellae,
uni quae cupiunt uiro placere;
omnes Sulpiciam legant mariti,
uni qui cupiunt placere nuptae.
non haec Colchidos asserit furorem,
diri prandia nec refert Thyestae;
Scyllam, Byblida nec fuisse credit,
sed castos docet et probos amores,

lusus, delicias facetiasque.
cuius carmina qui bene aestimarit,
nullam dixerit esse nequiorem,
nullam dixerit esse sanctiorem.
talis Egeriae iocos fuisse
udo crediderim Numae sub antro.
hac condiscipula uel hac magistra
esses doctior et pudica, Sappho:
sed tecum pariter simulque uisam
durus Sulpiciam Phaon amaret.
frustra: namque ea nec Tonantis uxor,
nec Bacchi, nec Apollinis puella
erepto sibi uiueret Caleno.

283.　　　　*Posthumous Fame*

EDE tuos tandem populo, Faustine, libellos
　　et cultum docto pectore profer opus,
quod nec Cecropiae damnent Pandionis arces
　　nec sileant nostri praetereantque senes.
ante foris stantem dubitas admittere Famam
　　teque piget curae praemia ferre tuae?
post te uicturae per te quoque uiuere chartae
　　incipiant: cineri gloria sera uenit.

284.　　　　*Contemporary Fame*

i

HIC est quem legis ille, quem requiris,
　　toto notus in orbe Martialis
argutis epigrammaton libellis:
cui, lector studiose, quod dedisti
uiuenti decus atque sentienti
rari post cineres habent poetae.

M. VALERIVS MARTIALIS

ii

Vndenis pedibusque syllabisque
et multo sale, nec tamen proteruo,
notus gentibus ille Martialis
et notus populis—quid inuidetis?—
non sum Andraemone notior caballo.

285.   *Valedictory*

OHE iam satis est, ohe libelle,
    iam peruenimus usque ad umbilicos.
tu procedere adhuc et ire quaeris,
nec summa potes in scheda teneri,
sic tamquam tibi res peracta non sit,
quae prima quoque pagina peracta est.
iam lector queriturque deficitque,
iam librarius hoc et ipse dicit
'ohe iam satis est, ohe libelle.'

ANONYMOUS

circa 90 A. D.

286.   *Epitaphs*

i

Nepos

QVVM praematura raptum mihi morte Nepotem
    flerem Parcarum putria fila querens
et gemerem tristi damnatam sorte iuuentam
    uersaretque nouus uiscera tota dolor,
me desolatum, me desertum ac spoliatum
    clamarem largis saxa mouens lacrimis,
exacta prope nocte suos quum Lucifer ignis

346

spargeret et uolucri roscidus iret equo,
uidi sidereo radiantem lumine formam
    aethere delabi.   non fuit illa quies,
sed uerus iuueni color et sonus, at status ipse
    maior erat nota corporis effigie.
ardentis oculorum orbes umerosque nitentis
    ostendens roseo reddidit ore sonos:
'adfinis memorande, quid o me ad sidera caeli
    ablatum quereris? desine flere deum,
ne pietas ignara superna sede receptum
    lugeat et laedat numina tristitia.
non ego Tartareas penetrabo tristis ad undas,
    non Acheronteis transuehar umbra uadis,
non ego caeruleam remo pulsabo carinam
    nec te terribilem fronte timebo, Charon,
nec Minos mihi iura dabit grandaeuus et atris
    non errabo locis nec cohibebor aquis.
surge, refer matri ne me noctisque diesque
    defleat ut maerens Attica mater Ityn.
nam me sancta Venus sedis non nosse silentum
    iussit et in caeli lucida templa tulit.'
erigor et gelidos horror perfuderat artus,
    spirabat suaui tinctus odore locus.
die Nepos, seu tu turba stipatus Amorum
    laetus Adoneis lusibus insereris,
seu grege Pieridum gaudes seu Palladis arte,
    omnis caelicolum te chorus excipiet;
si libeat thyrsum grauidis aptare corymbis
    et uelare comam palmite, Liber eris:
pascere si crinem et lauro redimire manuque
    arcum cum pharetra sumere, Phoebus eris.
indueris teretes manicas, Phrygium decus, Attis
    non unus Cybeles pectore uiuet amor.

si spumantis equi libeat quatere ora lupatis,
  Cyllare, formosi membra uehes equitis.
sed quicumque deus, quicumque uocaberis heros,
  sit soror et mater, sit puer incolumis.
haec dona unguentis et sunt potiora corollis,
  quae non tempus edax, non rapit ipse rogus.

ii

Tib. Claudius Esquilina Tiberinus

Tu quicumque mei ueheris prope limina busti,
  supprime festinum quaeso uiator iter.
perlege, sic numquam doleas pro funere acerbo :
  inuenies titulo nomina fixa meo.
Roma mihi patria est, media de plebe parentes.
  uita fuit nullis tunc uiolata malis.
gratus eram populo quondam notusque fauore,
  nunc sum defleti parua fauilla rogi.
quis bona non hilari uidit conuiuia uoltu
  adque meos mecum peruigilare locos ?
quondam ego Pierio uatum monimenta canore
  doctus cycneis enumerare modis,
doctus Maeonio spirantia carmina uersu
  dicere, Caesareo carmina nota foro :
nunc amor et nomen superest de corpore toto,
  quod spargit lacrimis maestus uterque parens.
serta mihi floresque nouos, mea gaudia, ponunt :
  fusus in Elysia sic ego ualle moror.
quod meat in stellis Delphin, quod Pegasus ales,
  tot mea natalis fata dedere mihi.

287.   *To his Soul*

ANIMVLA uagula blandula,
    hospes comesque corporis,
quae nunc abibis in loca
pallidula rigida nudula,
nec ut soles dabis iocos !

ANONYMOUS

120 A. D. (?)

288. *Epitaph of M. Pomponius Bassulus*

NE more pecoris otio transfungerer,
    Menandri paucas uorti scitas fabulas
et ipsus etiam sedulo finxi nouas.
id quale qualest chartis mandatum diu.
uerum uexatus animi curis anxiis,
non nullis etiam corporis doloribus,
utrumque ut esset taediosum ultra modum,
optatam mortem sum potitus.   ea mihi
suo de more cuncta dat leuamina.
uos in sepulcro hoc elogium, oro, incidite,
quod sit documento post rogos mortalibus
inmodice ne quis uitae scopulis haereat,
cum sit paratus portus eiaculantibus,
qui nos excipiat ad quietem perpetem.
set iam ualete donec uiuere expedit.

120 A. D. (?).

289. *Epitaph of Serenus*

IVVENIS Sereni triste cernitis marmor,
pater supremis quod sacrauit et frater
pietate mira perditum dolens fratrem,
quem fleuit omnis planctibus nouis turba,
quod interisset forma, flos, pudor simplex.
dole meator, quisquis hoc legis carmen,
et ut meretur, anima, lacrimam accommoda.

circa 126 A. D.

290. *Epitaph of Ursus*

VRSVS togatus uitrea qui primus pila
lusi decenter cum meis lusoribus
laudante populo maximis clamoribus
thermis Traiani, thermis Agrippae et Titi,
multum et Neronis, si tamen mihi creditis,
ego sum.   ouantes conuenite pilicrepi
statuamque amici floribus, uiolis rosis
folioque multo adque unguento marcido
onerate amantes et merum profundite
nigrum Falernum aut Setinum aut uel Caecubum
uiuo ac uolenti de apotheca dominica,
Vrsumque canite uoce concordi senem
hilarem iocosum pilicrepum scholasticum,
qui uicit omnes antecessores suos
sensu, decore adque arte suptilissima.
nunc uera uersu uerba dicamus senes :
sum uictus ipse, fateor, a ter consule
Vero patrono, nec semel sed saepius,
cuius libenter dicor exodiarius.

350

ANNIVS FLORVS

circa 130 A. D.

291.   *'Tongues I'll hang on every tree.'*

QVANDO ponebam nouellas arbores mali et piri
cortici summae notaui nomen ardoris mei.
nulla fiet inde finis uel quies cupidinis :
crescit arbor, gliscit ardor : animus implet litteras.

292.   *Apollo and Bacchus*

SIC Apollo, deinde Liber sic uidetur ignifer :
ambo sunt flammis creati prosatique ex ignibus ;
ambo de donis calorem, uite et radio, conferunt ;
noctis hic rumpit tenebras, hic tenebras pectoris.

293.   *Bacchus*

BACCHE, uitium repertor, plenus adsis uitibus :
effluas dulcem liquorem conparandum nectari,
conditumque fac uetustum, ne malignis uenulis
asperum ducat saporem uersus usum in alterum.

294.   *Women*

OMNIS mulier intra pectus celat uirus pestilens :
dulce de labris locuntur, corde uiuunt noxio.

295.   *Evil Communications*

QVI mali sunt, non fuere matris ex aluo mali,
sed malos faciunt malorum falsa contubernia.

296.   A Study in Antithesis

TAM malum est habere nummos, non habere quam
      malum est ;
tam malum est audere semper, quam malum est semper pudor ;
tam malum est tacere multum, quam malum est multum loqui ;
tam malum est foris amica, quam malum est uxor domi :
nemo non haec uera dicit, nemo non contra facit.

297.   French and English

SPERNE mores transmarinos, mille habent offucia.
   ciue Romano per orbem nemo uiuit rectius :
quippe malim unum Catonem quam trecentos Socratas.

298.   The Rarity of Poets and their
Patrons

CONSVLES fiunt quotannis et noui proconsules ;
   solus aut rex aut poeta non quotannis nascitur.

C. SVLPICIVS APOLLINARIS

circa 140 A. D.

299.   Vergil's Aeneid

IVSSERAT haec rapidis aboleri carmina flammis
   Vergilius, Phrygium quae cecinere ducem ;
Tucca uetat Variusque, simul tu, maxime Caesar,
      non sinis et Latiae consulis historiae.
infelix gemino cecidit prope Pergamon igni,
      et paene est alio Troia cremata rogo.

352

C. SVLPICIVS APOLLINARIS

300. *Epitaph of Seneca*

CVRA, labor, meritum, sumpti pro munere honores,
ite, alias posthac sollicitate animas!
me procul a uobis deus euocat. ilicet actis
  rebus terrenis, hospita terra, uale.
corpus, auara, tamen sollempnibus accipe saxis:
  namque animam caelo reddimus, ossa tibi.

ANONYMOUS

215 A. D.

301. *Viue*

VIVE laetus quique uiuis, uita paruom munus est,
orta mox sensim uigescit, deinde sensim deficit.

P. LICINIVS GALLIENVS IMPERATOR

circa 260 A. D.

302. *Ludite*

ITE agite, o iuuenes, et desudate medullis
omnibus inter uos! non murmura uestra columbae,
brachia non hederae, non uincant oscula conchae.
ludite: sed uigilis nolite exstinguere lychnos:
omnia nocte uident, nil cras meminere lucernae.

M. AVRELIVS OLVMPIVS NEMESIANVS

circa 260 A. D.

303. *Exordium to a Poem on Hunting*

VENANDI cano mille uias hilarisque labores
discursusque citos, securi proelia ruris,
pandimus. Aonio iam nunc mihi pectus ab oestro
aestuat: ingentis Helicon iubet ire per agros,

Castaliusque mihi noua pocula fontis alumnus
ingerit et late campos metatus apertos
imponitque iugum uati retinetque corymbis
implicitum ducitque per auia, qua sola numquam
trita rotis.   iuuat aurato procedere curru
et parere deo : uiridis en ire per herbas
imperat : intacto premimus uestigia musco ;
et, quamuis cursus ostendat tramite noto
obuia Calliope facilis, insistere prato
complacitum, rudibus qua luceat orbita sulcis.
nam quis non Nioben numeroso funere maestam
iam cecinit ? quis non Semelen ignemque iugalem
letalemque simul nouit de paelicis astu ?
quis magno recreata tacet cunabula Baccho,
ut pater omnipotens maternos reddere mensis
dignatus iusti complerit tempora partus ?
sunt qui sacrilego rorantis sanguine thyrsos
(nota nimis) dixisse uelint, qui uincula Dirces
Pisaeique tori legem Danaique cruentum
imperium sponsasque truces sub foedere primo
dulcia funereis mutantis gaudia taedis.
Byblidos indictum nulli scelus ; impia Myrrhae
conubia et saeuo uiolatum crimine patrem
nouimus, utque Arabum fugiens cum carperet arua
iuit in arboreas frondis animamque uirentem.
sunt qui squamosi referant fera sibila Cadmi
stellatumque oculis custodem uirginis Ius
Herculeosque uelint semper numerare labores
miratumque rudis se tollere Terea pinnas
post epulas, Philomela, tuas ; sunt ardua mundi
qui male temptantem curru Phaethonta loouantur
exstinctasque canant emisso fulmine flammas
fumantemque Padum, Cycnum plumamque senilem

et flentis semper germani funere siluas.
Tantalidum casus et sparsas sanguine mensas
condentemque caput uisis Titana Mycenis
horrendasque uices generis dixere priores.
Colchidos iratae sacris imbuta uenenis
munera non canimus pulchraeque incendia Glauces,
non crinem Nisi, non saeuae pocula Circes,
nec nocturna pie curantem busta sororem :
haec iam magnorum praecepit copia uatum,
omnis et antiqui uulgata est fabula saecli.
nos saltus uiridisque plagas camposque patentis
scrutamur totisque citi discurrimus aruis
et uarias cupimus facili cane sumere praedas ;
nos timidos lepores, inbellis figere dammas
audacisque lupos, uulpem captare dolosam
gaudemus ; nos flumineas errare per umbras
malumus et placidis ichneumona quaerere ripis
inter harundineas segetes faelemque minacem
arboris in trunco longis perfigere telis
implicitumque sinu spinosi corporis erem
ferre domum ; talique placet dare lintea curae.
dum non magna ratis, uicinis sueta moueri
litoribus tutosque sinus percurrere remis,
nunc primum dat uela notis portusque fidelis
linquit et Adriacas audet temptare procellas.
mox uestros meliore lyra memorare triumphos
accingar, diui fortissima pignora Cari,
atque canam nostrum geminis sub finibus orbis
litus et edomitas fraterno numine gentis,
quae Rhenum Tigrimque bibunt Ararisque remotum
principium Nilique uident in origine fontem ;
nec taceam, primum quae nuper bella sub Arcto
felici, Carine, manu confeceris, ipso

paene prior genitore deo, utque intima frater
Persidos et ueteres Babylonos ceperit arcis,
ultus Romulei uiolata cacumina regni;
imbellemque fugam referam clausasque pharetras
Parthorum laxosque arcus et spicula nulla.
haec uobis nostrae libabunt carmina Musae,
cum primum uultus sacros, bona numina terrae,
contigerit uidisse mihi: iam gaudia nota
temporis inpatiens sensus spretorque morarum
praesumit uideorque mihi iam cernere fratrum
augustos habitus, Romam clarumque senatum
et fidos ad bella duces et milite multo
agmina, quis fortis animat deuotio mentis:
aurea purpureo longe radiantia uelo
signa micant sinuatque trucis leuis aura dracones.
tu modo, quae saltus placidos siluasque pererras,
Latonae, Phoebe, magnum decus, heia age suetos
sume habitus arcumque manu pictamque pharetram
suspende ex humeris, sint aurea tela, sagittae,
candida puniceis aptentur crura coturnis,
sit chlamys aurato multum subtegmine lusa
conrugesque sinus gemmatis balteus artet
nexibus, implicitos cohibe diademate crinis.
tecum Naiades faciles uiridique iuuenta
pubentes Dryades Nymphaeque, unde amnibus umor,
adsint et docilis decantet Oreadas Echo.
duc age, diua, tuum frondosa per auia uatem:
te sequimur, tu pande domos et lustra ferarum.
huc igitur mecum, quisquis percussus amore
uenandi damnas litis rabidosque tumultus
ciuilisque fugis strepitus bellique fragores
nec praedas auido sectaris gurgite ponti.

M. AVRELIVS OLVMPIVS NEMESIANVS

304.   *Pan*

NYCTILVS atque Micon nec non et pulcer
    Amyntas
torrentem patula uitabant ilice solem,
cum Pan uenatu fessus recubare sub ulmo
coeperat et somno lassatas sumere uiris;
quem super ex tereti pendebat fistula ramo.
hanc pueri, tamquam praedem pro carmine possent
sumere fasque esset calamos tractare deorum,
inuadunt furto sed nec resonare canorem
fistula quem suerat nec uult contexere carmen,
sed pro carminibus male dissona sibila reddit,
cum Pan excussus sonitu stridentis auenae
iamque uidens 'pueri, si carmina poscitis', inquit,
'ipse canam: nulli fas est inflare cicutas,
quas ego Maenaliis cera coniungo sub antris.
iamque ortus, Lenaee, tuos et semina uitis
ordine detexam: debemus carmina Baccho.'
haec fatus coepit calamis sic montiuagus Pan:
'te cano, qui grauidis hederata fronte corymbis
uitea serta plicas quique udo palmite tigris
ducis odoratis perfusus colla capillis,
uera Iouis proles; nam cum post sidera caeli
sola Iouem Semele uidit Iouis ora professum,
hunc pater omnipotens, uenturi prouidus aeui,
pertulit et iusto produxit tempore partus.
hunc Nymphae Faunique senes Satyrique procaces,
nosque etiam Nysae uiridi nutrimus in antro.
quin et Silenus paruum ueteranus alumnum
aut gremio fouet aut resupinis sustinet ulnis,
euocat aut risum digito motuue quietem

allicit aut tremulis quassat crepitacula palmis.
cui deus arridens horrentis pectore setas
uellicat aut digitis auris astringit acutas
adplauditue manu mutilum caput aut breue mentum
et simas tenero collidit pollice naris.
interea pueri florescit pube iuuentus
flauaque maturo tumuerunt tempora cornu.
tum primum laetas extendit pampinus uuas:
mirantur Satyri frondis et poma Lyaei.
tum deus 'o Satyri, maturos carpite fetus'
dixit 'et ignotos primi calcate racemos'.
uix haec ediderat, decerpunt uitibus uuas
et portant calathis celerique elidere planta
concaua saxa super properant: uindemia feruet
collibus in summis, crebro pede rumpitur uua
nudaque purpureo sparguntur pectora musto.
tum Satyri, lasciua cohors, sibi pocula quisque
obuia corripiunt: quae fors dedit, occupat usus.
cantharon hic retinet, cornu bibit alter adunco,
concauat ille manus palmasque in pocula uertit,
pronus at ille lacu bibit et crepitantibus haurit
musta labris; alius uocalia cymbala mergit,
atque alius latices pressis resupinus ab uuis
excipit: at potus (saliens liquor ore resultat);
euomit, inque humeros et pectora defluit humor.
omnia ludus habet cantusque chorique licentes;
tum primum roseo Silenus cymbia musto
plena senex auide non aequis uiribus hausit.
ex illo uenas inflatus nectare dulci
hesternoque grauis semper ridetur Iaccho.
quin etiam deus ille, deus Ioue prosatus ipso,
et plantis uuas premit et de uitibus hastas
integit et lynci praebet cratera bibenti.'

haec Pan Maenalia pueros in ualle docebat,
sparsas donec ouis campo conducere in unum
nox iubet, uberibus suadens siccare fluorem
lactis et in niueas astrictum cogere glebas.

ANONYMOUS

305.   *Epitaph on M. P. Flavius*
         Postumius Varus

VIXI beatus dis, amicis, literis.
  manis colamus, namque opertis manibus
diuina uis est aeuiterni temporis.

306.   *To the Sea*

VNDARVM rector, genitor maris, arbiter orbis,
  Oceane o placido conplectens omnia fluctu,
tu legem terris moderato limite signas,
tu pelagi quodcumque facis fontisque lacusque.
flumina quin etiam te norunt omnia patrem,
te potant nubes ut reddant frugibus imbris;
Cyaneoque sinu caeli tu diceris oras
partibus ex cunctis inmensas cingere nexu.
tu fessos Phoebi reficis sub gurgite currus
exhaustisque die radiis alimenta ministras,
gentibus ut clarum referat lux aurea solem.
si mare, si terras caelum mundumque gubernas,
me quoque cunctorum partem, uenerabilis, audi,
alme parens rerum, supplex precor. ergo carinam
conserues, ubicumque tuo committere ponto
hanc animam, transire fretum et discurrere cursus
aequoris horrisoni sortis fera iussa iubebunt:

tende fauens glaucum per leuia dorsa profundum,
ac tantum tremulo crispentur caerula motu,
quantum uela ferant, quantum sinat otia remis:
sint fluctus, celerem ualeant qui pellere puppem,
quos numerare libens possim, quos cernere laetus;
seruet inoffensam laterum par linea libram,
et sulcante uiam rostro submurmuret unda.
da pater, ut tute liceat transmittere cursum,
perfer ad optatos securo in litore portus
me comitesque meos.   quod cum permiseris esse,
reddam, quod potero, plenas pro munere gratis.

307.   *Boating Song*

HEIA, uiri, nostrum reboans echo sonet heia!
    arbiter effusi late maris ore sereno
        placatum strauit pelagus posuitque procellam,
        edomitique uago sederunt pondere fluctus.
heia, uiri, nostrum reboans echo sonet heia!
        annisu parili tremat ictibus acta carina.
        nunc dabit arridens pelago concordia caeli
        uentorum motu praegnanti currere uelo.
heia, uiri, nostrum reboans echo sonet heia!
        aequora prora secet delphinis aemula saltu,
        quisque gemat largum, promat se quisque lacertis,
        pone trahens canum deducta sit orbita sulcum.
heia, uiri, nostrum reboans echo sonet heia!
        echo te pultet, portiscule: nos tamen heia.
        conuulsum remis spumet mare: nos tamen heia.
        uocibus adsiduis litus resonet: tamen heia.

360

308. *'Margaret'*

A Dog's Epitaph

GALLIA me genuit, nomen mihi diuitis undae
    concha dedit, formae nominis aptus honos.
docta per incertas audax discurrere siluas
    collibus hirsutas atque agitare feras,
non grauibus uinclis unquam consueta teneri
    uerbera nec niueo corpore saeua pati.
molli namque sinu domini dominaeque iacebam
    et noram in strato lassa cubare toro,
et plus quam licuit muto canis ore loquebar:
    nulli latratus pertimuere meos.
sed iam fata subi partu iactata sinistro,
    quam nunc sub paruo marmore terra tegit.

CLAVDIVS

circa 280 (?) A. D

309. *To the Moon*

LVNA decus mundi, magni pars maxima caeli,
    Luna, uagus noctis splendor, quam signa secuntur,
Luna parens mensum numerosa prole renascens:
tu biiugos stellante polos ab Sole gubernas,
te redeunte dies fraternus colligit horas;
te pater Oceanus renouato respicit amne,
te spirant terrae, tu uinclis Tartara cingis;
tu sistro resonas, Brimo, tu cymbala quassas;
Isis Luna Core, uel Vesta es Iuno Cybelle.
septenis tu lumine eges sub mense diebus
et rursum renouas alternans lumina mensis.

tunc minor es, cum plena uenis ; tunc plena resurgens,
cum minor es : crescis semper, cum deficis orbe.
huc ades et nostris precibus dea blandior esto
Luciferique iugis concordis siste iuuencas,
ut uoluat fortuna rotam, qua prospera currant.

L. CAELIVS LACTANTIVS FIRMIANVS

fl. 290 A. D.

310.   *The Phoenix*

EST locus in primo felix oriente remotus,
    qua patet aeterni maxima porta poli.
nec tamen aestiuos hiemisue propinquus ad ortus
    sed qua sol uerno fundit ab axe diem.
illic planities tractus diffundit apertos,
    nec tumulus crescit nec caua uallis hiat,
sed nostros montis, quorum iuga celsa putantur,
    per bis sex ulnas imminet ille locus.
hic Solis nemus est et consitus arbore multa
    lucus perpetuae frondis honore uirens.
cum Phaethonteis flagrasset ab ignibus axis,
    ille locus flammis inuiolatus erat ;
et cum diluuium mersisset fluctibus orbem
    Deucalioneas exsuperauit aquas.
non huc exsangues Morbi, non aegra Senectus
    nec Mors crudelis nec Metus asper adest,
nec Scelus infandum nec opum uesana Cupido
    aut Sitis aut ardens caedis amore Furor ;
Luctus acerbus abest et Egestas obsita pannis
    et Curae insomnes et uiolenta Fames.

L. CAELIVS LACTANTIVS FIRMIANVS

non ibi tempestas nec uis furit horrida uenti
  nec gelido terram rore pruina tegit;
nulla super campos tendit sua uellera nubes
  nec cadit ex alto turbidus umor aquae.
est fons in medio, quem uiuum nomine dicunt,
  perspicuus, lenis, dulcibus uber aquis;
qui semel erumpens per singula tempora mensum
  duodecies undis inrigat omne nemus.
hic genus arboreum procero stipite surgens
  non lapsura solo mitia poma gerit.
hoc nemus, hos lucos auis incolit unica Phoenix,
  unica si uiuit morte refecta sua.
paret et obsequitur Phoebo ueneranda satelles:
  hoc Natura parens munus habere dedit.
lutea cum primum surgens Aurora rubescit,
  cum primum rosea sidera luce fugat,
ter quater illa pias inmergit corpus in undas,
  ter quater e uiuo gurgite libat aquam.
tollitur ac summo considit in arboris altae
  uertice, quae totum despicit una nemus,
et conuersa nouos Phoebi nascentis ad ortus
  exspectat radios et iubar exoriens.
atque ubi Sol pepulit fulgentis limina portae
  et primi emicuit luminis aura leuis,
incipit illa sacri modulamina fundere cantus
  et mira lucem uoce ciere nouam;
quam nec aedoniae uoces nec tibia possit
  musica Cirrhaeis adsimulare modis,
et neque olor moriens imitari posse putetur
  nec Cylleneae fila canora lyrae.
postquam Phoebus equos in aperta effudit Olympi
  atque orbem totum protulit usque means,
illa ter alarum repetito uerbere plaudit
  igniferumque caput ter uenerata silet.

atque eadem celeris etiam discriminat horas
    innarrabilibus nocte dieque sonis,
antistes luci nemorumque uerenda sacerdos
    et sola arcanis conscia, Phoebe, tuis.
quae postquam uitae iam mille peregerit annos
    ac si reddiderint tempora longa grauem,
ut reparet lapsum spatiis uergentibus aeuum,
    adsuetum nemoris dulce cubile fugit;
cumque renascendi studio loca sancta reliquit,
    tunc petit hunc orbem, mors ubi regna tenet.
derigit in Syriam celeris longaeua uolatus,
    Phoenicen nomen cui dedit ipsa uetus,
secretosque petit deserta per auia lucos,
    sicubi per saltus silua remota latet.
tum legit aerio sublimem uertice palmam,
    quae Graium Phoenix ex aue nomen habet,
in quam nulla nocens animans prorepere possit,
    lubricus aut serpens aut auis ulla rapax.
tum uentos claudit pendentibus Aeolus antris,
    ne uiolent flabris aera purpureum,
neu concreta noto nubes per inania caeli
    submoueat radios solis et obsit aui.
construit inde sibi seu nidum siue sepulcrum:
    nam perit ut uiuat, se tamen ipsa creat.
colligit hinc sucos et odores diuite silua,
    quos legit Assyrius, quos opulentus Araps,
quos aut Pygmaeae gentes aut India carpit
    aut molli generat terra Sabaea sinu.
cinnamon hic auramque procul spirantis amomi
    congerit et mixto balsama cum polio.
non casiae mitis nec olens suffimen acanthi
    nec turis lacrimae guttaque pinguis abest.
his addit teneras nardi pubentis aristas
    et sociat myrrae uim, Nabathaea, tuae.

L. CAELIVS LACTANTIVS FIRMIANVS

protinus instructo corpus mutabile nido
   uitalique toro membra uieta locat.
ore dehinc sucos membris circumque supraque
   inicit exsequiis inmoritura suis.
tunc inter uarios animam commendat odores,
   depositi tanti nec timet illa fidem.
interea corpus genitali morte peremptum
   aestuat, et flammam parturit ipse calor,
aetherioque procul de lumine concipit ignem,
   flagrat et ambustum soluitur in cineres.
quos uelut in massam generans in morte coactos
   conflat; et effectum seminis instar habet.
complerit mensum si fetus tempora certa,
   sese oui teretis colligit in speciem;
hinc animal primum sine membris fertur oriri,
   sed fertur uermi lacteus esse color:
ac uelut agrestes, cum filo ad saxa tenentur,
   mutari tineae papilione solent:
inde reformatur quali fuit ante figura
   et Phoenix ruptis pullulat exuuiis.
non illi cibus est nostro concessus in orbe
   nec cuiquam inplumem pascere cura subest;
ambrosios libat caelesti nectare rores,
   stellifero tenues qui cecidere polo.
hos legit, his alitur mediis in odoribus ales,
   donec maturam proferat effigiem.
ast ubi primaeua coepit florere iuuenta,
   euolat ad patrias iam reditura domus.
ante tamen, proprio quicquid de corpore restat,
   ossaque uel cineres exuuiasque suas
unguine balsameo myrraque et ture soluto
   condit et in formam conglobat ore pio.
quam pedibus gestans contendit Solis ad urbem
   inque ara residens ponit in aede sacra.

L. CAELIVS LACTANTIVS FIRMIANVS

mirandam sese praestat praebetque uerendam:
    tantus aui decor est, tantus abundat honor.
praecipuus color est, quali sunt sidera caeli,
    praecoqua uel qualis Punica grana tegit:
qualis inest foliis, quae fert agreste papauer,
    cum pandit uestes Flora rubente solo.
hoc humeri pectusque decens uelamine fulgent,
    hoc caput, hoc ceruix summaque terga nitent;
caudaque porrigitur fuluo distincta metallo,
    in cuius maculis purpura mixta rubet;
aura auri pennas insignit, desuper Iris
    pingere ceu nubis splendida rore solet:
albicat insignis mixto uiridante smaragdo
    et puro cornu gemmea cuspis hiat;
ingentis oculos credas geminos hyacinthos,
    quorum de medio lucida flamma micat;
arquata est rutilo capiti radiata corona
    Phoebei referens uerticis alta decus;
crura tegunt squamae Tyrio depicta ueneno,
    ast unguis roseo tinguit honore color.
effigies inter pauonis mixta figuram
    cernitur et pictam Phasidis inter auem.
magnitiem, terris Arabum quae gignitur, ales
    uix aequare potest, seu fera seu sit auis.
non tamen est tarda, ut uolucres quae corpore magno
    incessus pigros per graue pondus habent,
sed leuis ac uelox, regali plena decore;
    talis in aspectu se tenet usque hominum.
huc uenit Aegyptus tanti ad miracula uisus
    et raram uolucrem turba salutat ouans.
protinus exsculpunt sacrato in marmore formam
    et titulo signant remque diemque nouo.
contrahit in coetum sese genus omne uolantum,
    nec praedae memor est ulla nec ulla metus.

alituum stipata choro uolat illa per altum
  turbaque prosequitur munere laeta pio.
sed postquam puri peruenit ad aetheris auras,
  mox redit ; illa suis conditur inde locis.
o fortunatae sortis finisque uolucrem,
  cui de se nasci praestitit ipse deus !
o felix, seu mas seu femina siue necutrum,
  felix quae Veneris foedera nulla coit !
mors illi Venus est, sola est in morte uoluptas :
  ut possit nasci, appetit ante mori.
ipsa sibi proles, suus est pater et suus heres,
  nutrix ipsa sui, semper alumna sibi.
ipsa quidem, sed non eadem est ; eademque nec ipsa est,
  aeternam uitam mortis adepta bono.

CATO

290 (?) A. D.

311. *Moral Distichs*

i

Learning

(*a*) INSTRVE praeceptis animum, ne discere cessa ;
  nam sine doctrina uita est quasi mortis imago.

(*b*) multa legas facito, tum lectis neglege multa ;
  nam miranda canunt, sed non credenda poetae.

(*c*) disce sed a doctis, indoctos ipse doceto :
  propaganda etenim est rerum doctrina bonarum.

(*d*) discere ne cessa : cura sapientia crescit,
  rara datur longo prudentia temporis usu.

(*e*) disce aliquid ; nam cum subito Fortuna recessit,
  ars remanet uitamque hominis non deserit umquam.

367

CATO

ii

Religion

(*a*)   SI deus est animus, nobis ut carmina dicunt,
        hic tibi praecipue sit pura mente colendus.

(*b*)   an di sint caelumque regant ne quaere doceri :
        cum sis mortalis, quae sunt mortalia cura.

(*c*)   quid deus intendat noli perquirere sorte :
        quid statuat de te sine te deliberat ille.

(*d*)   ture deum placa, uitulum sine crescat aratro :
        ne credas gaudere deum cum caede litatur.

iii

Friendship

(*a*)   SI potes, ignotis etiam prodesse memento :
        utilius regno est meritis adquirere amicos.

(*b*)   cum tibi uel socium uel fidum quaeris amicum,
        non tibi fortuna est hominis sed uita petenda.

(*c*)   ignotum notis noli praeponere amicis :
        cognita iudicio constant, incognita casu.

(*d*)   uincere cum possis, interdum cede sodali,
        obsequio quoniam dulces retinentur amici.

(*e*)   gratior officiis, quo sis mage carior, esto,
        ne nomen subeas quod dicunt officiperdi.

(*f*)   officium alterius multis narrare memento ;
        at quaecumque aliis benefeceris ipse, sileto.

(*g*)   damnaris numquam post longum tempus amicum :
        mutauit mores, sed pignora prima memento.

CATO

iv

Death

(*a*)　Ne timeas illam, quae uitae est ultima finis :
　　　qui mortem metuit, quod uiuit, perdit id ipsum.

(*b*)　linque metum leti ; nam stultum est tempore in omni,
　　　dum mortem metuas, amittere gaudia uitae.

(*c*)　fac tibi proponas, mortem non esse timendam :
　　　quae bona si non est, finis tamen illa malorum est.

(*d*)　rebus in aduersis animum submittere noli :
　　　spem retine ; spes una hominem nec morte relinquit.

v

The Speech of Men

(*a*)　Prospicito tecum tacitus quid quisque
　　　loquatur :
　　　sermo hominum mores et celat et indicat idem.

(*b*)　contra uerbosos noli contendere uerbis :
　　　sermo datur cunctis, animi sapientia paucis.

(*c*)　cum te aliquis laudat, iudex tuus esse memento :
　　　plus aliis de te quam tu tibi credere noli.

(*d*)　iudicium populi numquam contempseris unus :
　　　ne nulli placeas, dum uis contemnere multos.

(*e*)　cum recte uiuas, ne cures uerba malorum :
　　　arbitrii non est nostri quid quisque loquatur.

(*f*)　si uitam inspicias hominum, si denique mores,
　　　cum culpant alios : nemo sine crimine uiuit.

vi

Wives and Slaves

(*a*)　Cum seruos fueris proprios mercatus in usus
　　　et famuios dicas, homines tamen esse memento.

(*b*)   nil temere uxori de seruis crede querenti :
        semper enim mulier quem coniux diligit odit.

(*c*)   uxoris linguam, si frugi est, ferre memento ;
        namque malum est non uelle pati nec carpere posse.

(*d*)   uxorem fuge ne ducas sub nomine dotis,
        nec retinere uelis, si coeperit esse molesta.

REPOSIANVS

circa 290 A. D.

312.   *The Bridal Bower of Mars and Venus*

ORNAT terra nemus : nunc lotos mitis inumbrat,
    nunc laurus, nunc myrtus.   habent sua munera rami ;
namque hic per frondis redolentia mala relucent.
uilia non illo surgebant gramina luco :
pingunt purpureos candentia lilia flores ;
hic rosa cum uiolis, hic omnis gratia odorum,
hic inter uiolas coma mollis laeta hyacinthi :
dignus amore locus, cui tot sint munera rerum.
non tamen in lucis aurum, non purpura fulget :
flos lectus, flos uincla tori, substramina flores :
deliciis Veneris diues natura laborat.
texerat hic liquidos fontis non uilis arundo,
sed qua saeua puer conponat tela Cupido.
hunc solum Paphie puto lucum fecit amori :
hic Martem exspectare solet.   quid Gratia cessat,
quid Charites ? cur, saeue puer, non lilia nectis ?
tu lectum consterne rosis, tu serta parato
et roseis crinem nodis subnecte decenter !

PENTADIVS

circa 290 A. D.

313. *Narcissus*

HIC est ille, suis nimium qui credidit umbris,
　Narcissus uero dignus amore puer.
cernis ab inriguo repetentem gramine ripas,
　ut per quas periit crescere possit aquas.

314. *Woman*

CREDE ratem uentis, animum ne crede puellis ;
　namque est feminea tutior unda fide.
femina nulla bona est, uel, si bona contigit una,
　nescio quo fato est res mala facta bona.

ANONYMOUS

circa 290 A. D.

315. *Epitaph on the Actor Vitalis*

QVID tibi, mors, faciam, quae nulli parcere nosti,
　nescia laetitiam, nescia amare iocos.
his ego praeualui toto notissimus orbi,
　hinc mihi larga domus, hinc mihi census erat.
gaudebam semper ; quid enim, si gaudia desint,
　hic uagus ac fallax utile mundus habet ?
me uiso rabidi subito cecidere furores ;
　ridebat summus me ueniente dolor.
non licuit quemquam curis mordacibus uri
　nec rerum incerta mobilitate trahi.
uincebat cunctos praesentia nostra timores
　et mecum felix quaelibet hora fuit.

371

motibus ac dictis (tragici quoque larua placebat)
    exhilarans uariis tristia corda modis
fingebam uultus, habitus ac uerba loquentum,
    ut plures uno credibile ore loqui.
ipse etiam, quem nostra oculis geminabat imago,
    horruit in uultu se magis esse meo.
o quotiens imitata meo se femina gestu
    uidit et erubuit totaque muta fuit !
ergo quot in nostro uiuebant corpore formae
    tot mecum raptas abstulit atra dies.
quo uos iam tristi turbatus deprecor ore,
    qui titulum legitis cum pietate meum :
'o quam laetus eras, Vitalis' dicite maesti,
    'sint tibi di tali, sint tibi fata, modo.'

TIBERIANVS

fl. A. D. 335.

316.   *A Woodland Scene*

AMNIS ibat inter arua ualle fusus frigida,
   luce ridens calculorum, flore pictus herbido.
caerulas superne laurus et uirecta myrtea
leniter motabat aura blandiente sibilo.
subter autem molle gramen flore adulto creuerat :
et croco solum rubebat et lucebat liliis
et nemus fragrabat omne uiolarum suspiritu.
inter ista dona ueris gemmeasque gratias
omnium regina odorum uel colorum Lucifer
auriflora praeminebat, flamma Diones, rosa.
roscidum nemus rigebat inter uda gramina :
fonte crebro murmurabant hinc et inde riuuli,
antra muscus et uirentes intus myrtus uinxerant,
qua fluenta labibunda guttis ibant lucidis.

has per umbras omnis ales plus canora quam putes
cantibus uernis strepebat et susurris dulcibus;
hic loquentis murmur amnis concinebat frondibus,
quis melos uocalis aurae musa zephyri mouerat.
sic euntem per uirecta pulcra odora et musica
ales amnis aura lucus flos et umbra iuuerat.

317. *Gold*

AVRVM, quod nigri manes, quod turbida mersant
flumina, quod duris extorsit poena metallis!
aurum, quo pretio reserantur limina Ditis,
quo Stygii regina poli Proserpina gaudet!
aurum, quod penetrat thalamos rumpitque pudorem,
qua tectus saepe inlecebra micat impius ensis!
in gremium Danaes non auro fluxit adulter
mentitus pretio faciem fuluoque ueneno?
non Polydorum hospes saeuo necat incitus auro?
altrix infelix, sub quo custode pericli
commendas natum, cui regia pignora credis?
fit tutor pueri, fit custos sanguinis aurum!
inmitis nidos coluber custodiet ante
et uitulos fetae poterunt seruare leaenae.
sic etiam ut Troiam populabat Dorica pubes
aurum causa fuit: pretium dignissima merces.
infami probro palmam conuendit adulter.
denique cernamus, quos aurum uenit in usus.
auro emitur facinus, pudor almus uenditur auro,
tum patria atque parens, leges pietasque fidesque:
omne nefas auro tegitur, fas proditur auro.
porro hoc Pactolus, porro fluat et niger Hermus!
aurum, res gladii, furor amens, ardor auarus,
te celent semper uada turbida, te uada nigra,

te tellus mersum premat infera, te sibi nasci
Tartareus cupiat Phlegethon Stygiaeque paludes!
inter liuentis pereat tibi fulgor arenas,
nec post ad superos redeat famis aurea puros!

318.   '*Too Adventurous Wings*'

ALES, dum madidis grauata pennis
    udos tardius explicat uolatus,
defecta in medio repente nisu
capta est pondere depremente plumae:
cassato solito uigore pennae,
quae uitam dederant, dedere letum;
ac, quis ardua nunc tenebat alis,
isdem protinus incidit ruinae.
quid sublimia circuisse prodest?
qui celsi steterant, iacent sub imis!
exemplum capiant, nimis petendo
qui mentis tumidi uolant secundis.

319.   *God*

OMNIPOTENS, annosa poli quem suspicit aetas,
    quem sub millenis semper contutibus unum
nec numero quisquam poterit pensare nec aeuo,
nunc esto affatus, si quo te nomine dignum est,
seu sacer ignoto gaudes, quo maxima tellus
intremuit, sistunt rapidos uaga sidera cursus.
tu solus, tu multus item, tu primus et idem
postremus mediusque simul mundique superstes
(nam sine fine tui labentia tempora finis),
altera ab alterno spectans fera turbine certo
rerum fata rapi uitasque inuoluier aeuo

374

atque iterum reducis supera in conuexa referri,
scilicet ut mundo redeat quod partubus astra
perdiderint refluumque iterum per corpora fiat.
tu (siquidem fas est in temet tendere sensum
et speciem temptare sacram, qua sidera cingis
immensus longamque simul complecteris aethram)
fulgentis forsan rapida sub imagine Phoebi
flammifluum quoddam iubar es, quo cuncta coruscans
ipse uides nostrumque premis solemque diemque.
tu genus omne deum, tu rerum causa uigorque,
tu natura omnis, deus innumerabilis unus,
tu sexu plenus toto, tibi nascitur olim
sidereus mundus (genus hinc hominumque deumque),
lucens, augusto stellatus flore iuuentae.
quem (precor, aspires), qua sit ratione creatus,
quo genitus factusue modo, da nosse uolenti;
da, pater, augustas ut possim noscere causas,
mundanas olim molis quo foedere rerum
sustuleris animamque leui quo maximus olim
texueris numero, quo congrege dissimilique,
quidque id sit uegetum, quod per cita corpora uiuit.

320.   *Peruigilium Veneris*

CRAS amet qui numquam amauit quique amauit cras amet!
uer nouum: uer iam canorum: uere natus orbis est!
    uere concordant amores, uere nubunt alites
    et nemus comam resoluit de maritis imbribus:
    et recentibus uirentis ducit umbras floribus.
    cras amorum copulatrix inter umbras arborum
    inplicat casas uirentis de flagello myrteo,
    cras Dione iura dicet fulta sublimi throno.

cras amet qui numquam amauit quique amauit cras amet!
    ipsa gemmis purpurantem pingit annum floridis,
    ipsa surgentis papillas de Fauoni spiritu
    urget in nodos tepentis, ipsa roris lucidi,
    noctis aura quem relinquit, spargit umentis aquas.
    en micant lacrimae trementes de caduco pondere:
    gutta praeceps orbe paruo sustinet casus suos.
    en pudorem florulentae prodiderunt purpurae:
    umor ille quem serenis astra rorant noctibus
    mane uirgines papillas soluit umenti peplo.
    ipsa iussit mane totae uirgines nubant rosae;
    facta Cypridis de cruore deque Amoris osculis
    deque gemmis deque flabris deque solis purpuris,
    cras pudorem qui latebat ueste tectus ignea
    unico marita uoto non rubebit soluere.
cras amet qui numquam amauit quique amauit cras amet!
    ipsa Nymphas diua luco iussit ire myrteo:
    'ite, Nymphae, posuit arma, feriatus est Amor:
    iussus est inermis ire, nudus ire iussus est,
    neu quid arcu neu sagitta neu quid igne laederet.'
    it puer comes puellis; nec tamen credi potest,
    esse Amorem feriatum, si sagittas exuit;
    sed tamen, Nymphae, cauete, quod Cupido pulcer est:
    totus est in armis idem quando nudus est Amor.
cras amet qui numquam amauit quique amauit cras amet!
    conpari Venus pudore mittit ante uirgines:
    'una res est quam rogamus: cede, uirgo Delia,
    ut nemus sit incruentum de ferinis stragibus.
    ipsa uellet te rogare, si pudicam flecteret,
    ipsa uellet ut uenires, si deceret uirginem.
    iam tribus choros uideres feriantis noctibus
    congreges inter cateruas ire per saltus tuos
    floreas inter coronas, myrteas inter casas.

nec Ceres nec Bacchus absunt nec poetarum deus.
peruiglanda tota nox est, est recinenda canticis :
regnet in siluis Dione : tu recede, Delia.'
cras amet qui numquam amauit quique amauit cras amet !
iussit Hyblaeis tribunal stare diua floribus :
praeses ipsa iura dicet, adsidebunt Gratiae.
Hybla, totos funde flores, quidquid annus adtulit ;
Hybla, florum subde uestem, quantus Ennae campus est.
ruris hic erunt puellae uel puellae fontium
quaeque siluas quaeque lucos quaeque montis incolunt.
iussit omnes adsidere pueri mater alitis,
iussit at nudo puellas nil Amori credere :
cras amet qui numquam amauit quique amauit cras amet !
cras erit quom primus aether copulauit nuptias.
ut pater totum crearet uernis annum nubibus,
in sinum maritus imber fluxit almae coniugis,
unde fetus mixtus omnis aleret magno corpore.
tunc cruore de superno spumeo pontus globo
caerulas inter cateruas inter et bipedes equos
fecit undantem Dionen de marinis imbribus.
cras amet qui numquam amauit quique amauit cras amet !
ipsa uenas atque mentem permeanti spiritu
intus occultis gubernat procreatrix uiribus,
perque caelum perque terras perque pontum subditum
praeuium sui teporem seminali tramite
inbuit iussitque mundum nosse nascendi uias.
cras amet qui numquam amauit quique amauit cras amet !
ipsa Troianos penatis in Latinos transtulit,
ipsa Laurentem puellam coniugem nato dedit,
moxque Marti de sacello dat pudicam uirginem,
Romuleas ipsa fecit cum Sabinis nuptias.
unde Ramnes et Quirites atque prolem posterum
Romulo marem crearet et nepotem Caesarem ;

377

cras amet qui numquam amauit quique amauit cras amet!
    rura fecundat uoluptas, rura Venerem sentiunt;
    ipse Amor puer Dionae rure natus dicitur.
    hunc ager cum parturiret ipsa suscepit sinu,
    ipsa florum delicatis educauit osculis.
cras amet qui numquam amauit quique amauit cras amet!
    ecce iam subter genestas explicant tauri latus,
    quisque tutus quo tenetur coniugali foedere:
    subter umbras cum maritis ecce balantum greges.
    iam loquaces ore rauco stagna cygni perstrepunt:
    et canoras non tacere diua iussit alites:
    adsonat Terei puella subter umbram populi,
    ut putes motus amoris ore dici musico
    et neges queri sororem de marito barbaro.
    illa cantat: nos tacemus? quando uer ueniet meum?
    quando fiam uti chelidon ut tacere desinam?
    perdidi Musam tacendo nec me Phoebus respicit.
    sic Amyclas cum tacerent perdidit silentium.
cras amet qui numquam amauit quique amauit cras amet!

ANONYMOUS

circa 350 A. D. (?).

321.   *Epitaph of a Charioteer*

HOC rudis aurigae requiescunt ossa sepulcro
    nec tamen ignari flectere lora manu,
iam qui quadriiugos auderem scandere currus
    et tamen a biiugis non remouerer equis.
inuidere meis annis crudelia fata,
    fata quibus nequeas opposuisse manus.
nec mihi concessa est morituro gloria circi,
    donaret lacrimas ne pia turba mihi.

ussere ardentes intus mea uiscera morbi,
    uincere quos medicae non potuere manus.
sparge, precor, flores supra mea busta, uiator:
    fauisti uiuo forsitan ipse mihi.

ALCIMIVS

fl. 354 A. D.

322.   *Vergil and Homer*

i

DE numero uatum si quis seponat Homerum,
    proximus a primo tunc Maro primus erit.
at si post primum Maro seponatur Homerum,
    longe erit a primo, quisque secundus erit.

ii

Maeonio uati qui par aut proximus esset,
    consultus Paean risit et haec cecinit;
si potuit nasci, quem tu sequereris, Homere,
    nascetur, qui te possit, Homere, sequi.

323.   *A Present from Lesbia*

LVX mea puniceum misit mihi Lesbia malum:
    iam sordent animo cetera poma meo.
sordent uelleribus uestita cydonia canis,
    sordent hirsutae munera castaneae;
nolo nuces, Amarylli, tuas nec cerea pruna:
    rusticus haec Corydon munera magna putet.
horreo sanguineo male mora rubentia suco:
    heu graue funesti crimen amoris habent!
missa et dente leui paulo libata placenta:
    nectarea e labris dulcia liba suis:
nescio quid plus melle sapit, quod contigit ipsa
    spirans Cecropium dulcis ab ore thymum.

324.   *Eloquent Eyes*

O BLANDOS oculos et o facetos
        et quadam propria nota loquacis!
illic et Venus et leues Amores
atque ipsa in medio sedet Voluptas.

D. MAGNVS AVSONIVS

310–95 A. D.

325.   *Dedication*

' CVI dono lepidum nouum libellum?'
        Veronensis ait poeta quondam,
inuentoque dedit statim Nepoti.
at nos inlepidum, rudem libellum,
burras quisquilias ineptiasque,
credemus gremio cui fouendum?
inueni, trepidae silete nugae,
nec doctum minus et magis benignum,
quam quem Gallia praebuit Catullo.
hoc nullus mihi carior meorum,
quem pluris faciunt nouem sorores,
quam cunctos alios, Marone dempto.
Pacatum haut dubie, poeta, dicis.
ipse est.   intrepide uolate, uersus,
et nidum in gremio fouete tuto.
hic uos diligere, hic uolet tueri:
ignoscenda teget, probata tradet:
post hunc iudicium timete nullum.

326. *To Tetradius: A Remonstrance*

O QVI uenustos uberi facundia
    sales opimas, Tetradi,
cauesque, ne sit tristis et dulci carens
    amara concinnatio :
qui felle carmen atque melle temperans
    torpere musas non sinis,
pariterque fucas quaeque gustu ignaua sunt
    et quae sapore tristia :
rudis camenas qui Suessae praeuenis
    aeuoque cedis, non stilo :
cur me propinquum Santonorum moenibus
    declinas, ut Lucas boues
olim resumpto praeferocis proelio
    fugit iuuentus Romula ?
non ut tigris te, non leonis impetu,
    amore sed caro expeto.
uidere alumni gestio uoltus mei
    et indole optata frui.
inuitus olim deuoraui absentiae
    necessitatem pristinae,
quondam docendi munere adstrictum graui
    Iculisma cum te absconderet,
et inuidebam deuio ac solo loco
    opes camenarum tegi.
at nunc frequentis atque claros nec procul
    cum floreas inter uiros
tibique nostras uentus auras deferat
    aurisque sermo uerberet,
cur me supino pectoris fastu tumens
    spernis poetam consulem,

tuique amantem teque mirantem ac tua
   desiderantem carmina
oblitus alto neglegis fastidio?
   plectendus exemplo tuo,
ni stabilis aeuo pectoris nostri fides
   quamquam recusantis amet.
uale.   ualere si uoles me, peruola
   cum scrinio et musis tuis.

327.   *A Letter to Paulinus*

IAMBE Parthis et Cydonum spiculis,
   iambe pinnis alitum uelocior,
Padi ruentis impetu torrentior,
magna sonorae grandinis ui densior,
flammis corusci fulguris uibratior,
iam nunc per auras Persei talaribus
petasoque ditis Arcados uectus uola.
si uera fama est Hippocrene, quam pedis
pulsu citati cornipes fudit fremens,
tu fonte in ipso procreatus Pegasi,
primus duorum metra iunxisti pedum
trimetrisque Musis concinentibus nouem
caedem in draconis concitasti Delium.
fer hanc salutem praepes et uolucripes
Paulini ad usque moenia, Ebromagum loquor,
et protinus, iam si resumptis uiribus
alacri refecti corporis motu uiget,
saluere iussum mox reposce mutuum.
nihil moreris iamque, dum loquor, redi,
imitatus illum stirpis auctorem tuae,
triplici furentem qui Chimaeram incendio
superuolauit tutus igne proximo.
dic te ualere, dic saluere te iubet

amicus et uicinus et fautor tuus,
honoris auctor, altor ingeni tui.
dic et magister, dic parens, dic omnia
blanda atque sancta caritatis nomina
haueque dicto dic uale actutum et redi.
quod si rogabit, quid super scriptis nouis
maturus aeui nec rudis diiudicem,
nescire dices, sed paratum iam fore
heroicorum uersuum plenum essedum.
cui subiugabo de molarum ambagibus,
qui machinali saxa uoluunt pondere,
tripedes caballos terga ruptos uerbere,
his ut uehantur tres sodales nuntii.
fors et rogabit, quos sodalis dixeris
simul uenire: dic, 'trinodem dactylum
uidi paratum crucianti cantherio:
spondeus illi lentipes ibat comes,
paribus moratur qui locis cursum meum,
mihique similis, semper aduersus tamen,
nec par nec impar, qui trochaeus dicitur.'
haec fare cursim nec moratus peruola,
aliquid reportans interim munusculi
de largitate musici promptarii.

328.   *To his Wife*

VXOR, uiuamusque ut uiximus et teneamus
    nomina, quae primo sumpsimus in thalamo:
nec ferat ulla dies, ut commutemur in aeuo,
    quin tibi sim iuuenis tuque puella mihi.
Nestore sim quamuis prouectior aemulaque annis
    uincas Cumanam tu quoque Deiphoben,
nos ignoremus quid sit matura senectus.
    scire aeui meritum, non numerare decet.

329.   *Nemesis*
           (From the Greek)

ME lapidem quondam Persae aduexere, tropaeum
   ut fierem bello : nunc ego sum Nemesis.
ac sicut Graecis uictoribus adsto tropaeum,
    punio sic Persas uanilocos Nemesis.

330.   *One-sided Love*
           (From the Greek)

HOC quod amare uocant misce aut dissolue, Cupido :
   aut neutrum flammis ure uel ure duos.

331.   *The Spartan's Shield*

MATER Lacaena clipeo obarmans filium
   'cum hoc', inquit, 'aut in hoc redi.'

332.   *In Commendation of his Book*

EST quod mane legas, est et quod uespere.   laetis
   seria miscuimus, temperie ut placeant.
non unus uitae color est nec carminis unus
    lector : habet tempus pagina quaeque suum.
hoc mitrata Venus probat, hoc galeata Minerua,
    Stoicus has partis, has Epicurus amat.
salua mihi ueterum maneat dum regula morum,
    plaudat permissis sobria Musa iocis.

333.   *To his Book*

SI tineas cariemque pati te, charta, necesse est,
   incipe uersiculis ante perire meis.
'malo,' inquis, 'tineis.'   sapis, aerumnose libelle,
    perfungi mauis quod leuiore malo.

ast ego damnosae nolo otia perdere Musae,
   iacturam somni quae parit atque olei.
‘ utilius dormire fuit quam perdere somnum
   atque oleum.’ bene ais: causa sed ista mihi est,
irascor Proculo, cuius facundia tanta est
   quantus honos. scripsit plurima quae cohibet.
hunc studeo ulcisci: et prompta est propria ultio uati.
   qui sua non edit carmina, nostra legat.
huius in arbitrio est, seu te iuuenescere cedro
   seu iubeat duris uermibus esse cibum.
huic ego, quod nobis superest ignobilis oti,
   deputo, siue legat quae dabo siue tegat.

334.   *Myro's Heifer*

BVCVLA sum caelo genitoris facta Myronis
   aerea: nec factam me puto sed genitam.
sic me taurus init, sic proxima bucula mugit,
   sic uitulus sitiens ubera nostra petit.
miraris quod fallo gregem? gregis ipse magister
   inter pascentis me numerare solet.

335.   *A Picture of Echo*

VANE, quid affectas faciem mihi ponere, pictor,
   ignotamque oculis sollicitare deam?
aëris et linguae sum filia, mater inanis
   indicii, uocem quae sine mente gero.
extremos pereunte modos a fine reducens
   ludificata sequor uerba aliena meis.
auribus in uestris habito penetrabilis echo:
   me si uis similem pingere, pinge sonum.

336.   *The Ideal Mistress*

SIT mihi talis amica uelim,
    iurgia quae temere incipiat
nec studeat quasi casta loqui,
pulcra, procax, petulante manu,
uerbera quae ferat et regerat
caesaque ad oscula confugiat.
nam nisi moribus his fuerit,
casta modesta pudenter agens,
dicere abominor, uxor erit.

337.   *Narcissus*

FVRITIS, procaces Naides,
    amore saeuo et irrito :
ephebus iste flos erit.

338.   *Dedication of a Mirror*

LAIS anus Veneri speculum dico : dignum habeat se
    aeterna aeternum forma ministerium.
at mihi nullus in hoc usus, quia cernere talem
    qualis sum nolo, qualis eram nequeo.

339.   *The Graves of a Household*

i

His Wife

HACTENVS ut caros, ita iusto funere fletos
    functa piis cecinit nenia nostra modis.
nunc, dolor atque cruces nec contrectabile fulmen,
    coniugis ereptae mors memoranda mihi.

nobilis a proauis et origine clara senatus,
  moribus usque bonis clara Sabina magis,
te iuuenis primis luxi deceptus in annis
  perque nouem caelebs te fleo olympiadas.
nec licet obductum senio sopire dolorem :
  semper crudescit nam mihi poena recens.
admittunt alii solacia temporis aegri :
  haec grauiora facit uulnera longa dies.
torqueo deceptos ego uita caelibe canos,
  quoque magis solus, hoc mage maestus ago.
uolnus alit, quod muta domus silet et torus alget,
  quod mala non cuiquam, non bona participo.
maereo, si coniunx alii bona, maereo contra,
  si mala : ad exemplum tu mihi semper ades.
tu mihi crux ab utraque uenis, siue est mala, quod tu
  dissimilis fueris, seu bona, quod similis.
non ego opes cassas et inania gaudia plango,
  sed iuuenis iuueni quod mihi rapta uiro :
laeta, pudica, grauis, genus inclita et inclita forma,
  o dolor atque decus coniugis Ausonii ;
quae modo septenos quater inpletura Decembris,
  liquisti natos, pignora nostra, duos.
illa fauore dei, sicut tua uota fuerunt,
  florent, optatis accumulata bonis.
et precor ut uigeant tandemque superstite utroque
  nuntiet hoc cineri nostra fauilla tuo.

ii

His Father-in-law

Desinite, o ueteres, Calpurnia nomina, Frugi
  ut proprium hoc uestrae gentis habere decus :
nec solus semper censor Cato nec sibi solus
  iustus Aristides his placeant titulis.

nam sapiens quicumque fuit uerumque fidemque
    qui coluit, comitem se tibi, Censor, agat.
tu grauis et comis cum iustitiaque remissus,
    austeris doctus iungere temperiem.
tu non adscito tibi me nec sanguine iuncto
    optasti nostras consociare domos.
nempe aliqua in nobis morum simulacra tuorum
    effigies nostri praebuit ingenii :
aut iam Fortunae sic se uertigo rotabat,
    ut pondus fatis tam bona uota darent.
si quid apud manis sentis, fouet hoc tibi mentem,
    quod fieri optaras, id uoluisse deum.

iii

His Aunt

    Et amita Veneria properiter obiit,
    cui breuia melea modifica recino :
    cinis ita placidulus adoperiat eam
    locaque tacita celeripes Erebi adeat.

340.   *An Epitaph for his Father*

NOMEN ego Ausonius, non ultimus arte medendi
    et, mea si nosses tempora, primus eram.
uicinas urbis colui patriaque domoque,
    Vasates patria, sed lare Burdigalam.
curia me duplex et uterque senatus habebat
    muneris exsortem, nomine participem.
non opulens nec egens, parcus sine sordibus egi :
    uictum habitum mores semper inempta habui.
sermone inpromptus Latio, uerum Attica lingua
    suffecit culti uocibus eloquii.

optuli opem cunctis poscentibus artis inemptae
   officiumque meum cum pietate fuit.
iudicium de me studui praestare bonorum :
   ipse mihi numquam, iudice me, placui.
officia in multos diuerso debita cultu
   personis meritis tempore distribui.
litibus abstinui : non auxi, non minui rem :
   indice me nullus, set neque teste perit.
inuidi numquam : cupere atque ambire refugi :
   iurare aut falsum dicere par habui.
factio me sibi non, non coniuratio iunxit :
   sincero colui foedere amicitias.
felicem sciui, non qui quod uellet haberet,
   set qui per fatum non data non cuperet.
non occursator, non garrulus, obuia cernens
   ualuis et uelo condita non adii.
famam, quae posset uitam lacerare bonorum,
   non finxi et, ueram si scieram, tacui.
ira procul, spes uana procul, procul anxia cura
   inque bonis hominum gaudia falsa procul.
uitati coetus eiuratique tumultus
   et semper fictae principum amicitiae.
deliquisse nihil numquam laudem esse putaui
   atque bonos mores legibus antetuli.
irasci promptus properaui condere motum
   atque mihi poenas pro leuitate dedi.
coniugium per lustra nouem sine crimine concors
   unum habui : natos quattuor edidimus.
prima obiit lactans : at qui fuit ultimus aeui,
   pubertate rudi non rudis interiit.
maximus ad summum columen peruenit honorum,
   praefectus Gallis et Libyae et Latio,
tranquillus, clemens, oculis uoce ore serenus,
   in genitore suo mente animoque pater.

huius ego et natum et generum pro consule uidi :
  consul ut ipse foret, spes mihi certa fuit.
matronale decus possedit filia, cuius
  egregia et nuptae laus erat et uiduae.
quae nati generique et progeneri simul omnium
  multiplici inlustris uidit honore domos.
ipse nec affectans nec detrectator honorum
  praefectus magni nuncupor Illyrici.
haec me fortunae larga indulgentia suasit
  numine adorato uitae obitum petere,
ne fortunatae spatium inuiolabile uitae
  fatali morsu stringeret ulla dies.
optinui auditaeque preces : spem uota timorem
  sopitus placido fine relinquo aliis.
inter maerentis, sed non ego maestus, amicos
  dispositis iacui funeris arbitriis.
nonaginta annos, baculo sine, corpore toto
  exegi, cunctis integer officiis.
haec quicumque leges, non aspernabere fari :
  talis uita tibi qualia uota mihi.

341.　　*In Memory of his Teacher,*
　　　　　　Nepotianus

FACETE, comis, animo iuuenali senex,
  cui felle nullo, melle multo mens madens
aeuum per omne nil amarum miscuit,
medulla nostri, Nepotiane, pectoris :
tam seriorum quam iocorum particeps,
taciturne, Amyclas ut silendo uiceris,
te fabulantem non Vlixes linqueret,
liquit canentis qui melodas uirgines :
probe et pudice, parce, frugi, abstemie :

facunde, nulli rhetorum cedens stilo,
et disputator ad Cleanthen stoicus,
Scaurum Probumque corde callens intimo
et Epirote Cinea memor magis :
sodalis et conuictor, hospes iugiter,
parum quod hospes, mentis agitator meae.
consilia nullus mente tam pura dedit
uel altiore conditu texit data.
honore gesti praesidatus inclitus,
decies nouenas functus annorum uices,
duos relinquens liberos, mortem oppetis,
dolore multo quam tuorum tam meo.

342.   *Epitaphs of Heroes*

i

Menelaus

FELIX o Menelae, deum cui debita sedes
   decretumque piis manibus Elysium,
Tyndareo dilecte gener, dilecte Tonanti,
   coniugii uindex, ultor adulterii,
aeterno pollens aeuo aeternaque iuuenta
   nec leti passus tempora nec senii.

ii

Deiphobus

PRODITVS ad poenam sceleratae fraude Lacaenae
   et deformato corpore Deiphobus
non habeo tumulum, nisi quem mihi uoce uocantis
   et pius Aeneas et Maro conposuit.

343. *In Tumulo Hominis Felicis*

SPARGE mero cineres bene olentis et unguine nardi,
    hospes, et adde rosis balsama puniceis.
perpetuum mihi uer agit inlacrimabilis urna
    et commutaui saecula, non obii.
nulla mihi ueteris perierunt gaudia uitae,
    seu meminisse putes omnia siue nihil.

344. *To his Villa*

SALVE, herediolum, maiorum regna meorum,
    quod proauus, quod auus, quod pater excoluit,
quod mihi iam senior properata morte reliquit:
    eheu nolueram tam cito posse frui!
iusta quidem series patri succedere, uerum
    esse simul dominos gratior ordo piis.
nunc labor et curae mea sunt: sola ante uoluptas
    pa tibus in nostris, cetera patris erant.
paruum herediolum, fateor: set nulla fuit res
    parua umquam aequanimis, adde etiam unanimis.
ex animo rem stare aequo puto, non animum ex re.
    cuncta cupit Croesus, Diogenes nihilum.
spargit Aristippus mediis in Syrtibus aurum:
    aurea non satis est Lydia tota Midae.
cui nullus finis cupiendi, est nullus habendi.
    ille opibus modus est, quem statuas animo.
uerum ager iste meus quantus sit, nosce: etiam me
    noueris et noris te quoque, si potis es,
quamquam difficile est se noscere: γνῶθι σεαυτόν
    quam propere legimus tam cito neclegimus.
agri his centum colo iugera, uinea centum
    iugeribus colitur prataque dimidio.

silua supra duplum, quam prata et uinea et aruum.
    cultor agri nobis nec superest nec abest.
fons propter puteusque breuis, tum purus et amnis:
    nauiger hic refluus me uehit ac reuehit.
conduntur fructus geminum mihi semper in annum.
    cui non longa penus, huic quoque prompta fames.
haec mihi nec procul urbe sita est nec prorsus ad urbem,
    ne patiar turbas utque bonis potiar.
et quotiens mutare locum fastidia cogunt,
    transeo et alternis rure uel urbe fruor.

345.   *The Martyrdom of Cupid*

A Dream of Fair Women

AËRIS in campis, memorat quos musa Maronis,
  myrteus amentis ubi lucus opacat amantis,
orgia ducebant heroides et sua quaeque,
ut quondam occiderant, leti argumenta gerebant,
errantes silua in magna et sub luce maligna
inter harundineasque comas grauidumque papauer
et tacitos sine labe lacus, sine murmure riuos.
quorum per ripas nebuloso lumine marcent
fleti, olim regum et puerorum nomina, flores:
mirator Narcissus et Oebalides Hyacinthus
et Crocus auricomans et murice pictus Adonis
et tragico scriptus gemitu Salaminius Aeas.
omnia quae lacrimis et amoribus anxia maestis
rursus in amissum reuocant heroidas aeuum.
exercent memores obita iam morte dolores.
fulmineos Semele decepta puerpera partus
deflet et ambustas lacerans per inania cunas
uentilat ignauum simulati fulguris ignem.
irrita dona querens, sexu gauisa uirili,

maeret in antiquam Caenis reuocata figuram.
uulnera siccat adhuc Procris Cephalique cruentam
diligit et percussa manum.   fert fumida testae
lumina Sestiaca praeceps de turre puella.
et de nimboso saltum Leucate minatur
mascula Lesbiacis Sappho peritura sagittis.
Harmoniae in cultu se Eriphyle maesta recenset,
infelix nato nec fortunata marito.
tota quoque aëriae Minoia fabula Cretae
picturarum instar tenui sub imagine uibrat.
Pasiphae niuei sequitur uestigia tauri.
licia fert glomerata manu deserta Ariadne.
respicit abiectas desperans Phaedra tabellas.
haec laqueum gerit, haec uanae simulacra coronae :
Daedaliae pudet hanc latebras subiisse iuuencae.
praereptas queritur per inania gaudia noctis
Laudamia duas, uiui functique mariti.
parte truces alia strictis mucronibus omnes
et Thisbe et Canace et Sidonis horret Elissa.
coniugis haec, haec patris et haec gerit hospitis ensem.
errat et ipsa, olim qualis per Latmia saxa
Endymioneos solita affectare sopores
cum face et astrigero diademate Luna bicornis.
centum aliae ueterum recolentes uulnera amorum
dulcibus et maestis refouent tormenta querellis.
quas inter medias furuae caliginis umbram
dispulit inconsultus Amor stridentibus alis.
agnouere omnes puerum memorique recursu
communem sensere reum, quamquam umida circum
nubila et auratis fulgentia cingula bullis
et pharetram et rutilae fuscarent lampados ignem :
agnoscunt tamen et uanum uibrare uigorem
occipiunt hostemque unum loca non sua nactum,

cum pigros ageret densa sub nocte uolatus,
facta nube premunt.   trepidantem et cassa parantem
suffugia in coetum mediae traxere cateruae.
eligitur maesto myrtus notissima luco,
inuidiosa deum poenis.   cruciauerat illic
spreta olim memorem Veneris Proserpina Adonim.
huius in excelso suspensum stipite Amorem
deuinctum post terga manus substrictaque plantis
uincula maerentem nullo moderamine poenae
afficiunt.   reus est sine crimine, iudice nullo
accusatur Amor.   se quisque absoluere gestit,
transferat ut proprias aliena in crimina culpas.
cunctae exprobrantes tolerati insignia leti
expediunt : haec arma putant, haec ultio dulcis,
ut quo quaeque perit studeat punire dolore.
haec laqueum tenet, haec speciem mucronis inanem
ingerit, illa cauos amnis rupemque fragosam
insanique metum pelagi et sine fluctibus aequor.
nonnullae flammas quatiunt trepidaeque minantur
stridentis nullo igne facis.   rescindit adultum
Myrrha uterum lacrimis lucentibus inque pauentem
gemmea fletiferi iaculatur sucina trunci.
ipsa etiam simili genetrix obnoxia culpae
alma Venus tantos penetrat secura tumultus.
nec circumuento properans suffragia nato
terrorem ingeminat stimulisque accendit amaris
ancipites furias natique in crimina confert
dedecus ipsa suum, quod uincula caeca mariti
deprenso Mauorte tulit, quod pube pudenda
Hellespontiaci ridetur forma Priapi,
quod crudelis Eryx, quod semiuir Hermaphroditus.
nec satis in uerbis.   roseo Venus aurea serto
maerentem pulsat puerum et grauiora pauentem.

D. MAGNVS AVSONIVS

olli purpureum mulcato corpore rorem
sutilis expressit crebro rosa uerbere, quae iam
tincta prius traxit rutilum magis ignea fucum.
inde truces cecidere minae uindictaque maior
crimine uisa suo, Venerem factura nocentem.
ipsae intercedunt heroides et sua quaeque
funera crudeli malunt adscribere fato.
tum gratis pia mater agit cessisse dolentis
et condonatas puero dimittere culpas.
talia nocturnis olim simulacra figuris
exercent trepidam casso terrore quietem.
quae postquam multa perpessus nocte Cupido
effugit, pulsa tandem caligine somni
euolat ad superos portaque euadit eburna.

346. *Valedictory*

SET damnosa nimis panditur area.
fac campum replices, Musa, papyrium.
nec iam fissipedis per calami uias
grassetur Gnidiae sulcus harundinis,
pingens aridulae subdita paginae
Cadmi filiolis atricoloribus.
aut cunctis pariter uersibus oblinat
furuam lacticolor sphongia sepiam.
parcamus uitio Dumnitonae domus,
ne sit charta mihi carior ostreis,

MODESTINVS

circa 350 A. D.

347. *Another Martyrdom of Cupid*

FORTE iacebat Amor uictus puer alite somno
  myrti inter frutices pallentis roris in herba.
hunc procul emissae tenebrosa Ditis ab aula
circueunt animae, saeua face quas cruciarat.
'ecce meus uenator', ait 'hunc' Phaedra 'ligemus!'
crudelis 'crinem' clamabat Scylla 'metamus!'
Colchis et orba Procne 'numerosa caede necemus!'
Didon et Canace 'saeuo gladio perimamus!'
Myrrha 'meis ramis', Euhadneque 'igne crememus!'
'hunc' Arethusa inquit Byblisque 'in fonte necemus!'
ast Amor euigilans dixit 'mea pinna, uolemus'.

PSEVDO-AVSONIVS

350-400 (?) A. D.

348. *'Gather ye Rosebuds'*

VER erat et blando mordentia frigora sensu
  spirabat croceo mane reuecta dies :
strictior Eoos praecesserat aura iugalis
  aestiferum suadens anticipare diem.
errabam riguis per quadrua compita in hortis
  maturo cupiens me uegetare die.
uidi concretas per gramina flexa pruinas
  pendere aut holerum stare cacuminibus.
uidi Paestano gaudere rosaria cultu
  exoriente nouo roscida Lucifero.
rara pruinosis canebat gemma frutetis
  ad primi radios interitura die.
ambigeres raperetne rosis Aurora ruborem
  an daret et flores tingeret orta dies.

ros unus, color unus et unum mane duorum :
   sideris et floris nam domina una Venus.
forsan et unus odor : sed celsior ille per auras
   difflatur, spirat proximus iste magis.
communis Paphie dea sideris et dea floris
   praecipit unius muricis esse habitum.
momentum intererat, quo se nascentia florum
   germina conparibus diuiderent spatiis.
haec uiret angusto foliorum tecta galero,
   hanc tenui folio purpura rubra notat,
haec aperit primi fastigia celsa obelisci
   mucronem absoluens purpurei capitis.
uertice collectos illa exsinuabat amictus
   iam meditans foliis se numerare suis :
nec mora : ridentis calathi patefecit honorem
   prodens inclusi semina densa croci.
ac modo quae toto rutilauerat igne comarum
   pallida conlapsis deseritur foliis.
mirabar celerem fugitiua aetate rapinam
   et dum nascuntur consenuisse rosas :
ecce et defluxit rutili coma punica floris,
   dum loquor, et tellus tecta rubore micat.
tot species tantosque ortus uariosque nouatus
   una dies aperit, conficit una dies.
conquerimur, Natura, breuis quod gratia talis :
   ostentata oculis ilico dona rapis.
quam longa una dies, aetas tam longa rosarum,
   quas pubescentis iuncta senecta premit.
quam modo nascentem rutilus conspexit Eous,
   hanc rediens sero uespere uidit anum.
sed bene, quod paucis licet interitura diebus
   succedens aeuum prorogat ipsa suum.
collige, uirgo, rosas, dum flos nouus et noua pubes,
   et memor esto aeuum sic properare tuum.

349.   *For a Statue of Dido*

ILLA ego sum Dido, uultu quem conspicis, hospes,
   assimilata modis pulcraque mirificis.
talis eram, sed non Maro quam mihi finxit erat mens
   uita nec incestis laesa cupidinibus.
namque nec Aeneas uidit me Troïus umquam
   nec Libyam aduenit classibus Iliacis,
sed furias fugiens atque arma procacis Hiarbae
   seruaui, fateor, morte pudicitiam,
pectore transfixo, castus quod perculit ensis,
   non furor aut laeso crudus amore dolor.
sic cecidisse iuuat : uixi sine uulnere famae,
   ulta uirum positis moenibus oppetii.
inuida, cur in me stimulasti, Musa, Maronem,
   fingeret ut nostrae damna pudicitiae ?
uos magis historicis, lectores, credite de me
   quam qui furta deum concubitusque canunt
falsidici uates, temerant qui carmine uerum
   humanisque deos assimilant uitiis.

350.   *A Pretty Boy*

DVM dubitat natura marem faceretne puellam,
   factus es, o pulcher, paene puella, puer.

351.   *Galla*

VADO, sed sine me, quia te sine, nec nisi tecum
   totus ero, pars cum sim altera, Galla, tui.
uado tamen, sed dimidius, uado minor ipso
   dimidio nec me iam locus unus habet :

nam tecum fere totus ero, quocumque recedam
    pars ueniet mecum quantulacumque mei.
separor unus ego, sed partem sumo minorem
    ipse mei, tecum pars mea maior abit.
si redeam, tibi totus ero : pars nulla uacabit,
    quae mox non redeat in tua iura.   uale.

AVIENVS

fl. 380 A. D.

352.   *Prologue to the Aratea*

CARMINIS incentor mihi Iuppiter ! auspice terras
   linquo Ioue et celsam reserat dux Iuppiter aethram.
imus in astra Iouis monitu, Iouis omine caelum
et Iouis imperio mortalibus aethera pando.
   Hic statio, hic sedes primi patris.   iste paterni
principium motus, uis fulminis iste corusci,
uita elementorum, mundi calor, aetheris ignis
astrorumque uigor, perpes substantia lucis
et numerus celsi modulaminis.   hic tener aer
materiaeque grauis concretio, sucus ab alto
corporibus caelo, cunctarum alimonia rerum,
flos et flamma animae.   qui discurrente meatu
mentis primigenae penetralia dura resoluens
impleuit largo uenas operatus amore,
ordinis ut proprii foedus daret.   iste calorem,
quo digesta capax solidaret semina mundus,
inseruit.   rite hunc primum, medium adque secundum
uox secreta canit sibi, nam permixtus utrimque
et fultus sese geminum latus unus et idem est,
auctor agendorum propriique patrator amoris
et mundi uere factus pater.   hic chaos altum
lumine perrupit, tenebrarum hic uincula primus

soluit et ipse parens rerum fluitantia fixit.
hic dispersa locis statuit primordia iustis,
hic digestorum speciem dedit, iste colorem
inposuit rebus sexuque inmixtus utroque
adque aeui pariter gemini, simul omnia lustrans,
sufficit alterno res semine.   rerum opifex hic,
hic altor rerum, rex mundi, celsa potestas
aetheris adque Erebi, pigra inclinatio nodi,
insociabilium discretio iusta deorum.
cuius et extremum tellus opus, ignea cuius
lumina sunt late sol et soror : ille diei
tendat ut infusi rutilum iubar, altera noctis
ut face flammanti tenebrosos rumpat amictus,
ne desit genitis pater ullo in tempore rebus.
istius ille anni pulcer chorus, alta ut hebescat
terra gelu, uer ut blandis adrideat auris.
puluerulenta siti tellurem ut torreat aestas
et grauis autumni redeat fetura parentis.
hoc duce per tumidi ferimur freta gurgitis, isto
praeceptore solum grauibus uersamus aratris.
iste modum statuit signis, hic rebus honorem
infundit, tenebris hic interlabitur aethrae,
uiscera et aetherios animans genitabilis artus.
denique ne longum marcentia corda iacerent
mundanique ortus mens inmemor omnia sensim
uilia conciperet neque se subduceret umquam
fontis in aeterni primordia, quo uelut amnis,
quem festina citis urget natura fluentis,
lapsu continuo ruiturae in corpora nostra
prorumpunt animae seriemque per aethera nectunt :
hic primum Cnidii radium senis intulit astris
mortalemque loqui docuit conuexa deorum,
cur Hyperionios nepa circumflecteret ignis,

autumni reditu cur sub gelido Capricorno
bruma pruinosi iuga tristia solueret anni,
cur spatium lucis, madidae cur tempora noctis
Libra celerque Aries demenso pondere Olympi
aequarent, qua parte polus sublimior alto
cardine caeruleas Thetidis non tangeret undas,
quis polus umbrifero lateat decliuis in axe
et uaga palanti cur signa errore ferantur.
quae rursum ingenio numerisque Solensibus idem
Iuppiter efferri melius dedit, incola Tauri
musa ut Cecropios raperetur et Aonas agros.

    Me quoque nunc similis stimulat furor edere uersu
tempora, cum duris uersare ligonibus arua
conueniat, cum ueliuolo dare carbasa ponto
et cum uiticomo crinem tondere Lyaeo.
o mihi nota adyti iam numina Parnasei !
o per multa operum mea semper cura Camenae !
iam placet in superum uisus sustollere caelum
adque oculis reserare uiam per sidera.   maior,
maior agit mentem solito deus, ampla patescit
Cirra mihi et totis se Helicon inspirat ab antris.

ANONYMOUS

384 A. D.

353. *Epitaph of M. Vettius Agorius*
Praetextatus and Paulina his Wife

SPLENDOR parentum nil mihi maius dedit,
quam quod marito digna iam tum uisa sum.
sed lumen omne uel decus nomen uiri,
Agori, superbo qui creatus germine
patriam, senatum coniugemque inluminas

probitate mentis, moribus, studiis simul,
uirtutis apicem quis supremum nanctus es.
tu namque quidquid lingua utraque est proditum
cura soforum, porta quis caeli patet,
uel quae periti condidere carmina
uel quae solutis uocibus sunt edita,
meliora reddis quam legendo sumpseras.
sed ista parua : tu pius mystes sacris
teletis reperta mentis arcano premis
diuumque numen multiplex doctus colis,
sociam benigne coniugem nectens sacris
hominum deumque consciam ac fidam tibi.
quid nunc honores aut potestates loquar
hominumque uotis adpetita gaudia ?
quae tu caduca ac parua semper autumans
diuum sacerdos infulis celsus clues.
tu me, marite, disciplinarum bono
puram ac pudicam sorte mortis eximens
in templa ducis ac famulam diuis dicas.
te teste cunctis imbuor mysteriis,
tu Dindymenes Atteosque antistitem
teletis honoras taureis consors pius.

Hecates ministram trina secreta edoces
Cererisque Graiae tu sacris dignam paras.
te propter omnes me beatam, me piam
celebrant, quod ipse me bonam disseminas,
totum per orbem ignota noscor omnibus.
nam te marito cur placere non queam ?
exempla de me Romulae matres petunt
subolemque pulcram, si tuae similis, putant.
optant probantque nunc uiri nunc feminae
quae tu magister indidisti insignia.
his nunc ademptis maesta coniunx maceror,

felix, maritum si superstitem mihi
diui dedissent, sed tamen felix, tua
quia sum fuique postque mortem mox ero.

' Paulina nostri pectoris consortio,
fomes pudoris, castitatis uinculum
amorque purus et fides caelo sata,
arcana mentis cui reclusa credidi,
munus deorum qui maritalem torum
nectunt amicis et pudicis nexibus,
pietate matris, coniugali gratia,
nexu sororis, filiae modestia
et quanta amicis iungimur fiducia,
aetatis usu, consecrandi foedere,
iugi fideli simplici concordia
iuuans maritum, diligens ornans colens ;
Paulina ueri et castitatis conscia,
dicata templis atque amica numinum,
sibi maritum praeferens, Romam uiro,
pudens fidelis pura mente et corpore,
benigna cunctis, utilis penatibus . . .'

ASMENIVS

circa 400 A. D.

354.   *Thoughts in a Garden*

ADESTE Musae, maximi proles Iouis,
laudem feracis praedicemus hortuli.
hortus salubris corpori praebet cibos
uariosque fructus saepe cultori refert,
holus suaue, multiplex herbae genus,
uuas nitentis atque fetus arborum.
non defit hortis et uoluptas maxima

multisque mixta commodis iocunditas.
aquae strepentis uitreus lambit liquor
sulcoque ductus irrigat riuus sata.
flores nitescunt discolore germine
pinguntque terram gemmeis honoribus.
apes susurro murmurant gratae leui,
cum summa florum uel nouos rores legunt.
fecunda uitis coniuges ulmos grauat
textasue inumbrat pampinis harundines.
opaca praebent arbores umbracula
prohibentque densis feruidum solem comis.
aues canorae garrulos fundunt sonos
et semper auris cantibus mulcent suis.
oblectat hortus, auocat pascit tenet
animoque maesto demit angores grauis;
membris uigorem reddit et uisus capit,
refert labori pleniorem gratiam,
tribuit colenti multiforme gaudium.

THE ASMENIDAE

I

ASCLEPIADIVS

circa 400 A. D.

355.

Fortune

O FORTVNA potens, at nimium leuis,
tantum iuris atrox quae tibi uindicas,
euertisque bonos, erigis improbos,

nec seruare potes muneribus fidem.
Fortuna immeritos auget honoribus,
Fortuna innocuos cladibus afficit.
iustos illa uiros pauperie grauat,
indignos eadem diuitiis beat.
haec aufert iuuenes ac retinet senes,
iniusto arbitrio tempora diuidens.
quod dignis adimit, traicit ad inpios.
nec discrimen habet rectaue iudicat :
inconstans fragilis perfida lubrica
nec quos clarificat perpetuo fouet,
nec quos deseruit perpetuo premit.

II

PALLADIVS

356.   *Orpheus*

THREICIVS quondam uates fide creditur canora
        mouisse sensus tristium ferarum
atque amnis tenuisse uagos, sed et alites uolantis,
        et surda cantu concitasse saxa,
suauisonaeque modos testudinis arbores secutae
        umbram feruntur praebuisse uati.
scilicet haud potuit, quae sunt sine, permouere, sensu
        (finxere docti fabulam poetae),
sed placidis hominum dictis fera corda mitigauit
        doctaque uitam uoce temperauit ;
iustitiam docuit, coetu uaga congregauit uno,
        moresque agrestis expoliuit Orpheus.

III

357.   *Vergil Distichs*

(a) *Palladius.*

CONDITVS hic ego sum, cuius modo rustica Musa

per siluas, per rus uenit ad arma uirum.

(b) *Vomanius.*

A siluis ad agros, ab agris ad proelia uenit

Musa Maroneo nobilis ingenio.

(c) *Maximinus.*

Carminibus pecudes et rus et bella canendo

nomen inexstinctum Vergilius merui.

IV

358.   *Vergil Quatrains*

(a) *Asclepiadius.*

SICANIVS uates siluis, Ascraeus in aruis,

Maeonius bellis ipse poeta fui.

Mantua se uita praeclari iactat alumni,

Parthenope famam morte Maronis habet.

(b) *Vitalis.*

Prima mihi Musa est sub fagi Tityrus umbra.

ad mea nauus humum iussa colonus arat.

proeliaque expertos cecini Troiana Latinos;

perque meos cineres inclita Parthenope.

(c) *Euphorbius.*

Romuleum Sicula qui fingit carmen auena

ruricolasque docet qua ratione serant,

quique Latinorum memorat fera bella Phrygumque,

hic cubat, hic meruit perpetuam requiem.

ANONYMOUS

circa 400 A.D. (?).

359. *Carpe Diem*

CONVIVAE, tetricas hodie secludite curas,
  ne maculent niueum nubila corda diem :
omnia sollicitae uertantur murmura mentis,
  ut uacet indomitum pectus amicitiae.
non semper gaudere licet : fugit hora, iocemur :
  difficile est fatis subripuisse diem.

360. *Epithalamium*

ITE, uerecundo coniungite foedera lecto
  atque Cupidineos discite ferre iocos ;
alliget amplexus tenerorum mater Amorum,
  quae regit Idalium, quae Cnidon alma regit,
concordisque tegens cum maiestate benigna
  constituat, patres et cito reddat auos.

361. *The Grave of Nymphius*

NYMPHIVS aeterno deuinctus membra sopore
  hic situs est, caelo mens pia perfruitur.
mens uidet astra, quies tumuli conplectitur artus,
  calcauit tristis sancta fides tenebras.
te tua pro meritis uirtutis ad astra uehebat
  intuleratque alto debita fama polo.
immortalis eris, nam multa laude uigebit
  uiuax uenturos gloria per populos.
te coluit proprium prouincia cuncta parentem,
  optabant uitam publica uota tuam.

exseruere tuo quondam data munera sumptu
  plaudentis populi gaudia per cuneos.
concilium procerum per te patria alma uocauit
  seque tuo duxit sanctius ore loqui.
publicus orbatas modo luctus conficit urbis
  confusique sedent, anxia turba, patres,
ut capite erepto torpentia membra rigescunt,
  ut grex amisso principe maeret iners.
parua tibi, coniunx, magni solacia luctus
  hunc tumuli titulum maesta Serena dicat.
haec indiuidui semper comes addita fulcri
  unanimam tibi se lustra per octo dedit.
dulcis uita fuit tecum : comes anxia lucem
  aeternam sperans hanc cupit esse breuem.

362.   *Roses and Thorns*

QVIS deus hoc medium uallauit uepribus aurum,
  iussit et inclusam sentibus esse rosam ?
aspicite ut magni coeant in foedus amantes :
  Martem spina refert, flos Veneris speculum est.
quid tibi cum magnis, puer, est, lasciue, sagittis ?
  hoc melius telo pungere corda potes !
nec flammas quaeras, sit ut alti pectoris ignis,
  set tibi tormentum praebeat ista facis.
pallens herba rubet : color est hic semper amantum ;
  tam fugitiua rosa est quam fugituus amor
nam quod floricomis gaudet lasciua metallis,
  aurum significat uilius esse rosa.

SVLPICIVS LVPERCVS SERVASIVS IVNIOR

circa 400 A. D. (?).

363.   *The Work of Time*

O MNE quod Natura parens creauit,
    quamlibet firmum uideas, labascit :
tempore ac longo fragile et caducum
    soluitur usu.
amnis insueta solet ire ualle,
mutat et rectos uia certa cursus,
rupta cum cedit male pertinaci
    ripa fluento.
decidens scabrum cauat unda tofum,
ferreus uomis tenuatur agris,
splendet adtrito digitos honorans
    anulus auro.

364.   *On Avarice*

H EV misera in nimios hominum petulantia census !
    caecus inutilium quo ruit ardor opum,
auri dira fames et non expleta libido,
    ferali pretio uendat ut omne nefas ?
sic latebras Eriphyla uiri patefecit, ubi aurum
    accepit, turpis materiam sceleris ;
sic quondam Acrisiae in gremium per claustra puellae
    corruptore auro fluxit adulterium.
o quam mendose uotum insaturabile habendi
    imbuit infami pectora nostra malo !
quamlibet immenso diues uigil incubet auro,
    aestuat augendae dira cupido rei.

410

SVLPICIVS LVPERCVS SERVASIVS IVNIOR

heu mala paupertas numquam locupletis auari :
  dum struere inmodice quod tenet optat, eget.
quis metus huic legum quaeue est reuerentia ueri ?
  crescentis nummi si mage cura subest,
cognatorum animas promptum est fratrumque cruorem
  fundier : affectus uincit auara fames.
diuitis est semper fragilis male quaerere gazas :
  nulla huic in lucro cura pudoris erit.
istud templorum damno excidioque requirit ;
  hoc caelo iubeas ut petat : inde petet.
mirum ni pulcras artis Romana iuuentus
  discat et egregio sudet in eloquio,
ut post iurisonae famosa stipendia linguae
  barbaricae ingeniis anteferantur opes ?
set tamen ex cultu adpetitur spes grata nepotum ?
  saltim istud nostri forsan honoris habent ?
at qui sunt, quos propter honestum rumpere foedus
  audeat inlicite pallida auaritia ?
Romani sermonis egent, ridendaque uerba
  frangit ad horrificos turbida lingua sonos.
ambusti torris species exesaque saeclo :
  rapta putes priscis corpora de tumulis !
perplexi crines, frons improba, tempora pressa,
  exstantes malae deficiente gena,
simantur uietae pando sinuamine nares,
  territat os nudum caesaque labra tument.
defossum in uentrem propulso pondere tergum
  frangitur et uacuo crure tument genua.
discolor in manibus species, ac turpius illud,
  quod cutis obscure pallet in inuidiam.

CLAVDIVS CLAVDIANVS

fl. 400 A. D.

365. *An Eagle of Roman Song*

PARVOS non aquilis fas est educere fetus
   ante fidem solis iudiciumque poli.
nam pater, excusso saluit cum tegmine proles
   ouaque maternus rupit hiulca tepor,
protinus implumis conuertit ad aethera nidos
   et recto flammas imperat ore pati.
consulit ardentis radios et luce magistra
   natorum uiris ingeniumque probat.
degenerem refugo torsit qui lumine uisum,
   unguibus hunc saeuis ira paterna ferit.
exploratores oculis qui pertulit ignis
   sustinuitque acie nobiliore diem,
nutritur uolucrumque potens et fulminis heres,
   gesturus summo tela trisulca Ioui.
me quoque Pieriis temptatum saepius antris
   audet magna suo mittere Roma deo.
iam dominas auris, iam regia tecta meremur
   et chelys Augusto iudice nostra sonat.

366. *A Council of War—and War*

TANDEM concilium belli confessus agendi
   ad sua tecta uocat.   iuuenes uenere proterui
lasciuique senes, quibus est insignis edendi
gloria corruptasque dapes uariasse decorum,
qui uentrem inuitant pretio traduntque palato
sidereas Iunonis auis et si qua loquendi
gnara coloratis uiridis defertur ab Indis,
quaesitos trans regna cibos, quorumque profundam

412

ingluuiem non Aegaeus, non alta Propontis,
non freta longinquis Maeotia piscibus explent.
uestis odoratae studium; laus maxima risum
per uanos mouisse sales minimeque uiriles
munditiae; compti uultus; onerique uel ipsa
serica. si Chunus feriat, si Sarmata portas,
solliciti scaenae; Romam contemnere sueti
mirarique suas (quas Bosphorus obruat!) aedis;
saltandi dociles aurigarumque periti.

    pars humili de plebe duces; pars compede suras
cruraque signati nigro liuentia ferro
iura regunt, facies quamuis inscripta repugnet
seque suo prodat titulo. sed prima potestas
Eutropium praefert Hosio subnixa secundo.
dulcior hic sane cunctis prudensque mouendi
iuris et admoto qui temperet omnia fumo,
feruidus, accensam sed qui bene decoquat iram.
considunt apices gemini dicionis Eoae,
hic cocus, hic leno, defossi uerbere terga,
seruitio, non arte pares, hic saepius emptus,
alter ad Hispanos nutritus uerna penatis.

    ergo ubi collecti proceres, qui rebus in artis
consulerent tantisque darent solacia morbis,
obliti subito Phrygiae bellisque relictis
ad solitos coepere iocos et iurgia Circi
tendere. nequiquam magna confligitur ira,
quis melius uibrata puer uertigine molli
membra rotet, uerrat quis marmora crine supino,
quis magis enodis laterum detorqueat artus,
quis uoci digitos, oculos quis moribus aptet.
hi tragicos meminere modos; his fabula Tereus,
his necdum commissa choro cantatur Agaue.
increpat Eutropius: non haec spectacula tempus

poscere ; nunc alias armorum incumbere curas ;
se satis Armenio fessum pro limite cingi
nec tantis unum subsistere posse periclis ;
ignoscant senio, iuuenes ad proelia mittant :
qualis pauperibus nutrix inuisa puellis
assidet et tela communem quaerere uictum
rauca monet ; festis illae lusisse diebus
orant et positis aequaeuas uisere pensis,
irataeque operi iam lasso pollice fila
turbant et teneros detergent stamine fletus.

emicat extemplo cunctis trepidantibus audax
crassa mole Leo, quem uix Cyclopia solum
aequatura fames, quem non ieiuna Celaeno
uinceret ; hinc nomen fertur meruisse Leonis.
acer in absentis linguae iactator, abundans
corporis exiguusque animi, doctissimus artis
quondam lanificae : moderator pectinis unci
non alius lanam purgatis sordibus aeque
praebuerit calathis, similis nec pinguia quisquam
uellera per tenuis ferri producere rimas.
tunc Aiax erat Eutropii lateque fremebat,
non septem uasto quatiens umbone iuuencos,
sed, quam perpetuis dapibus pigroque sedili
inter anus interque colos onerauerat, aluum.
adsurgit tandem uocemque expromit anhelam :

' quis nouus hic torpor, socii ? quonam usque sedemus
femineis clausi thalamis patimurque periclum
gliscere desidia ? grauiorum turba malorum
texitur, ignauis trahimus dum tempora uotis.
me petit hic sudor.   numquam mea dextera segnis
ad ferrum.   faueat tantum Tritonia coeptis,
inceptum peragetur opus.   iam cuncta furorem
qui grauat efficiam leuiorem pondere lanae ;

Tarbigilum timidum desertoresque Gruthungos
ut miseras populabor ouis et pace relata
pristina restituam Phrygias ad stamina matres.'
   his dictis iterum sedit ; fit plausus et ingens
concilii clamor, qualis resonantibus olim
exoritur caueis, quotiens crinitus ephebus
aut rigidam Nioben aut flentem Troada fingit.
protinus excitis iter inremeabile signis
adripit infaustoque iubet bubone moueri
agmina Mygdonias mox impletura uolucris.

   pulcer et urbanae cupiens exercitus umbrae,
assiduus ludis, auidus splendere lauacris
nec soles imbrisue pati multumque priori
dispar, sub clipeo Thracum qui ferre pruinas,
dum Stilicho regeret, nudoque hiemare sub axe
sueuerat et duris haurire bipennibus Hebrum.
cum duce mutatae uires.   Byzantia robur
fregit luxuries Ancyranique triumphi.
non peditem praecedit eques ; non commoda castris
eligitur regio ; uicibus custodia nullis
aduigilat uallo ; non explorantur eundae
uitandaeque uiae ; nullo se cornua flectunt
ordine : confusi passim per opaca uagantur
lustra, per ignotas angusto tramite uallis.
sic uacui rectoris equi, sic orba magistro
fertur in abruptum casu, non sidere, puppis ;
sic ruit in rupes amisso pisce sodali
belua, sulcandas qui praeuius edocet undas
inmensumque pecus paruae moderamine caudae
temperat et tanto coniungit foedera monstro ;
illa natat rationis inops et caeca profundi ;
iam breuibus deprensa uadis ignara reuerti
palpitat et uanos scopulis inlidit hiatus.

CLAVDIVS CLAVDIANVS

Tarbigilus simulare fugam flatusque Leonis
spe nutrire leuis improuisusque repente,
dum grauibus marcent epulis hostique catenas
inter uina crepant, largo sopita Lyaeo
castra subit.   pereunt alii, dum membra cubili
tarda leuant; alii leto iunxere soporem;
ast alios uicina palus sine more ruentis
excipit et cumulis inmanibus aggerat undas.
ipse Leo damma ceruoque fugacior ibat
sudanti tremibundus equo : qui pondere postquam
decidit, implicitus limo cunctantia pronus
per uada reptabat.   caeno subnixa tenaci
mergitur et pingui suspirat corpore moles
more suis, dapibus quae iam deuota futuris
turpe gemit, quotiens Hosius mucrone corusco
armatur cingitque sinus secumque uolutat
quas figat ueribus partis, quae frusta calenti
mandet aquae quantoque cutem distendat echino :
flagrat opus; crebro pulsatus perstrepit ictu;
contexit uarius penetrans Chalcedona nidor.

ecce leuis frondes a tergo concutit aura :
credit tela Leo; ualuit pro uulnere terror
impleuitque uicem iaculi, uitamque nocentem
integer et sola formidine saucius efflat.
quis tibi tractandos pro pectine, degener, ensis,
quis solio campum praeponere suasit auito ?
quam bene texentum laudabas carmina tutus
et matutinis pellebas frigora mensis !
hic miserande iaces; hic, dum tua uellera uitas,
tandem fila tibi neuerunt ultima Parcae.

iam uaga pallentem densis terroribus aulam
fama quatit; stratas acies, deleta canebat
agmina, Maeonios foedari caedibus agros,

Pamphylos Pisidasque rapi.   metuendus ab omni
Tarbigilus regione tonat; modo tendere cursum
in Galatas, modo Bithynis incumbere fertur.
sunt qui per Cilicas rupto descendere Tauro,
sunt qui correptis ratibus terraque marique
aduentare ferant; geminantur uera pauoris
ingenio: longe spectari e puppibus urbis
accensas, lucere fretum uentoque citatas
· omnibus in pelago uelis haerere fauillas.

*367.   The Marriage of Honorius and
Maria*

HAVSERAT, insolitos promissae uirginis ignis
    Augustus primoque rudis flagrauerat aestu;
nec nouus unde calor nec quid suspiria uellent,
nouerat incipiens et adhuc ignarus amandi.
non illi uenator equus, non spicula curae,
non iaculum torquere libet; mens omnis aberrat
in uulnus quod fixit Amor.   quam saepe medullis
erupit gemitus! quotiens incanduit ore
confessus secreta rubor nomenque beatum
iniussae scripsere manus! Iam munera nuptae
praeparat, et pulcros, Mariae sed luce minores,
eligit ornatus, quidquid uenerabilis olim
Liuia diuorumque nurus gessere superbae.
incusat spes aegra moras longique uidentur
stare dies segnemque rotam non flectere Phoebe.
Scyria sic tenerum uirgo flammabat Achillem
fraudis adhuc expers bellatricisque docebat
ducere fila manus et, mox quos horruit Ide,
Thessalicos roseo nectebat pollice crinis.

haec etiam queritur secum: 'quonam usque uerendus
cunctatur mea uota socer? quid iungere differt
quam pepigit, castasque preces implere recusat?
non ego luxuriem regum moremque secutus
quaesiui uultum thalamis, ut nuntia formae
lena per innumeros iret pictura penatis,
nec uariis dubium thalamis laturus amorem
ardua commisi falsae conubia cerae.
non rapio praeceps alienae foedera taedae,
sed quae sponsa mihi pridem patrisque relicta
mandatis uno materni sanguinis ortu
communem partitur auum. fastidia supplex
deposui gessique procum; de limine sacro
oratum misi proceres, qui proxima nobis
iura tenent. fateor, Stilicho, non parua poposci,
sed certe mereor princeps hoc principe natus,
qui sibi te generum fraterna prole reuinxit,
cui Mariam debes. faenus mihi solue paternum,
redde suos aulae. mater fortasse rogari
mollior. o patrui germen, cui nominis heres
successi, sublime decus torrentis Hiberi,
stirpe soror, pietate parens, tibi creditus infans
inque tuo creui gremio partuque remoto
tu potius Flacilla mihi. quid diuidis ergo
pignora? quid iuueni natam non reddis alumno?
optatusne dies aderit? dabiturne iugalis
nox umquam?'
                       tali solatur uulnera questu.
risit Amor placidaeque uolat trans aequora matri
nuntius et totas iactantior explicat alas.

mons latus Ionium Cypri praeruptus obumbrat,
inuius humano gressu, Phariumque cubile
Proteos et septem despectat cornua Nili.

hunc neque canentes audent uestire pruinae
nec uenti pulsare, timent hunc laedere nimbi;
Luxuriae Venerique uacat.   pars acrior anni
exsulat; aeterni patet indulgentia ueris.
in campum se fundit apex; hunc aurea saepes
circuit et fuluo defendit prata metallo.
Mulciber, ut perhibent, his oscula coniugis emit
moenibus et talis uxorius obtulit arces.
intus rura micant, manibus quae subdita nullis
perpetuum florent, Zephyro contenta colono,
umbrosumque nemus, quo non admittitur ales,
ni probet ante suos diua sub iudice cantus:
quae placuit, fruitur ramis; quae uicta, recedit.
uiuunt in Venerem frondes omnisque uicissim
felix arbor amat; nutant ad mutua palmae
foedera, populeo suspirat populus ictu
et platani platanis alnoque adsibilat alnus.

    labuntur gemini fontes, hic dulcis, amarus
alter et infusis corrumpens mella uenenis,
unde Cupidineas armari fama sagittas.
mille pharetrati ludunt in margine fratres,
ore pares, aeuo similes, gens mollis Amorum.
hos Nymphae pariunt, illum Venus aurea solum
edidit.   ille deos caelumque et sidera cornu
temperat et summos dignatur figere reges;
hi plebem feriunt.   nec cetera numina desunt.
hic habitat nullo constricta Licentia nodo
et flecti faciles Irae uinoque madentes
Excubiae Lacrimaeque rudes et gratus amantum
Pallor et in primis titubans Audacia furtis
iucundique Metus et non secura Voluptas;
et lasciua uolant leuibus Periuria uentis.
quos inter petulans alta ceruice Iuuentas

excludit Senium luco procul.

atria diuae
permutant radios siluaque obstante uirescunt.
Lemnius haec etiam gemmis exstruxit et auro
admiscens artem pretio trabibusque smaragdi
supposuit caesas hyacinthi rupe columnas.
beryllo paries et iaspide lubrica surgunt
limina despectusque solo calcatur achates.
in medio glaebis redolentibus area diues
praebet odoratas messis ; hic mitis amomi,
hic casiae matura seges, Panchaeaque turgent
cinnama, nec sicco frondescunt uimina costo
tardaque sudanti prorepunt balsama riuo.

quo postquam delapsus Amor longasque peregit
penna uias, alacer passuque superbior intrat.
caesariem tunc forte Venus subnixa corusco
fingebat solio.   dextra laeuaque sorores
stabant Idaliae : largos haec nectaris imbris
irrigat, haec morsu numerosi dentis eburno
multifidum discrimen arat ; sed tertia retro
dat uarios nexu nec iusto diuidit orbis
ordine neglectam partem studiosa relinquens :
plus error decuit.   speculi nec uultus egebat
iudicio ; similis tecto monstratur in omni
et rapitur, quocumque uidet, dum singula cernit
seque probat.   nati uenientis conspicit umbram
ambrosioque sinu puerum complexa ferocem
'quid tantum gauisus ?' ait ; 'quae proelia sudas,
improbe ? quis iacuit telis ? iterumne Tonantem
inter Sidonias cogis mugire iuuencas ?
an Titana domas ? an pastoralia Lunam
rursus in antra uocas ? durum magnumque uideris
debellasse deum.'

suspensus in oscula matris
ille refert : 'Laetare, parens ; inmane tropaeum
rettulimus, nostrum iam sensit Honorius arcum.
scis Mariam patremque ducem, qui cuspide Gallos
Italiumque fouet, nec te praeclara Serenae
fama latet. propera ; regalibus adnue uotis :
iunge toros.'

gremio natum Cytherea remouit
et crinis festina ligat peplumque fluentem
adleuat et blando spirantem numine ceston
cingitur, impulsos pluuiis quo mitigat amnis,
quo mare, quo uentos irataque fulmina soluit.
ut stetit ad litus, paruos adfatur alumnos :

'heus ! quis erit, pueri, uitreas qui lapsus in undas
huc rapidum Tritona uocet, quo uecta per altum
deferar ? haud umquam tanto mihi uenerit usu.
sacri, quos petimus, thalami. pernicius omnes
quaerite, seu concha Libycum circumsonat aequor,
Aegaeas seu frangit aquas. quicumque repertum
duxerit, aurata donabitur ille pharetra.'

dixerat et sparsi diuisa plebe feruntur
exploratores pelagi. sub fluctibus ibat
Carpathiis Triton obluctantemque petebat
Cymothoen. timet illa ferum seseque sequenti
subripit et duris elabitur uda lacertis.
'heus', inquit speculatus Amor, 'non uestra sub imis
furta tegi potuere uadis. accingere nostram
uecturus dominam : pretium non uile laboris
Cymothoen facilem, quae nunc detrectat, habebis.
hac mercede ueni.'

prorupit gurgite toruus
semifer ; undosi uerrebant bracchia crines ;
hispida tendebant bifido uestigia cornu,

qua pistrix commissa uiro. ter pectora mouit;
iam quarto Paphias tractu sulcabat harenas.
umbratura deam retro sinuatur in arcum
belua; tum uiuo squalentia murice terga
purpureis mollita toris: hoc nauigat antro
fulta Venus; niueae delibant aequora plantae.
prosequitur uolucer late comitatus Amorum
tranquillumque choris quatitur mare. serta per omnem
Neptuni dispersa domum Cadmeia ludit
Leucothoe, frenatque rosis delphina Palaemon;
alternas uiolis Nereus interserit algas;
canitiem Glaucus ligat inmortalibus herbis.
nec non et uariis uectae Nereides ibant
audito rumore feris (hanc pisce soluto
subleuat Oceani monstrum Tartesia tigris;
hanc timor Aegaei rupturus fronte carinas
trux aries; haec caeruleae suspensa leaenae
innatat; haec uiridem trahitur complexa iuuencum),
certatimque nouis onerant conubia donis.
cingula Cymothoe, rarum Galatea monile
et grauibus Psamathe bacis diadema ferebat
intextum, Rubro quas legerat ipsa profundo.
mergit se subito uellitque corallia Doto;
uimen erat dum stagna subit; processerat undis:
gemma fuit.
       nudae Venerem cinxere cateruae
plaudentesque simul tali cum uoce sequuntur:
'hos Mariae cultus, haec munera nostra precamur
reginae regina feras. dic talia numquam
promeruisse Thetin nec cum soror Amphitrite
nostro nupta Ioui. deuotum sentiat aequor,
agnoscat famulum uirgo Stilichonia pontum.
uictricis nos saepe ratis classemque paternam

ueximus, attritis cum tenderet ultor Achiuis.'
    iam Ligurum terris spumantia pectora Triton
adpulerat lassosque fretis extenderat orbis.
continuo sublime uolans ad moenia Gallis
condita, lanigeri suis ostentantia pellem,
peruenit.   aduentu Veneris pulsata recedunt
nubila, clarescunt puris Aquilonibus Alpes.
laetaturque tamen; Mauortia signa rubescunt
floribus et subitis animantur frondibus hastae.
illa suum dictis adfatur talibus agmen :

    'Gradiuum, nostri comites, arcete parumper,
ut soli uacet aula mihi.   procul igneus horror
thoracum, gladiosque tegat uagina minacis.
stent bellatrices aquilae saeuique dracones;
fas sit castra meis hodie succumbere signis.
tibia pro lituis et pro clangore tubarum
molle lyrae festumque canant.   epulentur ad ipsas
excubias; mediis spirent crateres in armis.
laxet terribilis maiestas regia fastus
et sociam plebem non indignata potestas
confundat turbae proceres.   soluantur habenis
gaudia nec leges pudeat ridere seueras.

    'tu festas, Hymenaee, facis, tu, Gratia, flores
elige, tu geminas, Concordia, necte coronas.
uos, pennata cohors, quo quemque uocauerit usus,
diuisa properate manu, neu marceat ulla
segnities : alii funalibus ordine ductis
plurima uenturae suspendite lumina nocti;
hi nostra nitidos postis obducere myrto
contendant; pars nectareis adspergite tecta
roribus et flamma lucos adolete Sabaeos;
pars infecta croco uelamina lutea Serum
pandite Sidoniasque solo praesternite uestis.

ast alii thalamum docto componite textu ;
stamine gemmato picturatisque columnis
aedificetur apex, qualem non Lydia diues
erexit Pelopi nec quem struxere Lyaeo
Indorum spoliis et opaco palmite Bacchae.
illic exuuias omnis cumulate parentum :
quidquid auus senior Mauro uel Saxone uictis,
quidquid ab innumeris socio Stilichone tremendus
quaesiuit genitor bellis, quodcumque Gelonus
Armeniusue dedit ; quantum crinita sagittis
attulit extremo Meroe circumflua Nilo ;
misit Achaemenio quidquid de Tigride Medus,
cum supplex emeret Romanam Parthia pacem.
nobilibus gazis opibusque cubilia surgant
barbaricis ; omnes thalamo conferte triumphos.'
   sic ait et sponsae petit improuisa penatis.
illa autem secura tori taedasque parari
nescia diuinae fruitur sermone parentis
maternosque bibit mores exemplaque discit
prisca pudicitiae, Latios nec uoluere libros
desinit aut Graios, ipsa genetrice magistra,
Maeonius quaecumque senex aut Thracius Orpheus
aut Mytilenaeo modulatur pectine Sappho
(sic Triuiam Latona monet ; sic mitis in antro
Mnemosyne docili tradit praecepta Thaliae) :
cum procul augeri nitor et iucundior aer
attonitam lustrare domum fundique comarum
gratus odor.   mox uera fides numenque refulsit.
cunctatur stupefacta Venus ; nunc ora puellae
flammea, nunc niueo miratur uertice matrem.
haec modo crescenti, plenae par altera lunae :
adsurgit ceu forte minor sub matre uirenti
laurus et ingentis ramos olimque futuras

promittit iam parua comas; uel flore sub uno
ceu geminae Paestana rosae per iugera regnant:
haec largo matura die saturataque uernis
roribus indulget spatio; latet altera nodo
nec teneris audet foliis admittere soles.

  adstitit et blande Mariam Cytherea salutat:
'salue sidereae proles augusta Serenae,
magnorum suboles regum parituraque reges:
te propter Paphias sedis Cyprumque reliqui,
te propter libuit tantos explere labores
et tantum transnare maris, ne uilior ultra
priuatos paterere lares neu tempore longo
dilatos iuuenis nutriret Honorius ignis.
accipe fortunam generis, diadema resume,
quod tribuas natis, et in haec penetralia rursus,
unde parens progressa, redi. fac nulla subesse
uincula cognatae: quamuis aliena fuisses
principibus, regnum poteras hoc ore mereri.
quae propior sceptris facies? qui dignior aula
uultus erat? non labra rosae, non colla pruinae,
non crinis aequant uiolae, non lumina flammae.
quam iuncti leuiter sese discrimine confert
umbra supercilii! miscet quam iusta pudorem
temperies nimio nec sanguine candor abundat!
Aurorae uincis digitos umerosque Dianae;
ipsam iam superas matrem. si Bacchus amator
dotali potuit caelum signare corona,
cur nullis uirgo redimitur pulcrior astris?
iam tibi molitur stellantia serta Bootes
inque decus Mariae iam sidera parturit aether.
o digno nectenda uiro tantique per orbem
consors imperii! iam te uenerabitur Hister;
nomen adorabunt Thulani; Rhenus et Albis

seruiet; in medios ibis regina Sygambros.
quid numerem gentis Atlanteosque recessus
oceani? toto pariter donabere mundo.'

    dixit et ornatus, dederant quos nuper ouantes
Nereides, collo membrisque micantibus aptat.
ipsa caput distinguit acu, substringit amictus;
flammea uirgineis accommodat ipsa capillis.
ante fores iam pompa sonat, pilentaque sacra
praeradiant ductura nurum.   calet obuius ire
iam princeps tardumque cupit discedere solem:
nobilis haud aliter sonipes, quem primus amoris
sollicitauit odor, tumidus quatiensque decoras
curuata ceruice iubas Pharsalia rura
peruolat et notos hinnitu flagitat amnis
naribus accensis; mulcet fecunda magistros
spes gregis et pulcro gaudent armenta marito.

    candidus interea positis exercitus armis
exsultat socerum circa; nec signifer ullus
nec miles pluuiae flores dispergere ritu
cessat purpureoque ducem perfundere nimbo.
haec quoque uelati lauro myrtoque canebant:

    'diue parens, seu te complectitur axis Olympi,
seu premis Elysias, animarum praemia, uallis,
en promissa tibi Stilicho iam uota peregit;
iam gratae rediere uices; cunabula pensat;
acceptum reddit thalamum, natoque reponit
quod dederat genitor. numquam te, sancte, pigebit
iudicii nec te pietas suprema fefellit.
dignus cui leges, dignus cui pignora tanti
principis et rerum commendarentur habenae.
dicere possemus quae proelia gesta sub Haemo
quaeque cruentarint fumantem Strymona pugnae,
quam notus clipeo, quanta ui fulminet hastam,

426

ni prohiberet Hymen.   quae tempestiua relatu,
nunc canimus.   quis consilio, quis iuris et aequi
nosse modum melior? quod semper dissilit, in te
conuenit, ingenio robur, prudentia marti.
fronte quis aequali? quem sic Romana decerent
culmina? sufficerent tantis quae pectora curis?
stes licet in populo, clamet quicumque uidebit:
hic est, hic Stilicho! sic se testatur et offert
celsa potestatis species, non uoce feroci,
non alto simulata gradu, non improba gestu.
affectant alii quidquid fingique laborant,
hoc donat natura tibi.   pudor emicat una
formosusque rigor uultusque auctura uerendos
canities festina uenit.   cum sorte remota
contingat senio grauitas uiresque iuuentae,
utraque te cingit propriis insignibus aetas.
ornatur Fortuna uiro.   non ulla nocendi
tela nec infecti iugulis ciuilibus enses.
non odium terrore moues nec frena resoluit
gratia; diligimus pariter pariterque timemus.
ipse metus te noster amat, iustissime legum
arbiter, egregiae pacis fidissime custos,
optime ductorum, fortunatissime patrum.
plus iam, plus domino cuncti debere fatemur,
quod gener est, inuicte, tuus.   uincire corona;
insere te nostris contempto iure choreis.
sic puer Eucherius superet uirtute parentem;
aurea sic uideat similis Thermantia taedas;
sic uterus crescat Mariae; sic natus in ostro
paruus Honoriades genibus considat auitis.'

368.   *The Recluse*

FELIX, qui propriis aeuum transegit in aruis,
  ipsa domus puerum quem uidet, ipsa senem,
qui baculo nitens in qua reptauit harena
  unius numerat saecula longa casae.
illum non uario traxit fortuna tumultu,
  nec bibit ignotas mobilis hospes aquas.
non freta mercator tremuit, non classica miles,
  non rauci lites pertulit ille fori.
indocilis rerum, uicinae nescius urbis,
  adspectu fruitur liberiore poli.
frugibus alternis, non consule computat annum :
  autumnum pomis, uer sibi flore notat.
idem condit ager soles idemque reducit,
  metiturque suo rusticus orbe diem,
ingentem meminit paruo qui germine quercum
  aequaeuumque uidet consenuisse nemus,
proxima cui nigris Verona remotior Indis
  Benacumque putat litora Rubra lacum.
sed tamen indomitae uires firmisque lacertis
  aetas robustum tertia cernit auum.
erret et extremos alter scrutetur Hiberos :
  plus habet hic uitae, plus habet ille uiae.

369.   *Epistle to Serena*

ORPHEA cum primae sociarent omina taedae
  ruraque compleret Thracia festus Hymen,
certauere ferae picturataeque uolucres,
  dona suo uati quae potiora darent,
quippe antri memores, cautes ubi saepe sonorae
  praebuerant dulci mira theatra lyrae.

CLAVDIVS CLAVDIANVS

Caucasio crystalla ferunt de uertice lynces,
    grypes Hyperborei pondera fulua soli.
furatae Veneris prato per inane columbae
    florea conexis serta tulere rosis,
fractaque flebilium ramis electra sororum
    cycnus oloriferi uexit ab amne Padi,
et Nilo Pygmaea grues post bella remenso
    ore legunt Rubri germina cara maris.
uenit et extremo Phoenix longaeuus ab Euro
    adportans unco cinnama rara pede.
nulla auium pecudumque fuit quae ferre negaret
    uectigal meritae conubiale lyrae.

tunc opibus totoque Heliconis sedula regno
    ornabat propriam Calliopea nurum.
ipsam praeterea dominam stellantis Olympi
    ad nati thalamos ausa rogare parens.
nec spreuit regina deum uel matris honore
    uel iusto uatis ducta fauore pii,
qui sibi carminibus totiens lustrauerat aras
    Iunonis blanda numina uoce canens
proeliaque altisoni referens Phlegraea mariti,
    Titanum fractas Enceladique minas.
ilicet aduentu noctem dignata iugalem
    addidit augendis munera sacra toris,
munera mortalis non admittentia cultus,
    munera, quae solos fas habuisse deos.

sed quod Threicio Iuno placabilis Orphei,
    hoc poteris uotis esse, Serena, meis ;
illius exspectent famulantia sidera nutum,
    sub pedibus regitur terra fretumque tuis.

non ego, cum peterem, sollemni more procorum
    promisi gregibus pascua plena meis
nec, quod mille mihi lateant sub palmite colles
    fluctuet et glauca pinguis oliua coma,
nec, quod nostra Ceres numerosa falce laboret
    aurataeque ferant culmina celsa trabes.
suffecit mandasse deam: tua littera nobis
    et pecus et segetes et domus ampla fuit.
inflexit soceros et maiestate petendi
    texit pauperiem nominis umbra tui.
quid non perficeret scribentis uoce Serenae
    uel genius regni uel pietatis amor?

atque utinam sub luce tui contingeret oris
    coniugis et castris et solio generi
optatum celebrare diem! me iungeret auspex
    purpura, me sancto cingeret aula choro!
et mihi quam scriptis desponderat ante puellam,
    coniugiis eadem pronuba dextra daret!
nunc medium quoniam uotis maioribus aequor
    inuidet et Libycae dissidet ora plagae,
saltem absens, regina, faue reditusque secundos
    adnue sidereo laeta supercilio.
terrarum tu pande uias, tu mitibus Euris
    aequora pacari prosperiora iube,
ut tibi Pierides doctumque fluens Aganippe
    debita seruato uota cliente canant.

370.   *Love in a Cottage*

PAVPERTAS me saeua domat dirusque Cupido:
    sed toleranda fames, non tolerandus amor.

circa 400 A. D. (?)

371.   *The Ass in the Lion's Skin*

METIRI se quemque decet propriisque iuuari
laudibus, alterius nec bona ferre sibi,
ne detracta grauem faciant miracula risum,
    coeperit in solitis cum remanere modis.
exuuias asinus defuncti forte leonis
    repperit et spoliis induit ora nouis.
aptauitque suis incongrua tegmina membris
    et miserum tanto pressit honore caput.
ast ubi terribilis mimo circumstetit horror
    pigraque praesumptus uenit in ossa uigor,
mitibus ille feris communia pabula calcans
    turbabat pauidas per sua rura boues.
rusticus hunc magna postquam deprendit ab aure,
    correptum stimulis uerberibusque domat ;
et simul abstracto denudans corpora tergo
    increpat his miserum uocibus ille pecus ;
' forsitan ignotos imitato murmure fallas ;
    at mihi, qui quondam, semper asellus eris.'

372.   *The Peacock and the Crane*

THREICIAM uolucrem fertur Iunonius ales
communi sociam non tenuisse cibo
(nam propter uarias fuerat discordia formas,
    magnaque de facili iurgia lite trahunt),
quod sibi multimodo fulgerent membra decore,
    caeruleam facerent liuida terga gruem ;
et simul erectae circumdans tegmina caudae
    sparserat arcatum sursus in astra iubar.

431

illa licet nullo pinnarum certet honore,
  his tamen insultans uocibus usa datur :
' quamuis innumerus plumas uariauerit ordo,
  mersus humi semper florida terga geris :
ast ego deformi sublimis in aera pinna
  proxima sideribus numinibusque feror.'

RVTILIVS CLAVDIVS NAMATIANVS

fl. 416 A. D.

373.   *Rome*

EXAVDI, regina tui pulcerrima mundi,
  inter sidereos Roma recepta polos,
exaudi, nutrix hominum genetrixque deorum
  (non procul a caelo per tua templa sumus) :
te canimus semperque, sinent dum fata, canemus :
  hospes nemo potest immemor esse tui.
obruerint citius scelerata obliuia solem,
  quam tuus ex nostro corde recedat honos.
nam solis radiis aequalia munera pendis,
  qua circumfusus fluctuat oceanus.
uoluitur ipse tibi qui continet omnia Phoebus
  eque tuis ortos in tua condit equos.
te non flammigeris Libye tardauit harenis,
  non armata suo reppulit Vrsa gelu :
quantum uitalis natura tetendit in axis,
  tantum uirtuti peruia terra tuae.
fecisti patriam diuersis gentibus unam :
  profuit inuitis te dominante capi.
dumque offers uictis proprii consortia iuris,
  urbem fecisti quod prius orbis erat.
auctores generis Venerem Martemque fatemur,
  Aeneadum matrem Romulidumque patrem :

mitigat armatas uictrix clementia uiris,
    conuenit in mores numen utrumque tuos :
hinc tibi certandi bona parcendique uoluptas
    quos timuit superat, quos superauit amat.
inuentrix oleae colitur uinique repertor
    et qui primus humo pressit aratra puer,
aras Paeoniam meruit medicina per artem,
    fretus et Alcides nobilitate deus :
tu quoque, legiferis mundum complexa triumphis,
    foedere communi uiuere cuncta facis.
te, dea, te celebrat Romanus ubique recessus
    pacificumque gerunt libera colla iugum.
omnia perpetuo quae seruant sidera motu,
    nullum uiderunt pulcrius imperium.
quid simile Assyriis conectere contigit armis ?
    Medi finitimos condomuere suos.
magni Parthorum reges Macetumque tyranni
    mutua per uarias iura dedere uices.
nec tibi nascenti plures animaeque manusque,
    sed plus consilii iudiciique fuit.
iustis bellorum causis nec pace superba
    nobilis ad summas gloria uenit opes.
quod regnas minus est quam quod regnare mereris :
    excedis factis grandia fata tuis.
percensere labor densis decora alta trophaeis,
    ut si quis stellas pernumerare uelit ;
confunduntque uagos delubra micantia uisus :
    ipsos crediderim sic habitare deos.
quid loquar aerio pendentis fornice riuos,
    qua uix imbriferas tolleret Iris aquas ?
hos potius dicas creuisse in sidera montis ;
    tale giganteum Graecia laudet opus.
intercepta tuis conduntur flumina muris ;
    consumunt totos celsa lauacra lacus.

433

nec minus et propriis celebrantur roscida uenis
    totaque natiuo moenia fonte sonant.
frigidus aestiuas hinc temperat halitus auras;
    innocuamque leuat purior unda sitim.
nempe tibi subitus calidarum gurges aquarum
    rupit Tarpeias hoste premente uias.
si foret aeternus, casum fortasse putarem:
    auxilio fluxit, qui rediturus erat.
quid loquar inclusas inter laquearia siluas,
    uernula quae uario carmine laudat auis?
uere tuo numquam mulceri desinit annus;
    deliciasque tuas uicta tuetur hiems.
erige crinalis lauros seniumque sacrati
    uerticis in uiridis, Roma, refinge comas.
aurea turrigero radient diademata cono,
    perpetuosque ignis aureus umbo uomat.
abscondat tristem deleta iniuria casum:
    contemptus solidet uulnera clausa dolor.
aduersis sollemne tuis sperare secunda:
    exemplo caeli ditia damna subis.
astrorum flammae renouant occasibus ortus;
    lunam finiri cernis, ut incipiat.
uictoris Brenni non distulit Allia poenam;
    Samnis seruitio foedera saeua luit;
post multas Pyrrhum cladis superata fugasti;
    fleuit successus Hannibal ipse suos;
quae mergi nequeunt, nisu maiore resurgunt
    exsiliuntque imis altius acta uadis;
utque nouas uiris fax inclinata resumit,
    clarior ex humili sorte superna petis.
porrige uicturas dominantia saecula leges
    solaque fatalis non uereare colos,
quamuis sedecies denis et mille peractis
    annus praeterea iam tibi nonus eat.

quae restant, nullis obnoxia tempora metis,
  dum stabunt terrae, dum polus astra feret !
illud te reparat, quod cetera regna resoluit :
  ordo renascendi est, crescere posse malis.
ergo age, sacrilegae tandem cadat hostia gentis :
  submittant trepidi perfida colla Getae.
ditia pacatae dent uectigalia terrae :
  impleat augustos barbara praeda sinus.
aeternum tibi Rhenus aret, tibi Nilus inundet,
  altricemque suam fertilis orbis alat.
quin et fecundas tibi conferat Africa messis,
  sole suo diues, sed magis imbre tuo.
interea et Latiis consurgant horrea sulcis,
  pinguiaque Hesperio nectare prela fluant.
ipse triumphali redimitus arundine Thybris
  Romuleis famulas usibus aptet aquas ;
atque opulenta tibi placidis commercia ripis
  deuehat hinc ruris, subuehat inde maris.
pande, precor, gemino placatum Castore pontum,
  temperet aequoream dux Cytherea uiam ;
si non displicui, regerem cum iura Quirini,
  si colui sanctos consuluique patres.
nam quod nulla meum strinxerunt crimina ferrum,
  non sit praefecti gloria, sed populi.
siue datur patriis uitam componere terris,
  siue oculis umquam restituere meis :
fortunatus agam uotoque beatior omni
  semper digneris si meminisse mei.

C. SOLLIVS MODESTVS APOLLINARIS
SIDONIVS

430-80 A. D.

374. For the Marriage of Polemius and Araneola

PROSPER conubio dies coruscat,
  quem Clotho niueis benigna pensis,
albus quem picei lapillus Indi,
quem pacis simul arbor et iuuentae
aeternumque uirens oliua signet.
eia, Calliope, nitente palma
da sacri laticis loquacitatem,
quem fodit pede Pegasus uolanti
cognato madidus iubam ueneno.
non hic impietas, nec hanc puellam
donat mortibus ambitus procorum;
non hic Oenomai cruenta circo
audit pacta Pelops nec insequentem
pallens Hippomenes ad ima metae
tardat Schoenida ter cadente pomo;
non hic Herculeas uidet palaestras
Aetola Calydon stupens ab arce,
cum cornu fluuii superbientis
Alcides premeret, subinde fessum
undoso refouens ab hoste pectus;
sed doctus iuuenis decensque uirgo,
ortu culmina Galliae tenentes
iunguntur: cito, diua, necte chordas,
nec quod detonuit Camena maior,
nostram pauperiem silere cogas.
ad taedas Thetidis probante Phoebo

et Chiron cecinit minore plectro,
nec risit pia turba rusticantem,
quamuis saepe senex biformis illic
carmen rumperet hinniente cantu.

375.   *A Gallic Baiae*

SI quis Auitacum dignaris uisere nostrum,
    non tibi displiceat: sic quod habes placeat.
aemula Baiano tolluntur culmina cono
    parque coturnato uertice fulget apex.
garrula Gauranis plus murmurat unda fluentis
    contigui collis lapsa supercilio.
Lucrinum stagnum diues Campania nollet,
    aequora si nostri cerneret illa lacus.
illud puniceis ornatur litus echinis,
    piscibus in nostris, hospes, utrumque uides.
si libet et placido partiris gaudia corde,
    quisquis ades, Baias tu facis hic animo.

376.   *An Invitation*

NATALIS noster Nonas instare Nouembris
    admonet: occurras non rogo sed iubeo.
sit tecum coniunx, duo nunc properate: sed illud
    post annum optamus tertius ut uenias.

377.   *Epitaph of Filimatia*

OCCASV celeri feroque raptam
    gnatis quinque patrique coniugique
hoc flentis patriae manus locarunt

437

matronam Filimatiam sepulcro.
o splendor generis, decus mariti,
prudens, casta, decens, seuera, dulcis,
atque ipsis senioribus sequenda,
discordantia quae solent putari
morum commoditate copulasti:
nam uitae comites bonae fuerunt
libertas grauis et pudor facetus.
hinc est quod decimam tuae saluti
uix actam trieteridem dolemus
atque in temporibus uigentis aeui
iniuste tibi iusta persoluta.

FLAVIVS FELIX

circa 480 A. D.

378.   *To his Patron*

SIC tibi florentes aequaeuo germine nati
    indolis aetheriae sidera celsa petant,
sic priscos uincant atauos clarosque parentis
    exsuperent meritis saeclaque longa gerant,
sic subolis numerum transcendat turba nepotum
    nobilibusque iuges gaudia tanta toris:
ne sterilem praestes indigno munere Musam,
    utque soles, largus carmina nostra foue,
imperiis ut nostra tuis seruire Thalia
    possit et in melius personet icta chelys.

LVXORIVS

circa 500 A. D.

379.   *To his Readers*

PRISCOS cum haberes, quos probares, indices,
    lector, placere qui bonis possent modis,
nostri libelli cur retexis paginam
nugis refertam friuolisque sensibus,
et quam tenello tiro lusi uiscere?
set forte doctis si illa cara est auribus
sonat pusilli quae leporis commate
nullo decora in ambitu sententiae,
hanc iure quaeris et libenter incohas,
uelut iocosa si theatra peruoles.

380.   *The Garden of Eugetus*

HORTVS, quo faciles fluunt Napaeae,
    quo ludunt Dryades choro uirente,
quo fouet teneras Diana Nymphas;
quo Venus roseos recondit artus,
quo fessus teretes Cupido flammas
suspensis reficit puer pharetris,
quo ferunt se Heliconides puellae;
cui numquam minus est amoena frondis,
cui semper redolent amoma uerni,
cui fons perspicuis tener fluentis
muscoso riguus salit meatu,
quo dulcis auium canor resultans

              *   *   *

quidquid per Tyrias refertur urbis,
hoc uno famulans loco subaptat.

381. *A Rose with a hundred Petals*

HANC puto de proprio tinxit Sol aureus ortu
  aut unum ex radiis maluit esse suis;
uel, si etiam centum foliis rosa Cypridis exstat,
  fluxit in hanc omni sanguine tota Venus.
haec florum sidus, haec Lucifer almus in agris,
  huic odor et color est dignus honore poli.

382. *A Water Urn with a Figure of Cupid*

IGNE salutifero Veneris puer omnia flammans
  pro facibus facilis arte ministrat aquas.

383. *His Book's proper Place*

PARVVS nobilium cum liber ad domos
  pomposique fori scrinia publica
cinctus multifido ueneris. agmine,
  nostri defugiens pauperiem laris,
quo dudum modico sordidus angulo
  squalebas, tineis iam prope debitus,
si te despiciet turba legentium
  inter Romulidas et Tyrias manus,
isto pro exsequiis claudere disticho:
  contentos propriis esse decet focis,
quos laudis facile est inuidiam pati.

PHOCAS

circa 500 A D. (?).

384.

Poetry and Time

(Prefixed to his Life of Vergil)

O VETVSTATIS ueneranda custos,
  regios actus simul et fugacis
temporum cursus docilis referre,
    aurea Clio,
tu nihil magnum sinis interire,
nil mori clarum pateris, reseruans
posteris prisci monumenta saecli
    condita libris.
sola fucatis uariare dictis
paginas nescis, set aperta quicquid
ueritas prodit, recinis per aeuum
    simplice lingua.
tu senescentis titulos auorum
flore durantis reparas iuuentae;
militat uirtus tibi : te notante
    crimina pallent.
tu fori turbas strepitusque litis
effugis dulci moderata cantu,
nec retardari pateris loquellas
    conpede metri.
his faue dictis : retegenda uita est
uatis Etrusci, modo qui perenne
Romulae uoci decus adrogauit
    carmine sacro.

TRANSLATIONS AND IMITATIONS

THE Selection that follows needs some explanation. I have made no systematic search in the literature of translation : and it is likely enough that I have omitted renderings more beautiful, or more interesting, than some which I have included. I have not tried to do more than to collect together a few old 'favourites' of my own. Moreover I have—save for one or two examples—confined myself to the four principal Latin poets.

I have interpreted the word 'Imitations' rather widely. It is quite possible, for example, that Clough never read Vergil's *Lines Written in a Lecture-Room* (Catalepton V) : yet the poem of Clough which I have brought into connexion with this piece is, I think, a truer translation of it than could be found elsewhere. I will venture to hope, again, that I may be readily forgiven for placing beside Statius' famous *Invocation to Sleep* six sonnets on a like subject from six English masters of the sonnet-form.

I have to thank the following authors and publishers for permission to reprint copyright pieces: Messrs. G. Bell & Sons (four versions by Calverley, Nos. 67, 82, 145, 149), Prof. D. A. Slater (versions of Lucretius, Nos. 66, 69, and Catullus, No. 97), Messrs. Blackwood (two pieces by the late Sir Theodore Martin, Nos. 92, 136), Prof. Ellis and Mr. John Murray (version of Catullus, No. 85), The Syndics of the Cambridge University Press and the Executors of the late Sir R. C. Jebb (version of Catullus, No. 74), Mr. L. J. Latham and Messrs. Smith

Elder (version of Propertius, No. 179, from Mr. Latham's *Odes of Horace and Other Verses*), Messrs. George Allen (version of Horace from the *Ionica* of the late William Cory, No. 148), Mr. John Murray (version of Horace by Mr. Gladstone, No. 126), Dr. T. H. Warren and Mr. John Murray (version of Vergil, No. 110), Mr. James Rhoades and Messrs. Kegan Paul (version of Vergil, No. 119), Mr. W. H. Fyfe (version of Statius, No. 262).

44

By the side of this Epitaph may be placed Pope's Epitaph upon Mrs. Corbet, with Johnson's comment :

HERE rests a woman good without pretence,
Blest with plain reason and with sober sense.
No conquest she, but o'er herself, desired,
No arts essayed but not to be admired.
Passion and pride were to her soul unknown,
Convinced that Virtue only is our own.
So unaffected, so composed a mind,
So firm, yet soft, so strong, yet so refined,
Heaven, as its purest gold, by tortures tried ;
The saint sustained it, but the woman died.

'The subject of it', says Johnson, 'is a character not discriminated by any shining or eminent peculiarities : yet that which really makes, though not the splendour, the felicity of life, and that which every wise man will choose for his final and lasting companion in the languor of age, in the quiet of privacy, when he departs weary and disgusted from the ostentatious, the volatile and the vain. Of such a character, which the dull overlook, and the gay despise, it was fit that the value should be made known and the dignity established.'

66

(Beginning at the third paragraph, *Illud in his rebus . . .*)

BUT here's the rub. There soon may come a time
You'll count right reason treason and the prime
   Of mind the spring of guilt; whereas more oft
In blind Religion are the seeds of crime.

Think how at Aulis to the Trivian Maid
The hero-kings of Greece their homage paid,
   The flower of men, whose impious piety
Iphianassa on the altar laid.

Behold the bride! upon her head the crown
Of ritual, that from either cheek let down
   An equal streamer. But cold rapture hers
As on her father's face she marked the frown:

A frown of anguish: at his side the men
Of doom, and in their hands, screened from her ken,
   Death; and her countrymen shed tears to see
The lamb, poor victim, in the lions' den.

Then dumb with fear, not tongue-tied with delight,
She drooped to earth. What profited it her plight
   She was her father's first-born? Not the less
They took her. Death, not Love, ordained the rite.

His were the bridesmen, and the altar his
To which with quaking limbs in fearfulness
   Uplifted then, sans song, sans ritual due,
She was brought home—but not to wedded bliss,

A maid, but marred not married, in the spring
Of life and love's sweet prime, to yield the king
   A victim, and the fleet fair voyaging:
Such wrongs Religion in her train doth bring.

D. A. SLATER.

67

SWEET, when the great sea's water is stirred to his depths by the storm-winds,

Standing ashore to descry one afar-off mightily struggling:

Not that a neighbour's sorrow to you yields dulcet enjoyment:

But that the sight hath a sweetness, of ills ourselves are exempt from.

Sweet too 'tis to behold, on a broad plain mustering, war hosts

Arm them for some great battle, one's self unscathed by the danger:—

Yet still happier this: to possess, impregnably guarded,

Those calm heights of the sages, which have for an origin Wisdom:

Thence to survey our fellows, observe them this way and that way

Wander amidst Life's path, poor stragglers seeking a highway:

Watch mind battle with mind, and escutcheon rival escutcheon:

Gaze on that untold strife, which is waged 'neath the sun and the starlight,

Up as they toil on the surface whereon rest Riches and Empire.

  O race born unto trouble! O minds all lacking of eyesight!

'Neath what a vital darkness, amidst how terrible dangers

Move ye thro' this thing Life, this fragment! Fools that ye hear not

Nature clamour aloud for the one thing only: that, all pain

Parted and passed from the body, the mind too bask in
    a blissful
Dream, all fear of the future and all anxiety over!
  Now as regards man's body, a few things only are
    needful,
(Few, tho' we sum up all), to remove all misery from him,
Aye, and to strew in his path such a lib'ral carpet of
    pleasures
That scarce Nature herself would at times ask happiness
    greater.
Statues of youth and of beauty may not gleam golden around
    him,
(Each in his right hand bearing a great lamp lustrously
    burning,
Whence to the midnight revel a light may be furnishëd
    always),
Silver may not shine softly, nor gold blaze bright, in his
    mansion,
Nor to the noise of the tabret his halls gold-cornicëd echo:—
Yet still he, with his fellow, reposed on the velvety green-
    sward,
Near to a rippling stream, by a tall tree canopied over,
Shall, though they lack great riches, enjoy all bodily
    pleasure:
Chiefliest then when above them a fair sky smiles, and the
    young year
Flings with a bounteous hand over each green meadow the
    wild-flowers:—
Not more quickly depart from his bosom fiery fevers,
Who beneath crimson hangings and pictures cunningly
    broidered
Tosses about, than from him who must lie in beggarly
    raiment.

447

Therefore, since to the body avail not riches, avails not
Heraldry's utmost boast, nor the pomp and pride of an
    empire ;
Next shall you own that the mind needs likewise nothing
    of these things ;
Unless — when, peradventure, your armies over the
    champaign
Spread with a stir and a ferment and bid War's image
    awaken,
Or when with stir and with ferment a fleet sails forth upon
    ocean—
Cowed before these brave sights, pale Superstition abandon
Straightway your mind as you gaze, Death seem no longer
    alarming.
Trouble vacate your bosom and Peace hold holiday in you.
    But if (again) all this be a vain impossible fiction,
If of a truth men's fears and the cares which hourly beset
    them
Heed not the javelin's fury, regard not clashing of broad-
    swords,
But all boldly amongst crowned heads and the rulers of
    empires
Stalk, not shrinking abashed from the dazzling glare of the
    red gold,
Not from the pomp of the monarch who walks forth
    purple-apparelled :
These things shew that at times we are bankrupt, surely,
    of reason :
Think too that all man's life through a great Dark
    laboureth onward.
For as a young boy trembles and in that mystery, Darkness,
Sees all terrible things : so do we too, ev'n in the daylight,
Ofttimes shudder at that which is not more really alarming

Than boys' fears when they waken and say some danger is
    o'er them.
  So this panic of mind, these clouds which gather around
    us,
Fly not the bright sunbeam, nor the ivory shafts of the
    daylight:
Nature, rightly revealed, and the Reason only, dispel them.
                    C. S. CALVERLEY.

69

OUT of the night, out of the blinding night
  Thy beacon flashes;—hail, beloved light
    Of Greece and Grecian; hail, for in the mirk
Thou dost reveal each valley and each height.

Thou art my leader and the footprints thine,
Wherein I plant my own. Thro' storm and shine
    Thy love upholds me. Ne'er was rivalry
'Twixt owl and thrush, 'twixt steeds and shambling kine.

The world was thine to read, and having read,
Before thy children's eyes thou didst outspread
    The fruitful page of knowledge, all the wealth
Of wisdom, all her plenty for their bread.

As honey-bees thro' flowery glades in June
Rifle the blossoms, so at our high-noon
    Of life we gather in melodious glades
The golden honey of thy deathless rune.

And whoso roams benighted, on his ear,
Out of the darkness strikes an echo clear
    Of thy triumphant challenge:—'Ye who quail,
Come unto me, for I have cast out fear.'

Thereat the walls o' the world fade far away
And thou, great Nature's seër, dost display
   The miracle of her workings in the void :—
The night is past and reason dawns with day.

Heaven lies about us and we see the hall,
Where never storm-fiend raves nor snow-flakes fall
   In webs of winter whiteness to ensnare
The golden summer.   Peace is over all;

A canopy of cloudless sky, a glow
Of laughing sunshine; all the flowers that blow
   Are there, and there from Nature's teeming breast
Rivers of strength and sweetness ever flow.

The veil of Acheron is rent in twain;
His phantom precincts vanish.   Ne'er again
   Can Earth conceal the secret :—it is ours;
And all that once was hidden is made plain.

Hail, mighty Master, hail!   The world was thine,
For thou hadst read her riddle line by line,
   Scroll upon scroll; and now . . . oh, ecstasy
Of awe and rapture, . . . thou hast made her mine.

D. A. SLATER.

70

   I give a part of this piece in the version of Dryden, beginning from *Cerberus et furiae.* 'I am not dissatisfied', says Dryden, 'upon the review of anything I have done in this author.'

AS for the Dog, the Furies and their Snakes,
   The gloomy Caverns and the burning Lakes,
And all the vain infernal trumpery,
They neither are, nor were, nor e'er can be.

But here on earth the guilty have in view
The mighty pains to mighty mischiefs due,
Racks, prisons, poisons, the Tarpeian Rock,
Stripes, hangmen, pitch and suffocating smoke,
And, last and most, if these were cast behind,
The avenging horror of a conscious mind,
Whose deadly fear anticipates the blow,
And sees no end of punishment and woe,
But looks for more at the last gasp of breath.
This makes a hell on earth, and life a death.

    Meantime, when thoughts of death disturb thy head,
Consider: Ancus great and good is dead;
Ancus, thy better far, was born to die,
And thou, dost *thou* bewail mortality?
So many monarchs, with their mighty state
Who ruled the world, were over-ruled by Fate.
That haughty King who lorded o'er the main,
And whose stupendous bridge did the wild waves restrain—
In vain they foamed, in vain they threatened wrack,
While his proud legions marched upon their back,—
Him Death, a greater monarch, overcame,
Nor spared his guards the more for their Immortal name.
The Roman chief, the Carthaginian's dread,
Scipio, the Thunder Bolt of War, is dead,
And like a common slave by Fate in triumph led.
The founders of invented arts are lost,
And wits who made eternity their boast.
Where now is Homer, who possessed the throne?
The immortal work remains, the mortal author's gone.

                       DRYDEN.

74

DIANA guardeth our estate,
Girls and boys immaculate;
Boys and maidens pure of stain,
Be Diana our refrain.

O Latonia, pledge of love
Glorious to most glorious Jove,
Near the Delian olive-tree
Latona gave thy life to thee,

That thou should'st be for ever queen
Of mountains and of forests green;
Of every deep glen's mystery;
Of all streams and their melody.

Women in travail ask their peace
From thee, our Lady of Release:
Thou art the Watcher of the Ways:
Thou art the Moon with borrowed rays:

And, as thy full or waning tide
Marks how the monthly seasons glide,
Thou, Goddess, sendest wealth of store
To bless the farmer's thrifty floor.

Whatever name delights thine ear,
By that name be thou hallowed here;
And, as of old, be good to us,
The lineage of Romulus.

R. C. JEBB.

82

GEM of all isthmuses and isles that lie,
Fresh or salt water's children, in clear lake
Or ampler ocean: with what joy do I
Approach thee, Sirmio! Oh! am I awake,

Or dream that once again my eye beholds
Thee, and has looked its last on Thynian wolds?
Sweetest of sweets to me that pastime seems,
When the mind drops her burden: when—the pain
Of travel past—our own cot we regain,
And nestle on the pillow of our dreams!
'Tis this one thought that cheers us as we roam.
Hail, O fair Sirmio! Joy, thy lord is here!
Joy too, ye waters of the Garda Mere!
And ring out, all ye laughter-peals of home.

C. S. Calverley.

83

This beautiful and delicate piece remains the despair of
the translator. I quote a few lines of Cowley's sometimes rather clumsy version (beginning from *Sic, inquit, mea
uita*):

'MY little life, my all,' said she,
   'So may we ever servants be
To this best god, and ne'er retain
Our hated liberty again:
So may thy passion last for me
As I a passion have for thee
Greater and fiercer much than can
Be conceived by thee a man.
Into my marrow is it gone,
Fixt and settled in the bone,
It reigns not only in my heart
But runs like fire through every part.'
She spoke: the god of Love aloud
Sneezed again, and all the crowd
Of little Loves that waited by
Bowed and blest the augury.

Cowley.

85 b

So many critics have compared Catullus to Burns that some of them may be glad to see this North-Italian rendered into the English of the North.

WEEP, weep, ye Loves and Cupids all,
  And ilka Man o' decent feelin':
My lassie's lost her wee, wee bird,
And that's a loss, ye'll ken, past healin'.

The lassie lo'ed him like her een:
The darling wee thing lo'ed the ither,
And knew and nestled to her breast,
As ony bairnie to her mither.

Her bosom was his dear, dear haunt—
So dear, he cared na lang to leave it;
He'd nae but gang his ain sma' jaunt,
And flutter piping back bereavit.

The wee thing's gane the shadowy road
That's never travelled back by ony:
Out on ye, Shades! ye're greedy aye
To grab at aught that 's brave and bonny.

Puir, foolish, fondling, bonnie bird,
Ye little ken what wark ye're leavin':
Ye've gar'd my lassie's een grow red,
Those bonnie een grow red wi' grievin'.

G. S. DAVIES.

I append the version of Prof. R. Ellis, which preserves the metre of the original :

WEEP each heavenly Venus, all the Cupids,
Weep all men that have any grace about ye.
Dead the sparrow, in whom my love delighted,
The dear sparrow, in whom my love delighted.

Yea, most precious, above her eyes, she held him,
Sweet, all honey : a bird that ever hail'd her
Lady mistress, as hails the maid a mother;

Nor would move from her arms away : but only
Hopping round her, about her, hence or hither,
Piped his colloquy, piped to none beside her.

Now he wendeth along the mirky pathway,
Whence, they tell us, is hopeless all returning.

Evil on ye, the shades of evil Orcus,
Shades all beauteous happy things devouring,
Such a beauteous happy bird ye took him.

Ah ! for pity ; but ah ! for him the sparrow,
Our poor sparrow, on whom to think my lady's
Eyes do angrily redden all a-weeping.

R. ELLIS.

86 a

Langhorne is best known by his translation of Plutarch's
Lives. But he was a copious poet ; and Catullus has
never perhaps been more gracefully rendered than in the
following piece :

LESBIA, live to love and pleasure,
Careless what the grave may say :
When each moment is a treasure
Why should lovers lose a day ?

Setting suns shall rise in glory,
    But when little life is o'er,
There's an end of all the story—
    We shall sleep, and wake no more.

Give me, then, a thousand kisses,
    Twice ten thousand more bestow,
Till the sum of boundless blisses
    Neither we nor envy know.

J. LANGHORNE.

I append the beginning of Blacklock's version:

THOUGH sour-loquacious Age reprove,
    Let *us*, my Lesbia, live for love.
For when the short-lived suns decline
They but retire more bright to shine:
But we, when fleeting life is o'er
And light and love can bless no more,
Are ravished from each dear delight
To sleep one long eternal night.

T. BLACKLOCK.

86 b

KISS me, sweet: the wary lover
    Can your favours keep, and cover,
When the common courting jay
All your bounties will betray.
Kiss again! no creature comes;
Kiss, and score up wealthy sums
On my lips, thus hardly sundered,
While you breathe.   First give a hundred,
Then a thousand, then another
Hundred, then unto the tother

456

Add a thousand and so more,
Till you equal with the store
All the grass that Rumney yields,
Or the sands in Chelsea fields,
Or the drops in silver Thames,
Or the stars that gild his streams
In the silent summer nights
When Youth plies its stolen delights:
That the curious may not know
How to tell 'em as they flow,
And the envious, when they find
What their number is, be pined.

BEN JONSON.

92

CATULLUS, let the wanton go:
  No longer play the fool, but deem
For ever lost what thou must know
  Is fled for ever like a dream!

O life was once a heaven to thee!
  To haunt her steps was rapture then—
That woman loved as loved shall be
  No woman ever on earth again.

Then didst thou freely taste the bliss,
  On which empassioned lovers feed:
When she repaid thee kiss for kiss,
  O, life was then a heaven indeed!

'Tis past: forget as she forgets:
  Lament no more, but let her go:
Tear from thy heart its mad regrets,
  And into very marble grow!

Girl, fare thee well.   Catullus ne'er
  Will sue where love is met with scorn :
But, false one, thou with none to care
  For thee, shalt pine through days forlorn.

Think, think, how drear thy life will be !
  Who'll woo thee now ? who praise thy charms ?
Who now be all in all to thee
  And live but in thy loving arms ?

Ay, who will give thee kiss for kiss,
  Whose lip wilt thou in rapture bite ?
But thou, Catullus, think of this
  And spurn her in thine own despite.

THEODORE MARTIN.

97

Of this, one of the most famous and effective of Catullus's
poems, I offer two versions.   The first (an adaptation) is
by 'knowing Walsh', the friend of Pope, pronounced by
Dryden to be 'the first critic in the nation': the second
is by Prof. Slater of Cardiff:

IS there a pious pleasure that proceeds
  From contemplation of our virtuous deeds ?
That all mean sordid action we despise,
And scorn to gain a throne by cheats and lies ?
Thyrsis, thou hast sure blessings laid in store
From thy just dealing in this curst amour.
What honour can in words or deeds be shown
Which to the fair thou hast not said and done ?
On her false heart they all are thrown away :
She only swears more easily to betray.
Ye powers that know the many vows she broke,
Free my just soul from this unequal yoke.

My love boils up, and like a raging flood
Runs through my veins and taints my vital blood.
I do not vainly beg she may grow chaste,
Or with an equal passion burn at last—
The one she cannot practise, though she would,
And I contemn the other, though she should— :
Nor ask I vengeance on the perjured jilt ;
'Tis punishment enough to have her guilt.
I beg but balsam for my bleeding breast,
Cure for my wounds and from my labours rest.

W. WALSH.

IF any joy awaits the man
Of generous hand and conscience clean,
  Who ne'er has leagued with powers unseen
To wrong the partner of his plan ;

Rich store of memories thou hast won
  From this thy seeming-fruitless love,
  Who all that man may do to prove
His faith by word or deed hast done,

And all in vain.   Her thankless heart
  Is hardened.   Harden then thine own.
  Writhe not but part, as stone from stone,
And willy-nilly heal the smart.

'Tis hard, ay, hard to fling aside
  A love long cherished.   Yet you must.
  Be strong, prevail, and from the dust
A conqueror rise, whate'er betide.

Ye gods, who of your mercy give
  Force to the fainting, let my life
  Of honour win me rest from strife,
And from my blood the canker drive ;

459

Ere yet from limb to limb it steal,
   And in black darkness plunge my soul,
   Oh, drive it hence and make me whole;
A caitiff wounds, a god may heal.

No more for answering love I sue,
   No more that her untruth be true:
   Purge but my heart, my strength renew
And doom me not my faith to rue.

D. A. SLATER.

100

OVER the mighty world's highway,
   City by city, sea by sea,
Brother, thy brother comes to pay
   Pitiful offerings unto thee.

I only ask to grace thy bier
   With gifts that only give farewell,
To tell to ears that cannot hear
   The things that it is vain to tell,

And, idly communing with dust,
   To know thy presence still denied,
And ever mourn forever lost
   A soul that never should have died.

Yet think not wholly vain to-day
   This fashion that our fathers gave
That hither brings me, here to lay
   Some gift of sorrow on thy grave.

Take, brother, gifts a brother's tears
   Bedewed with sorrow as they fell,
And 'Greeting' to the end of years,
   And to the end of years 'Farewell'.

H. W. G.

101

FRIEND, if the mute and shrouded dead
  Are touched at all by tears,
By love long fled and friendship sped
  And the unreturning years,
O then, to her that early died,
  O doubt not, bridegroom, to thy bride
Thy love is sweet and sweeteneth
  The very bitterness of death.

H. W. G.

103

SICK, Cornificius, is thy friend,
  Sick to the heart: and sees no end
Of wretched thoughts that gathering fast
Threaten to wear him out at last.

And yet you never come and bring,
Though 'twere the least and easiest thing,
A comfort in that talk of thine.
You vex me.   This to love of mine?

    Prithee a little talk, for ease,
    Full as the tears of sad Simonides!

Leigh Hunt.

110

AVAUNT, ye vain bombastic crew,
  Crickets that swill no Attic dew:
Good-bye, grammarians crass and narrow,
Selius, Tarquitius, and Varro:
A pedant tribe of fat-brained fools,
The tinkling cymbals of the schools!
Sextus, my friend of friends, good-bye,
With all our pretty company!

I'm sailing for the blissful shore,
Great Siro's high recondite lore,
That haven where my life shall be
From every tyrant passion free.
You too, sweet Muses mine, farewell,
Sweet muses mine, for truth to tell
Sweet were ye once, but now begone ;
And yet, and yet, return anon,
And when I write, at whiles be seen
In visits shy and far between.

T. H. WARREN.

I append Clough's *Lines Written in a Lecture Room.*
The theme is that of Vergil inverted. But the mood in
either poet is the same—that mood of passionate revolt
against academicism which never comes to some people
and never departs from others :

AWAY, haunt thou not me,
  Thou dull Philosophy !
Little hast thou bestead,
Save to perplex the head
And leave the spirit dead.
Unto thy broken cisterns wherefore go,
While from the secret treasure-depths below,
Fed by the skiey shower,
And clouds that sink and rest on hill-tops high,
Wisdom at once and Power,
Are welling, bubbling forth, unseen, incessantly ?
Why labour at the dull mechanic oar,
When the fresh breeze is blowing,
And the strong current flowing,
Right onward to the Eternal Shore ?

A. H. CLOUGH.

Dryden's version of this piece shows him at his best as a translator of Vergil. 'Methinks I come,' he writes, 'like a malefactor, to make a speech upon the gallows, and to warn all other poets, by my sad example, from the sacrilege of translating Vergil.' But in the *Georgics*, at any rate, which he reckons 'more perfect in their kind than even the divine Aeneids,' he can challenge comparison with most of his rivals.

O HAPPY, if he knew his happy state,
    The swain, who, free from bus'ness and debate,
Receives his easy food from Nature's hand,
And just returns of cultivated land!
No palace, with a lofty gate, he wants,
T' admit the tides of early visitants,
With eager eyes devouring, as they pass,
The breathing figures of Corinthian brass;
No statues threaten, from high pedestals;
No Persian arras hides his homely walls,
With antic vests, which, through their shady fold,
Betray the streaks of ill-dissembled gold:
He boasts no wool, whose native white is dy'd
With purple poison of Assyrian pride:
No costly drugs of Araby defile,
With foreign scents, the sweetness of his oil:
But easy quiet, a secure retreat,
A harmless life that knows not how to cheat,
With home-bred plenty, the rich owner bless;
And rural pleasures crown his happiness.
Unvex'd with quarrels, undisturb'd with noise,
The country king his peaceful realm enjoys—
Cool grots, and living lakes, the flow'ry pride
Of meads, and streams that through the valley glide,

And shady groves that easy sleep invite,
And, after toilsome days, a sweet repose at night.
Wild beasts of nature in his woods abound:
And youth of labour patient, plough the ground,
Inur'd to hardship, and to homely fare.
Nor venerable age is wanting there,
In great examples to the youthful train;
Nor are the gods ador'd with rites profane.
From hence Astraea took her flight, and here
The prints of her departing steps appear.

    Ye sacred muses! with whose beauty fir'd,
My soul is ravish'd, and my brain inspir'd—
Whose priest I am, whose holy fillets wear—
Would you your poet's first petition hear;
Give me the ways of wand'ring stars to know,
The depths of heav'n above, and earth below:
Teach me the various labours of the moon,
And whence proceed th' eclipses of the sun;
Why flowing tides prevail upon the main,
And in what dark recess they shrink again;
What shakes the solid earth; what cause delays
The summer nights, and shortens winter days.
But if my heavy blood restrain the flight
Of my free soul, aspiring to the height
Of nature, and unclouded fields of light—
My next desire is, void of care and strife,
To lead a soft, secure, inglorious life—
A country cottage near a crystal flood,
A winding valley, and a lofty wood.
Some god conduct me to the sacred shades,
Where Bacchanals are sung by Spartan maids,
Or lift me high to Haemus' hilly crown,
Or in the plains of Tempe lay me down,

Or lead me to some solitary place,
And cover my retreat from human race.
  Happy the man, who, studying Nature's laws,
Through known effects can trace the secret cause—
His mind possessing in a quiet state,
Fearless of Fortune, and resign'd to Fate !
And happy too is he, who decks the bow'rs
Of sylvans, and adores the rural pow'rs—
Whose mind, unmov'd, the bribes of courts can see,
Their glitt'ring baits, and purple slavery—
Nor hopes the people's praise, nor fears their frown,
Nor, when contending kindred tear the crown,
Will set up one, or pull another down.
  Without concern he hears, but hears from far,
Of tumults, and descents, and distant war ;
Nor with a superstitious fear is aw'd,
For what befalls at home or what abroad.
Nor envies he the rich their happy store,
Nor his own peace disturbs with pity for the poor.
He feeds on fruits, which of their own accord,
The willing ground and laden trees afford.
From his lov'd home no lucre him can draw ;
The senate's mad decrees he never saw :
Nor heard, at bawling bars, corrupted law.
Some to the seas, and some to camps, resort ;
And some with impudence invade the court :
In foreign countries, others seek renown ;
With wars and taxes, others waste their own,
And houses burn, and household gods deface,
To drink in bowls which glitt'ring gems enchase,
To loll on couches, rich with citron steds,
And lay their guilty limbs in Tyrian beds.

This wretch in earth entombs his golden ore,
Hov'ring and brooding on his buried store.
Some patriot fools to pop'lar praise aspire
Of public speeches, which worse fools admire,
While, from both benches, with redoubled sounds,
Th' applause of lords and commoners abounds.
Some, through ambition, or through thirst of gold,
Have slain their brothers, or their country sold,
And, leaving their sweet homes, in exile run
To lands that lie beneath another sun.

The peasant, innocent of all these ills,
With crooked ploughs the fertile fallows tills,
And the round year with daily labour fills :
And hence the country markets are supplied :
Enough remains for household charge beside,
His wife and tender children to sustain,
And gratefully to feed his dumb deserving train.
Nor cease his labours till the yellow field
A full return of bearded harvest yield—
A crop so plenteous, as the land to load,
O'ercome the crowded barns, and lodge on ricks abroad.
Thus ev'ry sev'ral season is employ'd,
Some spent in toil, and some in ease enjoy'd.
The yeaning ewes prevent the springing year :
The laden boughs their fruits in autumn bear :
'Tis then the vine her liquid harvest yields,
Bak'd in the sunshine of ascending fields,
The winter comes ; and then the falling mast
For greedy swine provides a full repast :
Then olives, ground in mills, their fatness boast,
And winter fruits are mellow'd by the frost.
His cares are eas'd with intervals of bliss ;
His little children, climbing for a kiss,

Welcome their father's late return at night;
His faithful bed is crown'd with chaste delight.
His kine with swelling udders ready stand,
And, lowing for the pail, invite the milker's hand.
His wanton kids, with budding horns prepar'd,
Fight harmless battles in his homely yard:
Himself in rustic pomp, on holy-days,
To rural pow'rs a just oblation pays,
And on the green his careless limbs displays.
The hearth is in the midst: the herdsmen, round
The cheerful fire, provoke his health in goblets crown'd.
He calls on Bacchus, and propounds the prize:
The groom his fellow-groom at butts defies,
And bends, and levels with his eyes,
Or stript for wrestling, smears his limbs with oil,
And watches, with a trip, his foe to foil.
Such was the life the frugal Sabines led:
So Remus and his brother-god were bred,
From whom th' austere Etrurian virtue rose;
And this rude life our homely fathers chose.
Old Rome from such a race deriv'd her birth
(The seat of empire, and the conquer'd earth),
Which now on sev'n high hills triumphant reigns,
And in that compass all the world contains.
Ere Saturn's rebel son usurp'd the skies,
When beasts were only slain for sacrifice,
While peaceful Crete enjoy'd her ancient lord,
Ere sounding hammers forg'd th' inhuman sword,
Ere hollow drums were beat, before the breath
Of brazen trumpets rung the peals of death,
The good old god his hunger did assuage
With roots and herbs, and gave the golden age.

I append a portion of Cowley's unequal paraphrase (beginning from the words *Felix qui potuit*):

HAPPY the man, I grant, thrice happy he
  Who can through gross effects their causes see:
Whose courage from the deeps of knowledge springs,
Nor vainly fears inevitable things,
But does his walk of virtue calmly go,
Through all the allarms of death and hell below.
Happy, but next such conquerors, happy they
Whose humble life lies not in fortune's way.
They unconcerned from their safe-distant seat
Behold the rods and sceptres of the great.
The quarrels of the mighty without fear
And the descent of foreign troops they hear.
Nor can ev'n Rome their steddy course misguide
With all the lustre of her perishing pride.
Them never yet did strife or avarice draw
Into the noisy markets of the law,
The camps of gownéd war, nor do they live
By rules or forms that many mad men give.
Duty for Nature's bounty they repay,
And her sole laws religiously obey.

COWLEY.

118

(Beginning at *At cantu commotae* . . .)

THEN from the deepest deeps of Erebus,
  Wrung by his minstrelsy, the hollow shades
Came trooping, ghostly semblances of forms
Lost to the light, as birds by myriads hie
To greenwood boughs for cover, when twilight-hour

Or storms of winter chase them from the hills;
Matrons and men, and great heroic frames
Done with life's service, boys, unwedded girls,
Youths placed on pyre before their fathers' eyes.
Round them, with black slime choked and hideous weed,
Cocytus winds; there lies the unlovely swamp
Of dull dead water, and to pen them fast,
Styx with her ninefold barrier poured between.
Nay, even the deep Tartarean Halls of death
Stood lost in wonderment, the Eumenides,
Their brows with livid locks of serpents twined,
E'en Cerberus held his triple jaws agape,
And, the wind hushed, Ixion's wheel stood still.
And now with homeward footstep he had passed
All perils scathless, and, at length restored,
Eurydice, to realms of upper air
Had well-nigh won behind him following—
So Proserpine had ruled it—when his heart
A sudden mad desire surprised and seized—
Meet fault to be forgiven, might Hell forgive.
For at the very threshold of the day,
Heedless, alas! and vanquished of resolve,
He stopped, turned, looked upon Eurydice—
His own once more.   But even with the look,
Poured out was all his labour, broken the bond
Of that fell tyrant, and a crash was heard
Three times like thunder in the meres of hell.
'Orpheus! what ruin hath thy frenzy wrought
On me, alas! and thee? Lo! once again
The unpitying fates recall me, and dark sleep
Closes my swimming eyes.   And now, farewell:
Girt with enormous night I am borne away,
Outstretching toward thee, thine, alas! no more,

These helpless hands.'   She spoke, and suddenly,
Like smoke dissolving into empty air,
Passed and was sundered from his sight; nor him,
Clutching vain shadows, yearning sore to speak,
Thenceforth beheld she, nor no second time
Hell's boatman lists he pass the watery bar.

JAMES RHOADES.

119 a

ONCE a slender silvan reed
  Answered all my shepherd's need;
Once to farmer lads I told
All the lore of field and fold:
Well they liked me, for the soil
Beyond their dreams repaid their toil.
    Ah! who am I, 'mid war's alarms,
    To ' sing the hero and his arms'?

H. W. G.

121

I give first the version of Conington—an excellent specimen of his skill and its limitations; and I add Pope's imitation—a piece as graceful as anything he wrote:

THINK not those strains can e'er expire,
  Which, cradled 'mid the echoing roar
Of Aufidus, to Latium's lyre
  I sing with arts unknown before.
Though Homer fill the foremost throne,
  Yet grave Stesichorus still can please,
And fierce Alcaeus holds his own
  With Pindar and Simonides.

The songs of Teos are not mute,
  And Sappho's love is breathing still :
She told her secret to the lute,
  And still its chords with passion thrill.
Not Sparta's queen alone was fired
  By broidered robe and braided tress,
And all the splendours that attired
  Her lover's guilty loveliness :
Not only Teucer to the field
  His arrows brought, not Ilion
Beneath a single conqueror reeled :
  Not Crete's majestic lord alone,
Or Sthenelus, earned the Muses' crown :
  Not Hector first for child and wife,
Or brave Deiphobus, laid down
  The burden of a manly life.
Before Atrides men were brave,
  But ah ! oblivion dark and long
Has locked them in a tearless grave,
  For lack of consecrating song.
'Twixt worth and baseness, lapp'd in death,
  What difference ?   *You* shall ne'er be dumb,
While strains of mine have voice and breath :
  The dull neglect of days to come
Those hard-won honours shall not blight :
  No, Lollius, no : a soul is yours
Clear-sighted, keen, alike upright
  When Fortune smiles and when she lowers :
To greed and rapine still severe,
  Spurning the gain men find so sweet :
A consul not of one brief year,
  But oft as on the judgement-seat

You bend the expedient to the right,
　　Turn haughty eyes from bribes array,
Or bear your banners through the fight,
　　Scattering the foeman's firm array.
The lord of countless revenues
　　Salute not him as happy : no,
Call him the happy who can use
　　The bounty that the gods bestow,
Can bear the load of poverty,
　　And tremble not at death, but sin :
No recreant he when called to die
　　In cause of country or of kin.

J. CONINGTON.

LEST you should think that verse shall die,
　　Which sounds the silver Thames along,
Taught on the wings of Truth to fly
　　Above the reach of vulgar song ;

Though daring Milton sits sublime,
　　In Spenser native Muses play ;
Nor yet shall Waller yield to time,
　　Nor pensive Cowley's moral lay—

Sages and chiefs long since had birth
　　Ere Caesar was, or Newton, named ;
Those raised new empires o'er the earth,
　　And these new heavens and systems framed.

Vain was the chief's, the sage's pride !
　　They had no poet, and they died.
In vain they schemed, in vain they bled !
　　They had no poet, and are dead.

POPE.

472

124

ANGEL of Love, high-thronëd in Cnidos,
    Regent of Paphos, no more repine :
Leave thy loved Cyprus ; too long denied us
    Visit our soberly censëd shrine.

Haste, and thine Imp, the fiery-hearted,
    Follow, and Hermes ; and with thee haste
The Nymphs and Graces with robe disparted,
    And, save thou chasten him, Youth too chaste.

H. W. G.

125

WHAT slender youth bedewed with liquid odours
    Courts thee on roses in some pleasant cave,
Pyrrha, for whom bindst thou
In wreaths thy golden hair,
Plain in thy neatness ? O how oft shall he
On faith and changed gods complain : and seas
Rough with black winds and storms
Unwonted shall admire :
Who now enjoys thee credulous, all gold,
Who always vacant, always amiable
Hopes thee, of flattering gales
Unmindful. Hapless they
To whom thou untried seem'st fair. Me in my vowed
Picture the sacred wall declares to have hung
My dank and dripping weeds
To the stern God of Sea.

MILTON.

Milton's version has been a good deal criticized. Yet, though it lacks the lightness of its original, it remains a nobler version than any other. Of other versions the most interesting is, perhaps, that of Chatterton (made from a literal English translation), and the most graceful that of William Hamilton of Bangour. Of the latter I quote a few lines :

WITH whom spend'st thou thy evening hours
  Amid the sweets of breathing flowers ?
For whom retired to secret shade,
Soft on thy panting bosom laid,
Set'st thou thy looks with nicest care,
O neatly plain ? How oft shall he
Bewail thy false inconstancy !
Condemned perpetual frowns to prove,
How often weep thy altered love,
Who thee, too credulous, hopes to find,
As now, still golden and still kind !

W. HAMILTON.

126

Of this often-translated poem I give first the version of Herrick and then that of Gladstone. There is an amusing adaptation in the Poems of Soame Jenyns, *Dialogue between the Rt. Hon. Henry Pelham and Modern Popularity.*

Hor. WHILE, Lydia, I was lov'd of thee,
  Nor any was preferr'd 'fore me
To hug thy whitest neck : than I,
The Persian King liv'd not more happily.

Lyd. While thou no other didst affect,
    Nor Cloe was of more respect;
    Then Lydia, far-fam'd Lydia,
    I flourish't more than Roman Ilia.

Hor. Now Thracian Cloe governs me,
    Skilfull i' th' Harpe, and Melodie:
    For whose affection, Lydia, I
    (So Fate spares her) am well content to die.

Lyd. My heart now set on fire is
    By Ornithes sonne, young Calais;
    For whose commutuall flames here I
    (To save his life) twice am content to die.

Hor. Say our first loves we sho'd revoke,
    And sever'd, joyne in brazen yoke:
    Admit I Cloe put away,
    And love again love-cast-off Lydia?

Lyd. Though mine be brighter than the Star;
    Thou lighter than the Cork by far;
    Rough as th' Adratick sea, yet I
    Will live with thee, or else for thee will die.

HERRICK.

Hor. WHILE no more welcome arms could twine
    Around thy snowy neck than mine,
    Thy smile, thy heart while I possessed,
    Not Persia's monarch lived as blessed.

Lyd. While thou didst feed no rival flame,
    Nor Lydia after Chloe came,
    Oh then thy Lydia's echoing name
    Excelled ev'n Ilia's Roman fame.

Hor.   Me now Threician Chloe sways,
       Skilled in soft lyre and softer lays;
       My forfeit life I'll freely give
       So she, my better life, may live.

Lyd.   The son of Ornytus inspires
       My burning breast with mutual fires;
       I'll face two several deaths with joy
       So Fate but spare my Thracian boy.

Hor.   What if our ancient love awoke,
       And bound us with its golden yoke?
       If auburn Chloe I resign
       And Lydia once again be mine?

Lyd.   Though fairer than the stars is he,
       Thou rougher than the Adrian sea
       And fickle as light cork, yet I
       With thee would live, with thee would die.

                            GLADSTONE.

Prior's 'echo' of this poem is well known:

'SO when I am weary of wandering all day,
    To thee, my delight, in the evening I come;
No matter what beauties I saw in my way,
    They were but my visits, but thou art my home.

Then finish, dear Cloe, this pastoral war,
    And let us, like Horace and Lydia, agree;
For thou art a girl as much brighter than her
    As he was a poet sublimer than me.'

                        (Answer to Chloe Jealous).

476

127

O CRUEL still and vain of beauty's charms,
   When wintry age thy insolence disarms,[1]
When fall those locks that on thy shoulders play,
And youth's gay roses on thy cheeks decay,
When that smooth face shall manhood's roughness wear,
And in your glass another form appear,
Ah, why, you'll say, do I now vainly burn,
Or with my wishes not my youth return?

FRANCIS.

135

I print Dryden's version in its entirety. 'I have en-
deavoured to make it my masterpiece in English,' he says.
It is perhaps the only translation of the *Odes* which retains
what Dryden calls their 'noble and bold purity' and at
the same time keeps the friendly and familiar strokes of
style which lighten Horace's graver moods.

DESCENDED of an ancient line,
   That long the Tuscan sceptre swayed,
Make haste to meet the generous wine
   Whose piercing is for thee delayed.
The rosie wreath is ready made
   And artful hands prepare
The fragrant Syrian oil that shall perfume thy hair

When the wine sparkles from afar
   And the well-natured friend cries 'Come away',
Make haste and leave thy business and thy care,
   No mortal interest can be worth thy stay.

[1] The translator read apparently, with Bentley, *bruma superbiae.*

Leave for awhile thy costly country seat,
　　And—to be great indeed—forget
The nauseous pleasures of the great:
　　Make haste and come,
Come, and forsake thy cloying store,
　　Thy turret that surveys from high
The smoke and wealth and noise of Rome,
　　And all the busie pageantry
That wise men scorn and fools adore:
Come, give thy soul a loose, and taste the pleasures of the
　　　　poor.

Sometimes 'tis grateful to the rich to try
A short vicissitude and fit of Poverty;
　　A savoury dish, a homely treat,
　　Where all is plain, where all is neat,
　　Without the stately spacious room,
The Persian carpet or the Tyrian loom
Clear up the cloudy foreheads of the great.

The Sun is in the Lion mounted high,
　　　　The Syrian star
　　　　Barks from afar,
And with his sultry breath infects the sky;
The ground below is parched, the heavens above us fry;
　　　The shepherd drives his fainting flock
　　　Beneath the covert of a rock
　　　And seeks refreshing rivulets nigh.
　The Sylvans to their shade retire,
Those very shades and streams new streams require,
And want a cooling breeze of wind to fan the raging fire.

　　　Thou, what befits the new Lord May'r,
　　　And what the City Faction dare,
　　　And what the Gallique arms will do,

478

And what the quiverbearing foe,
    Art anxiously inquisitive to know.
  But God has wisely hid from human sight
    The dark decrees of future fate,
  And sown their seeds in depth of night :
He laughs at all the giddy turns of state
When mortals search too soon and learn too late.

  Enjoy the present smiling hour,
    And put it out of Fortune's power.
The tide of business, like the running stream,
  Is sometimes high and sometimes low,
  A quiet ebb or a tempestuous flow,
    And always in extreme.
Now with a noiseless gentle course
It keeps within the middle bed,
    Anon it lifts aloft its head
And bears down all before it with tempestuous force ;

  And trunks of trees come rolling down,
    Sheep and their folds together drown,
  Both house and homestead into seas are borne,
  And rocks are from their old foundations torn,
And woods, made thin with winds, their scattered honours
    mourn.

Happy the man—and happy he alone,—
    He who can call to-day his own,
    He who, secure within, can say
  ' To-morrow, do thy worst, for I have lived to-day :
    Be fair or foul or rain or shine,
The joys I have possessed in spite of Fate are mine,
    Not Heaven itself upon the Past has power,
But what has been, has been, and I have had my hour.'

Fortune, that with malicious joy
   Does Man, her slave, oppress,
Proud of her office to destroy,
   Is seldom pleased to bless;
Still various and unconstant still,
   But with an inclination to be ill,
Promotes, degrades, delights in strife
   And makes a lottery of life.

I can enjoy her while she's kind,
But when she dances in the wind,
   And shakes the wings and will not stay,
   I puff the prostitute away.
The little or the much she gave is quietly resigned:
   Content with poverty my soul I arm,
And Vertue, tho' in rags, will keep me warm.

         What is't to me,
Who never sail in her unfaithful sea,
   If storms arise and clouds grow black,
   If the mast split and threaten wrack?
Then let the greedy merchant fear
     For his ill-gotten gain,
And pray to gods that will not hear,
While the debating winds and billows bear
       His wealth into the main.
For me, secure from Fortune's blows,
Secure of what I cannot lose,
In my small pinnace I can sail,
Contemning all the blustering roar:
   And running with a merry gale
With friendly stars my safety seek
Within some little winding creek,
    And see the storm ashore.

               DRYDEN.

136

O PRECIOUS Crock, whose summers date,
Like mine, from Manlius' consulate,
I wot not whether in your breast
Lie maudlin wit or merry jest,
Or sudden choler, or the fire
Of tipsy Love's insane desire,
Or fumes of soft caressing sleep,
Or what more potent charms you keep;
But this I know, your ripened power
Befits some choicely festive hour!
A cup peculiarly mellow
Corvinus asks: so come, old fellow,
From your time-honoured bin descend,
And let me gratify my friend!
No churl is he your charms to slight,
Though most intensely erudite:
And ev'n old Cato's worth, we know,
Took from good wine a nobler glow.

Your magic power of wit can spread
The halo round a dullard's head,
Can make the sage forget his care,
His bosom's inmost thoughts unbare,
And drown his solemn-faced pretence
Beneath your blithesome influence.
Bright hope you bring and vigour back
To minds outworn upon the rack,
And put such courage in the brain
As makes the poor be men again,
Whom neither tyrants' wrath affrights
Nor all their bristling satellites.

Bacchus, and Venus, so that she
Bring only frank festivity,
With sister Graces in her train,
Twining close in lovely chain,
And gladsome taper's living light,
Shall spread your treasures o'er the night,
Till Phoebus the red East unbars,
And puts to rout the trembling stars.

THEODORE MARTIN.

139

I give the first stanza of this poem in the effective paraphrase of Herrick, and the first two stanzas in the rather diffuse rendering of Byron. Byron's version is one of his earliest pieces but not altogether wanting in force.

NO wrath of Men, or rage of Seas,
  Can shake a just man's purposes:
No threats of Tyrants, or the Grim
Visage of them can alter him;
But what he doth at first entend
That he holds firmly to the end.

HERRICK.

THE man of firm and noble soul
  No factious clamours can control:
No threatening tyrant's darkling brow
    Can swerve him from his just intent;
Gales the warring waves which plough,
    By Auster on the billows spent,
To curb the Adriatic main
Would awe his fixed determined mind in vain.

482

Ay, and the red right arm of Jove,
Hurtling his lightnings from above,
With all his terrors there unfurled,
    He would unmoved, unawed behold.
The flames of an expiring world,
    Again in crushing chaos rolled,
In vast promiscuous ruin hurled,
    Might light his glorious funeral pile,
Still dauntless 'mid the wreck of earth he'd smile.

                    BYRON.

145

BANDUSIA, stainless mirror of the sky!
  Thine is the flower-crowned bowl, for thee shall die
    When dawns yon sun, the kid
    Whose horns, half-seen, half-hid,

Challenge to dalliance or to strife—in vain.
Soon must the firstling of the wild herd be slain,
    And these cold springs of thine
    With blood incarnadine.

Fierce glows the Dog-star, but his fiery beam
Toucheth not thee: still grateful thy cool stream
    To labour-wearied ox,
    Or wanderer from the flocks:

And henceforth thou shalt be a royal fountain:
My harp shall tell how from thy cavernous mountain,
    Where the brown oak grows tallest,
    All babblingly thou fallest.

                    C. S. CALVERLEY.

The rendering that follows is printed in the author's *Ionica* not as a translation, but as a poem, under the title *Hypermnestra*. It represents our poem of Horace from the 25th line onwards.

LET me tell Lydè of wedding-law slighted,
   Penance of maidens and bootless task,
Wasting of water down leaky cask,
Crime in the prison-pit slowly requited.

Miscreant brides! for their grooms they slew.
One out of many is not attainted,
One alone blest and for ever sainted,
False to her father, to wedlock true.

Praise her! she gave her young husband the warning.
Praise her for ever! She cried, 'Arise!
Flee from the slumber that deadens the eyes;
Flee from the night that hath never a morning.

Baffle your host who contrived our espousing,
Baffle my sisters, the forty and nine,
Raging like lions that mangle the kine,
Each on the blood of a quarry carousing.

I am more gentle, I strike not thee,
I will not hold thee in dungeon tower.
Though the king chain me, I will not cower,
Though my sire banish me over the sea.

Freely run, freely sail, good luck attend thee;
Go with the favour of Venus and Night.
On thy tomb somewhere and some day bid write
Record of her who hath dared to befriend thee.'

W. JOHNSON CORY.

149

UNSHAMED, unchecked, for one so dear
We sorrow.   Lead the mournful choir,
Melpomene, to whom thy sire
Gave harp and song-notes liquid-clear!

Sleeps he the sleep that knows no morn?
O Honour, O twin-born with Right,
Pure Faith, and Truth that loves the light,
When shall again his like be born?

Many a kind heart for him makes moan;
Thine, Vergil, first.   But ah! in vain
Thy love bids heaven restore again
That which it took not as a loan.

Were sweeter lute than Orpheus' given
To thee, did trees thy voice obey;
The blood revisits not the clay
Which he, with lifted wand, hath driven

Into his dark assemblage, who
Unlocks not fate to mortal's prayer.
Hard lot.   Yet light their griefs, who *bear*
The ills which they may not undo.

C. S. CALVERLEY.

152, ii

THE snow, dissolv'd, no more is seen,
The fields and woods, behold, are green;
The changing year renews the plain,
The rivers know their banks again;
The sprightly Nymph and naked Grace
The mazy dance together trace;

The changing year's successive plan
Proclaims mortality to Man.
Rough winter's blasts to spring give way,
Spring yields to summer's sovran ray;
Then summer sinks in autumn's reign,
And winter holds the world again.
Her losses soon the moon supplies,
But wretched Man, when once he lies
Where Priam and his sons are laid,
Is naught but ashes and a shade.
Who knows if Jove, who counts our score,
Will toss us in a morning more?
What with your friend you nobly share
At least you rescue from your heir.
Not you, Torquatus, boast of Rome,
When Minos once has fixed your doom,
Or eloquence or splendid birth
Or virtue shall restore to earth.
Hippolytus, unjustly slain,
Diana calls to life in vain,
Nor can the might of Theseus rend
The chains of hell that hold his friend.

SAMUEL JOHNSON.

153

NOW have I made my monument: and now
Nor brass shall longer live, nor loftier raise
The royallest pyramid its superb brow.
Nor ruin of rain or wind shall mar its praise,
Nor tooth of Time, nor pitiless pageantry
O' the flying years.   In death I shall not die
Wholly, nor Death's dark Angel all I am

Make his; but ever flowerlike my fame
Shall flourish in the foldings of the Mount
Capitoline, where the Priests go up, and mute
The maiden Priestesses.
                            From mean account
Lifted to mighty, where the resolute
Waters of Aufidus reverberant ring
O'er fields where Daunus once held rustic state,
Of barren acres simple-minded king,—
There was I born, and first of men did mate
To lyre of Latium Aeolic lay.
Clothe thee in glory, Muse, and grandly wear
Thy hardly-gotten greatness, and my hair
Circle, Melpomene, with Delphian bay.

H. W. G.

161

HE who sublime in epic numbers rolled,
   And he who struck the softer lyre of love,
By Death's unequal hand alike controlled,
   Fit comrades in Elysian regions move!

BYRON.

166

HAD he not hands of rare device, whoe'er
   First painted Love in figure of a boy?
He saw what thoughtless beings lovers were,
   Who blessings lose, whilst lightest cares employ.

Nor added he those airy wings in vain,
   And bade through human hearts the godhead fly;
For we are tost upon a wavering main;
   Our gale, inconstant, veers around the sky.

Nor, without cause, he grasps those barbed darts,
　　The Cretan quiver o'er his shoulder cast;
Ere we suspect a foe, he strikes our hearts;
　　And those inflicted wounds for ever last.

In me are fix'd those arrows, in my breast;
　　But sure his wings are shorn, the boy remains;
For never takes he flight, nor knows he rest;
　　Still, still I feel him warring through my veins.

In these scorch'd vitals dost thou joy to dwell?
　　Oh shame! to others let thy arrows flee;
Let veins untouch'd with all thy venom swell;
　　Not me thou torturest, but the shade of me.

Destroy me—who shall then describe the fair?
　　This my light Muse to thee high glory brings:
When the nymph's tapering fingers, flowing hair,
　　And eyes of jet, and gliding feet she sings.

ELTON.

179

NO longer, Paullus, vex with tears my tomb:
　　There is no prayer can open the black gate.
When once the dead have passed beneath the doom,
　　Barred is the adamant and vows too late.

E'en though the lord of hell should list thy prayer,
　　Thy tears shall idly soak the sullen shores:
Vows may move heaven; when Charon holds his fee,
　　The grass-grown pile stands closed by lurid doors.

So the sad trumpets told their funeral tale
　　While from the bier the torch dislodged my frame;
What did my husband, what my sires avail,
　　Or all these numerous pledges of my fame?

Did I, Cornelia, find the fates less harsh?
    Five fingers now can lift my weight complete.
Accursed nights, and stagnant Stygian marsh,
    And every sluggish wave that clogs my feet,

Early yet guiltless came I to this bourne;
    So let the sire deal gently with my shade.
If Aeacus sit judge with ordered urn,
    By kin upon my bones be judgement made:

There let his brothers sit, the Furies fill
    By Minos' seat the Court, an audience grave.
Let Sisyphus rest, Ixion's wheel be still,
    And Tantalus once grasp the fleeting wave;

To-day let surly Cerberus hunt no shade,
    By the mute bar loose let his fetters lie.
I plead my cause: if guilty, be there laid
    On me that urn, the sisters' penalty.

If any may boast trophies of old days,
    Still Libya tells my sires the Scipios' name;
My mother's line their Libo peers displays,
    And each great house stands propp'd by scrolls of fame.

When I doffed maiden garb 'neath torches' glow,
    And with the nuptial band my locks were tied,
'Twas to thy bed I came, doomed thus to go:
    Let my stone say I was but once a bride.

Those ashes by Rome reverenced I attest,
    Whose titles tell how Afric's pride was shorn,
Perseus that feigned his sire Achilles' breast,
    And him that brought Achilles' house to scorn;

For me the censor's rule ne'er swerved from place,
　　Your hearth need never blush for shame of mine :
Cornelia brought such relics no disgrace,
　　Herself a model to her mighty line.

I never changed, I lived without a stain
　　Betwixt the marriage and the funeral fire :
Nature gave laws drawn from my noble strain,
　　Fear of no judge could higher life inspire.

Let any urn pass sentence stern on me :
　　None will be shamed that I should sit beside ;
Not she, rare maid of tower-crowned Cybele,
　　That hauled the lagging goddess up the tide ;

Not she for whom, when Vesta claimed her fire,
　　The linen white revealed the coals aglow.
What changed in me but fate would'st thou desire,
　　Sweet mother mine ?　I never wrought thee woe.

Her tears, the city's grief, applaud my fame :
　　And Caesar's sobs plead for these bones of mine ;
His daughter's worthy sister's loss they blame,
　　And we saw tears upon that face divine.

And yet I won the matron's robe of state,
　　'Twas from no barren house that I was torn :
Paullus and Lepidus, balm of my fate,
　　Upon your breast my closing eyes were borne.

My brother twice I saw in curule place,
　　Consul what time his sister ceased to be.
Child, of thy father's censorship the trace,
　　Cleave to one husband only, copy me.

Prop the great race in line : my bark of choice
    Sets sail, my loss so many to restore.
Woman's last triumph is when common voice
    Applauds the pyre of her whose work is o'er.

These common pledges to thee I commend :
    Still burned into my ashes breathes this care.
Father, the mother's offices attend :
    This my whole troop thy shoulders now must bear.

When thou shalt kiss their tears, kiss too for me :
    Henceforth thy load must be the house complete.
If thou must weep with them not there to see,
    When present, with dry cheeks their kisses cheat.

Enough those nights thou weariest out for me,
    Those dreams that often shall my semblance feign ;
And with my shade in secret colloquy,
    Speak as to one to answer back again.

But should the gate confront another bed,
    And on my couch a jealous step-dame sit,
Laud, boys, and praise the bride your sire has wed ;
    She will be won charmed with your ready wit.

Nor praise your mother overmuch ; she may
    Feel contrast and free words to insult turn.
But if contented with my shade he stay,
    And hold my ashes of such high concern :

His coming age learn to anticipate,
    Leave to the widower's cares no path confessed.
Be added to your years what mine abate,
    And in my children Paullus' age be blessed.

'Tis well: for child I ne'er wore mourning weed;
　　But my whole troop came to my obsequies.
My plea is done.　While grateful earth life's meed
　　Repays, in tears ye witnesses arise.
Heaven opes to such deserts; may mine me speed
　　To join my honoured fathers in the skies.

L. J. LATHAM.

217

I give a part of the version of Stepney, whom Dr. Johnson describes as 'a very licentious translator'.

IF mighty gods can mortal sorrows know,
　And be the humble partners of our woe,
Now loose your tresses, pensive Elegy,—
Too well your office and your name agree.
Tibullus, once the joy and pride of Fame,
Lies now—rich fuel—on the trembling flame;
Sad Cupid now despairs of conquering hearts,
Throws by his empty quiver, breaks his darts,
Eases his useless bows from idle strings,
Nor flies, but humbly creeps with flagging wings—
He wants, of which he robbed fond lovers, rest,—
And wounds with furious hands his pensive breast.
Those graceful curls which wantonly did flow,
The whiter rivals of the falling snow,
Forget their beauty and in discord lie,
Drunk with the fountain from his melting eye.

　　　.　　　.　　　.　　　.　　　.　　　.

In vain to gods (if gods there are) we pray,
And needless victims prodigally pay;
Worship their sleeping deities, yet Death
Scorns votaries and stops the praying breath:

To hallowed shrines intending Fate will come,
And drag you from the altar to the tomb.
Go, frantic poet, with delusions fed,
Thick laurels guard your consecrated head—
Now the sweet master of your art is dead.
What can *we* hope, since that a narrow span
Can measure the remains of thee, Great Man?

.   .   .   .   .   .

If any poor remains survive the flames
Except thin shadows and mere empty names,
Free in Elysium shall Tibullus rove,
Nor fear a second death should cross his love.
There shall Catullus, crowned with bays, impart
To his far dearer friend his open heart;
There Gallus (if Fame's hundred tongues all lie)
Shall, free from censure, no more rashly die.
Such shall our poet's blest companions be,
And in their deaths, as in their lives, agree.
But thou, rich Urn, obey my strict commands,
Guard thy great charge from sacrilegious hands;
Thou, Earth, Tibullus' ashes gently use,
And be as soft and easy as his Muse.

G. STEPNEY.

240

AFTER death nothing is, and nothing death—
The utmost limits of a gasp of breath.
Let the ambitious zealot lay aside
His hope of heaven, whose faith is but his pride;
Let slavish souls lay by their fear,
Nor be concerned which way, or where,
After this life they shall be hurled.
Dead, we become the lumber of the world,

And to that mass of matter shall be swept
Where things destroyed with things unborn are kept.
Devouring Time swallows us whole,
Impartial Death confounds body and soul.
For Hell and the foul Fiend that rules
The everlasting fiery goals,
Devised by rogues, dreaded by fools,
With his grim grisly dog that keeps the door,
Are senseless stories, idle tales,
Dreams, whimsies and no more.

JOHN WILMOT, EARL OF ROCHESTER.

261

AND so Death took him.   Yet be comforted:
    Above this sea of sorrow lift thy head.
Death—or his shadow—look, is over all;
What but an alternating funeral
The long procession of the nights and days?
The starry heavens fail, the solid earth
Fails and its fashion.   Why, beholding this,
Why with our wail o'er sad mortality
Mourn we for men, mere men, that fade and fall?
Battle or shipwreck, love or lunacy,
Some warp o' the will, some taint o' the blood, some touch
Of winter's icy breath, the Dog-star's rage
Relentless, or the dank and ghostly mists
Of Autumn—any or all of these suffice
To die by.   In the fee and fear of Fate
Lives all that is.   We one by one depart
Into the silence—one by one.   The Judge
Shakes the vast urn: the lot leaps forth: we die.
    But *he* is happy, and you mourn in vain.

He has outsoared the envy of gods and men,
False fortune and the dark and treacherous way,
—Scatheless: he never lived to pray for death,
Nor sinned—to fear her, nor deserved to die.
We that survive him, weak and full of woes,
Live ever with a fearful eye on Death—
The how and when of dying: 'Death' the thunder,
'Death' the wild lightning speaks to us.
                              In vain,—
Atedius hearkens not to words of mine.
Yet shall he hearken to the dead: be done,
Sweet lad he loved, be done with Death, and come,
Leaving the dark Tartarean halls, come hither;
Come, for thou canst: 'tis not to Charon given,
Nor yet to Cerberus, to keep in thrall
The innocent soul: come to thy father, soothe
His sorrow, dry his eyes, and day and night
A living voice be with him—look upon him,
Tell him thou art not dead (thy sister mourns,
Comfort her, comfort as a brother can)
And win thy parents back to thee again.

                                        H. W. G.

262

WHAT sin was mine, sweet, silent boy-god, Sleep,
  Or what, poor sufferer, have I left undone,
That I should lack thy guerdon, I alone?
Quiet are the brawling streams: the shuddering deep
Sinks, and the rounded mountains feign to sleep.
The high seas slumber pillowed on Earth's breast;
All flocks and birds and beasts are stilled in rest,
But my sad eyes their nightly vigil keep.

O ! if beneath the night some happier swain,
Entwined in loving arms, refuse thy boon
In wanton happiness,—come hither soon,
Come hither, Sleep.   Let happier mortals gain
The full embrace of thy soft angel wing :
But touch me with thy wand, or hovering
Above mine eyelids sweep me with thy train.

W. H. FYFE.

I append six *Sonnets to Sleep* by six English poets of very
different genius, none of whom, save perhaps Drummond,
seems to have been influenced by Statius. Cowley's poem
To Sleep in the *Mistress* may perhaps also be read—the
last line shows that Cowley recalled Statius.

COME, Sleep, O Sleep ! the certain knot of peace,
  The baiting-place of wit, the balm of woe,
The poor man's wealth, the prisoner's release,
  The indifferent judge between the high and low ;
With shield of proof shield me from out the prease
  Of those fierce darts Despair at me doth throw :
Oh, make in me those civil wars to cease !
  I will good tribute pay if thou do so.
Take thou of me smooth pillows, sweetest bed,
  A chamber deaf to noise and blind of light,
A rosy garland and a weary head :
  And if these things, as being thine by right,
    Move not thy heavy grace, thou shalt in me
    Livelier than elsewhere Stella's image see.

SIDNEY.

CARE-CHARMER Sleep, son of the sable Night,
   Brother to Death, in silent darkness born,
Relieve my languish and restore the light ;
   With dark forgetting of my care, return :
And let the day be time enough to mourn
   The shipwreck of my ill-adventured youth :
Let waking eyes suffice to wail their scorn,
   Without the torment of the night's untruth.
Cease dreams, the images of day's desires,
   To model forth the passions of the morrow ;
Never let rising Sun approve you liars,
   To add more grief to aggravate my sorrow.
      Still let me sleep, embracing clouds in vain,
      And never wake to feel the day's disdain.

DANIEL.

SLEEP, Silence' child, sweet father of soft rest,
   Prince whose approach peace to all mortal brings,
   Indifferent host to shepherds and to kings,
Sole comforter of minds with grief opprest ;
   Lo ! by thy charming-rod all breathing things
Lie slumbering, with forgetfulness possest,
   And yet o'er me to spread thy drowsy wings
Thou spares, alas ! who cannot be thy guest.
Since I am thine, oh come, but with that face
   To inward light which thou art wont to show ;
   With feignèd solace ease a true-felt woe ;
Or if, deaf god, thou do deny that grace,
   Come as thou wilt, and that thou wilt bequeath,—
   I long to kiss the image of my death.

DRUMMOND.

A FLOCK of sheep that leisurely pass by,
　One after one ; the sound of rain, and bees
　Murmuring ; the fall of rivers, winds, and seas,
Smooth fields, white sheets of water, and pure sky ;—
I have thought of all by turns, and yet do lie
　Sleepless ; and soon the small birds' melodies
　Must hear, first uttered from my orchard trees ;
And the first cuckoo's melancholy cry.
Even thus last night, and two nights more, I lay,
　And could not win thee, Sleep ! by any stealth :
So do not let me wear to-night away :
　Without Thee what is all the morning's wealth ?
Come, blessèd barrier between day and day,
　Dear mother of fresh thoughts and joyous health !

WORDSWORTH.

O SOFT embalmer of the still midnight !
　Shutting with careful fingers and benign,
Our gloom-pleased eyes, embowered from the light,
　Enshaded in forgetfulness divine ;
O soothest Sleep ! if so it please thee, close,
　In midst of this thine hymn, my willing eyes,
Or wait the amen, ere thy poppy throws
　Around my bed its lulling charities ;
　Then save me, or the passèd day will shine
Upon my pillow, breeding many woes ;
　Save me from curious conscience, that still lords
Its strength for darkness, burrowing like a mole ;
　Turn the key deftly in the oiled wards,
And seal the hushèd casket of my soul.

KEATS.

498

THE crackling embers on the hearth are dead;
  The indoor note of industry is still;
  The latch is fast; upon the window-sill
The small birds wait not for their daily bread;
The voiceless flowers—how quietly they shed
  Their nightly odours; and the household ill
  Murmurs continuous dulcet sounds that fill
The vacant expectation, and the dread
Of listening night.   And haply now She sleeps;
  For all the garrulous noises of the air
Are hushed in peace; the soft dew silent weeps,
  Like hopeless lovers for a maid so fair :—
Oh! that I were the happy dream that creeps
  To her soft heart, to find my image there.

HARTLEY COLERIDGE.

Side by side with these sonnets may be placed **Thomas** Warton's *Ode*—a fine poem, too little known :—

ON this my pensive pillow, gentle Sleep,
  Descend in all thy downy plumage drest,
Wipe with thy wings these eyes that wake to weep,
And place thy crown of poppies on my breast.
O steep my senses in Oblivion's balm,
And soothe my throbbing pulse with lenient hand,
This tempest of my boiling blood becalm—
Despair grows mild, Sleep, in thy mild command.

Yet ah! in vain, familiar with the gloom,
And sadly toiling through the tedious night,
I seek sweet slumber while that virgin bloom
For ever hovering haunts my unhappy sight.

Nor would the dawning day my sorrows charm:
Black midnight and the blaze of noon alike
To me appear, while with uplifted arm
Death stands prepared, but still delays, to strike.

T. WARTON.

287

AH! gentle, fleeting, wav'ring sprite,
  Friend and associate of this clay!
    To what unknown region borne
Wilt thou now wing thy distant flight?
No more with wonted humour gay,
    But pallid, cheerless, and forlorn.

BYRON.

Byron's version is a weak piece of youthful work.
I add here Pope's *Dying Christian to his Soul*, a noble
poem suggested by that of Hadrian, and emphasizing
powerfully the contrast between pagan and Christian
sentiment:—

VITAL spark of heavenly flame!
  Quit, oh quit this mortal frame!
    Trembling, hoping, lingering, flying,
    Oh the pain, the bliss of dying!
Cease, fond nature, cease thy strife,
And let me languish into life!

Hark, they whisper; angels say,
  'Sister spirit, come away!'
    What is this absorbs me quite?
    Steals my senses, shuts my sight,
Drowns my spirit, draws my breath?
Tell me, my soul, can this be death?

The world recedes; it disappears!
    Heaven opens on my eyes! my ears
    With sounds seraphic ring:
    Lend, lend your wings! I mount! I fly!
O Grave, where is thy victory?
O Death, where is thy sting?

POPE.

368

HAPPY the man who his whole time doth bound
    Within the enclosure of his little ground.
Happy the man whom the same humble place,
The hereditary cottage of his race,
From his first rising infancy has known,
And by degrees sees gently bending down
With natural propension to that earth
Which both preserved his life and gave him birth.
Him no false distant lights by Fortune set
Could ever into foolish wanderings get.
He never dangers either saw or feared;
The dreadful storms at sea he never heard,
He never heard the shrill allarms of war,
Or the worse noises of the lawyers' Bar.
No change of consuls marks to him the year;
The change of seasons is his calender.
The cold and heat Winter and Summer shows,
Autumn by fruits, and Spring by flowers he knows.
He measures time by landmarks, and has found
For the whole day the Dial of his ground.
A neighbouring wood born with himself he sees,
And loves his old contemporary trees.
He's only heard of near Verona's name,
And knows it, like the Indies, but by fame:

Does with a like concernment notice take
Of the Red Sea and of Benacus Lake.
Thus health and strength he to a third age enjoys,
And sees a long posterity of boys.
About the spacious world let others roam,
The Voyage Life is longest made at home.

COWLEY.

I append the version of a poet who was accounted in
his time 'the best translator since Pope'.

BLEST who, content with what the country yields,
Lives in his own hereditary fields;
Who can with pleasure his past life behold,
Whose roof paternal saw him young and old;
And, as he tells his long adventures o'er,
A stick supports him where he crawled before;
Who ne'er was tempted from his farm to fly,
And drink new streams beneath a foreign sky:
No merchant, he, solicitous of gain,
Dreads not the storms that lash the sounding main:
Nor soldier, fears the summons to the war,
Nor the hoarse clamours of the noisy bar.
Unskilled in business, to the world unknown,
He ne'er beheld the next contiguous town.
Yet nobler objects to his view are given,
Fair flowery fields and star-embellished heaven.
He marks no change of consuls, but computes
Alternate consuls by alternate fruits;
Maturing autumns store of apples bring,
And flowerets are the luxury of spring.
His farm that catches first the sun's bright ray
Sees the last lustre of his beams decay:

The passing hours erected columns show,
And are his landmarks and his dials too.
Yon spreading oak a little twig he knew,
And the whole grove in his remembrance grew.
Verona's walls remote as India seem,
Benacus is th' Arabian Gulph to him.
Yet health three ages lengthens out his span,
And grandsons hail the vigorous old man.
Let others vainly sail from shore to shore—
Their joys are fewer and their labours more.

F. FAWKES.

NOTE UPON THE SATURNIAN METRE

THIS metre is illustrated by Nos. 1-4 (?), 5-6, 8, 10, 12-13 in this selection. Three views have been taken of its character.

1. It was at one time supposed to be purely quantitative. This view had the support of Bentley, who in the *Phalaris* (226-8) identified the Saturnian with a metre of Archilochus.[1] 'There's no difference at all', he says blithely. In more recent times the quantitative theory, in one form or another, has numbered among its adherents scholars of repute: e.g. Ritschl, Lucian Mueller, Christ, Havet. To-day it may be said to be a dead superstition. Its place has been taken by what may be called the 'semi-quantitative' theory.

2. The 'semi-quantitative' theory was popularized in this country by H. Nettleship[2] and J. Wordsworth[3]. It enjoyed the vogue which commonly attends a compromise; and it still has its adherents, as, for example, E. V. Arnold[4] (who follows the Plautine scholar F. Leo). But the more it is examined the more it tends, I think, to melt into a 'pure-accentual' theory. 'It allows the shortening of a long syllable when unaccented (*dĕvictis*)', says Nettleship[5]. Surely to say that *dĕvictis* is 'allowed' for *dēvictis* is to abandon the cause outright. But it is considerations of a more general character which seem likely to render untenable both the 'quantitative' and the 'semi-quantita-

---

[1] A composite metre, an anapaestic paroemiac followed by a trochaic ithyphallic.

[2] *Essays* I, pp. 55 sqq.

[3] *Fragments and Specimens of Early Latin* pp. 396-7 and *passim*. Wordsworth's competence to treat questions of quantity may be judged from the fact that in a hexameter verse he makes the first syllable of *caro* (*carnis*) long: p. 567, l. 16.

[4] *Classical Review* XXI, pp. 100 sqq.

[5] l. c., p. 56 note.

tive' theories. The recent researches of Sievers [1] and others into the earliest metrical forms tend to shew that this metre is an 'Indo-European' heritage, and that it must be judged in the light of its Eastern and Germanic cognates.

3. The best opinion, therefore, in recent years has been strongly on the side of the view which makes the principle of the Saturnian metre purely accentual. At the moment this view may, in fact, be said to hold the field. Unhappily those who agree in regarding the metre as purely accentual agree in little else. We may distinguish two schools:

(a) There is, first, what I may perhaps be allowed to call the Queen-and-Parlour school. 'There cannot be a more perfect Saturnian line', says Macaulay, 'than one which is sung in every English nursery—

The queen was in her parlour eating bread and honey'.

Place beside this English line the Latin line which has come to be regarded as the typical Saturnian—

> dabunt malum Metelli Naeuio poetae.

If we accent these five words as Naevius and the Metelli would in ordinary speech have accented them, we shall have to place our accents thus :—

> dábunt málum Metélli Naéuio poétae;

since by what is known as the Law of the Penultimate the accent in Latin always falls on the penultimate syllable save in those words of three (or more) syllables which have a short penultimate and take the accent consequently on the ante-penultimate syllable. But those who accommodate the Latin saturnian to the rhythm of 'The queen was in her parlour . . .' have to postulate an anomalous accentuation :—

> dabúnt malúm Metélli | Naéuió poétae.

The Saturnian line is, they hold, a verse falling into two cola, each colon containing three accented (and an undefined number of unaccented) syllables—word-accent and verse-accent (i. e. metrical *ictus*) corresponding necessarily only at the last accented syllable in each colon (as Metélli . . poétae above).

---

[1] *Altgerm. Metrik*, 1892.

NOTE UPON THE SATURNIAN METRE

Now here there are at least four serious difficulties:

1. While the principle of the verse is accentual half the words in any given line may be accented as they were never accented anywhere else.

2. Sometimes verse-accent and word-accent do not correspond even at the last accent in a colon. There is, for example, no better authenticated Saturnian than

Cornelius Lucius Scipio Barbatus:

and it is incredible that at any period in the history of the Latin language the word-accent ever fell on the middle syllable of *Lucius*[1].

3. The incidence of word-accent is left unfixed save so far as the incidence of verse-accent enables us to fix it. But the incidence of the verse-accent is itself hopelessly uncertain. In a very large percentage of saturnian lines we abandon the natural word-accent and have at the same time no possible means of determining upon what syllable of what word we are to put the verse-accent.

dabúnt malúm Metélli Naéuió poétae

is simple enough: but when we come to

sin illos deserant fortissimos uiros
magnum stuprum populo fieri per gentes

or

dedet Tempestatibus aide meretod

we come, to speak frankly, to chaos.

4. A large number of well-attested saturnians yield only two accents in the second *colon*.

(b) Beside the 'Queen-and-Parlour' theory there is what I may call the Normal Accent Theory. It originated with two papers by W. M. Lindsay in the *American Journal of Philology* vol. xiv—papers which furnish a more thorough and penetrating treatment of the whole subject than is to be found anywhere else. Lindsay's view is in substance this:

1. The saturnian line falls into two *cola* of which the first (*a*) contains *three*, the second (*b*) *two* accented syllables.

2. *a* contains seven syllables in all, *b* contains six (occa-

---

[1] An original *Lucīus* is, as Lindsay points out, impossible: and it is disproved by the Oscan *Luvkis*.

sionally five), save when ⌣⌣ takes the place of one accented syllable.

3. The accent is always the normal Latin accent, according to the Law of the Penultimate.

(A tetrasyllabic word has two accents when it stands at the beginning of a line, and a pentasyllabic word always.)

4. Each line begins with an accented syllable.

These are the essential rules. In addition Lindsay has been at pains to determine carefully the accentuation of 'word-groups'. Each word in a Latin sentence has not necessarily an accent of its own. Thus *apud uos* is accented *apúd-uos*; so again *in-grémium, quei-númquam, is hic-situs*. No part of Lindsay's papers throws so much light on the scansion of the saturnian verses as that which deals with these word-groups: but it is impossible here to deal with the subject in detail. I will give here the first two Scipio Epitaphs (**5.** *i, ii*) as they are scanned and accented by Lindsay:—

i.

Còrnélius Lúcius | Scípio Barbátus,
Gnáiuod páter prognátus, | fórtis-uir sapiénsque,
quoìus fórma uirtútei | parísuma fúit,
cónsol, cénsor, aidílis | queí-fuit apúd-nos,
Tàurásia, Cisáuna, | Sámnio cépit,
Súbigit ómne Loucánam | ópsidesque abdóucit

ii.

Hónc óino plóirime | coséntiunt Római
dùonóro óptimo | fuíse uíro
Lúcium Scípiònem | fílios Barbáti
cónsol cénsor aidílis | híc-fuet apúd-nos:
híc cépit Córsica | Alériaque úrbe,
dédet Tèmpestátebus | áide méretod.

But is it certain, after all, that the accent-law in Saturnian verse *is* the Law of the Penultimate? There was, as is well known, a period in the history of the Latin language when this Law did not obtain, but all Latin words were alike accented on the first syllable. When this period ended we cannot precisely determine. But, as Lindsay himself points out, the influence of the old protosyllabic accentuation was not quite dead even in the time of Plautus.[1] Now the saturnian verse undoubtedly reaches back to a very remote antiquity : even of our extant specimens some are very likely as old as the eighth century. It is probable enough, therefore, that the accent-law known at any rate to the first saturnian poets was the old protosyllabic law. And when we remember the hieratic character of the earliest poetry, when we take into account the conservatism of any priestly ritual or rule, may we not suppose it possible that saturnian verse retained the ancient law of accentuation long after the Law of the Penultimate had asserted itself in ordinary speech and in other forms of literature ? Accented, as Lindsay accents it, according to the Law of the Penultimate, the saturnian loses the lilt and swing which it has under the old ' Queen-and-Parlour ' system.

dábunt málum Metélli Naéuio poétae

is not a music to pray to or dance to or die to. A much easier and more lively movement would be

dábunt málum Mételli Naéuio póetae,

that is, the movement given by the old protosyllabic accentuation.

The suggestion that the protosyllabic accent survived as a conscious archaism in saturnian verse right down to the time of the Scipios is, I think, at any rate worth considering. It carries us into speculations far wider than the particular problem with which it is immediately concerned. For if the protosyllabic law did actually survive in this way we can the more easily explain the swift and decisive victory which the Hellenizing Latin poetry won over the old native verse. What was conquered was an archaism, something purely artificial. The conquering force was not merely Hellenism but Hellenism *plus* a complete and radical change in Latin speech.

If anyone cares to analyse the extant remains of saturnian verse in the light of this suggestion, I would formulate three rules which can, I think, be deduced :

1. Each line has five feet, and each foot contains one accented syllable *plus* either one or two unaccented

---

[1] See also Sommer, *Lateinische Laut- u. Formenlehre* chap. iii.

syllables[1]. The first foot, however, *may* consist of a monosyllable.

2. The third foot must consist of a trisyllabic word or 'word-group'[2]: save that occasionally the second and third feet together may be formed of a quadrisyllabic (or pentasyllabic) word with secondary accent.

3. The first and second, and again the fourth and fifth, feet may be either disyllabic or trisyllabic : but (*a*) two trisyllables may not follow one another in the first two feet, and (*b*) if the fifth foot (usually trisyllabic) is a disyllable the fourth must be trisyllabic.

The normal type is

$$\acute{\ }-\ |\ \acute{\ }-\ |\ \acute{\ }-\ -\ \Big\|\ {\acute{\ }-\ - \atop \acute{\ }-\ -}\ |\ \acute{\ }-\ -$$

A common variation in the first two feet is either $\acute{\ }--\ |\ \acute{\ }-$, or $\acute{\ }-\ |\ \acute{\ }--$. A somewhat rare variation in the last two is $\acute{\ }--\ |\ \acute{\ }-$. In the first foot $\acute{\ }$ sometimes replaces $\acute{\ }-$ (or $\acute{\ }--$), no doubt owing to the greater stress at the opening of the verse.

Some exceptions (or apparent exceptions) to these rules will no doubt be found. But the rules cover most of the extant examples of saturnian verse : and it must be remembered that the text of our fragments is often not at all certain. The system outlined has, however, the merit—which it shares with Lindsay—that it dispenses with most of the alterations of the text in which other systems involve us.

THE HYMN OF THE ARVAL BROTHERHOOD.

I have given the text of this celebrated piece according to what may be called the Vulgate ; and in the sub-title, in the Glossary and in my Introduction p. 1 I have followed the ordinary interpretation. I may perhaps be allowed here to suggest a different view of the poem.

It begins with an appeal to the Lares. These are

---

[1] Very occasionally three, in cases where one of the syllables can be *slurred away* in pronunciation.

[2] I use 'word-group' in the same sense as Lindsay. See also his *Latin Language* pp. 165-70.

apparently the Lares Consitivi, gods of sowing. Then comes an appeal to Marmar, then to Mars. Then the Semones are invoked, who, like the Lares, are gods of sowing. There follows a final appeal to Marmar.

It is pretty clear that the Mars, Marmar, or Marmor, invoked in such iteration is not the war-god, but Mars in his more ancient character of a god of agriculture. But if this be so, what are we to make of lines 7–9,

satur fu, fere Mars : limen sali : sta berber,

'Be thou glutted, fierce Mars, leap the threshold, stay thy scourge',—or, as Buecheler takes it, ' stand, wild god '? This sort of language is appropriate enough to Mars as god of war, but utterly inappropriate to the farmer's god[1].

Now it so happens that for

satur fu, fere Mars : limen sali, sta berber

the monumental stone to which we owe this inscription offers at one point

satur fu, fere Mars limen saii sia berber.

Now, when we remember the Lares Consitivi and the Semones, does it not look very much as though *satur* stood for *sator*, as though *fere* were a blunder for *sere*, as though *saii* were the vocative of Saius, ' sower ' (cf. Seia a goddess of sowing, and Greek σάω σήθω), as though *sia* were the imperative of the verb *sio* (moisten)[2], and as though, finally, *berber* were to be connected with the Greek βόρβορος and meant 'loam'? (I would give much the same sense, ' fat soil ' to *limen* : (from the root *lib*– : cf. Gk. λείβω, λειμών).)

We get, then,

sator fu : sere Mars limen Saii, sia berber,

' Be thou the sower : sower Mars, sow the soil, moisten

[1] I say nothing of the difficulty of *limen sali*. We know the Hymn to have been sung *within* the temple, and with closed doors.

[2] *Sio* is an old Latin word. See Buecheler's paper *Altes Latein* in *Rheinisches Museum* 43 p. 480. *Siat* is glossed in Philoxenus by οὐρεῖ, ἐπὶ βρέφους. In common speech it survived only in the language of the nursery and in this connexion. But it is closely related to a number of words, in various Indo-Germanic languages, of which the root-meaning is ' moisture'. See Walde, *Lateinisches Etymologisches Wörterbuch*[2] p. 708.

the loam'. And this suggests what *ought* to be the meaning of *enos iuuate*. *enos ought* to mean *harvests*, or at
any rate something in that kind. And why should it not?
Hesychius knew a word ἔνος which he glosses by ἐνιαυτός,
ἐπέτειος καρπός. See Suidas *s. v.* and Herwerden *Lexicon
Suppletorium*.

The Hymn is a hymn for Seedtime. We know, however, that the festival at which it was sung fell in the
month of May. The explanation of this has been hinted
at by Henzen.[1] Henzen points out that the Arval
Brothers entered on their duties at the Saturnalia, and
that their worship is probably connected in its origin with
Saturn, the god of sowing. (See Varro *L. L.* 5, 57, and
apud Aug. *C. D.* 7. 13 p. 290, 28, Festus *s. v.* Saturnus.)
We must suppose, therefore, that at some date when the
meaning of its words had been already lost this hymn was
transferred from a seedtime festival to a harvest festival.

[1] *Acta Fratrum Arvalium* p. 34.

GLOSSARY OF OLD LATIN

1. *i.* cante : *canite* (sometimes said to be an Athematic imper. 2 pers. plur.).

ii. quome : *cum.*

Leucesie : (*Lucerie?*) a title of Jupiter as god of lightning.

tet : *te.*

tremonti : *tremunt.*

quor : *cur.*

Curis : 'god of spear-men' (?) : Etruscan *curis,* a spear : (cf. *Iunonis Curitis*).

decstumum : *dextimum,* 'on the right' (the suffix -*imus* is not strictly a superlative suffix, but denotes position : cf. *summus* (*sup-mus*), *finitimus, citimus*).

iii. ulod : *illo* (?) (*ollod*) (cf. Umbrian *ulu*).

oriese : *oriere* : future for imperative as in 2 *aduocapit.*

isse : *ipse* (*ipese*) : the form *isse* is merely the vulgar spelling of a later period.

ueuet : *uiuit.*

po melios : *optimus* (?) ('*po* pro *potissimum* positum est in Saliari carmine', *Festus*).

eu : *heu* (admirantis).

recum : *regum* (as *uirco* for *uirgo* in the *Duenos Inscription* : and so always in early Latin until 312 B.C.).

2. enos : *nos* (?) cf. ἐμέ, ἐμοί.

Lases : *Lares.*

lue rue : *luem et ruinam.*

Marmar : *Mars.*

sins : *sinas* (?).

sers : *siueris* (?).

pleoris : *pluris* (cf. πλε(ί)ων=πλέους=pleios=pleor).

fu : *esto* (*fufere*=esto, others : as though *fufuere*).

sta berber, 'stay thy scourge' (?) : sta=ἴστα ; berber : *uerbera.* Others interpret, 'stand, fierce one' (berber=*barbare*).

semunis : *semones*, 'gods of the sown fields'.
aduocapit : *aduocabitis*.

5. *i.* Gnaiuod : *Gnaeo* : the old abl. in -d : cf. *meretod*
in *ii.*

parisuma : superlative of *par*.

Taurasia Cisauna Samnio : *Taurasiam Cisaunam* (*in*)
Samnio (or *Samnium*). The dropping of -*m* (cf. *oino, aede*
in *ii*) is, however, not in any way a peculiarity of early
Latin.

subigit : *subegit*.
abdoucsit : *abduxit*.

ii. oino : *unum*.
ploirime : *plurimi*.
duonoro . . uiro : *bonorum* . . *uirum*.
Scipione : *Scipionem*.
Corsica Aleriaque urbe : *Corsicam Aleriamque urbem*.
aide : *aedem*.
meretod : *merito*.

iii. apice insigne : *apicem insignem*.
recipit : *recepit* (as *subigit* in *i*).

iv. quei minus : *cur minus*.
mactus : ' blessed ', ' honoured ', ' endowed '.

6. *i.* insece : *inseque*, imperat. from *inquam* (*in(s)quam*) :
ἔννεπε.

iv. dacrimas : *lacrimas*.
noegeo : ' noegeum amiculi genus ', *Festus* : φᾶρος.

v. hemōnem : *hominem* (cf. *ne-hemo=nemo*) ' son of
earth ' (*humus* : cf. Oscan *humuns=homines*).

quamde : *quam*.

topper : *celeriter* : (*is*)*tod* + *per* : the old explanation, *toto opere*, is false.

vi. inserinuntur : *inseruntur*. So in the active we find
the 3 pl. pres. in -*nunt* : *danunt* (*dant*) *prodinunt*
(*prodeunt*) *nequinunt* (*nequeunt*). But the forms are unex-
plained anomalies.

vii. deueniens : *deueniens* (?).
ommentans : *ob-manens* (*manto* freq. of *maneo*).

7. *ii.* ipsus: *ipse* : so *ollus* and *olle* for *ille.*
　iii. procat : *poscit.*

v. confluges : 'loca in quae diversi rivi confluunt', *Nonius.*

vi. anculabant : *hauriebant* (cf. Gk. ἀντλεῖν).

vii. struices : 'struices antiqui dicebant exstructiones omnium rerum', *Festus.*

viii. nefrendem : *sine dentibus* (*ne + frendo*).

8. *ii.* Anchisa : *Anchises* (*-as*) : as *Aenea* in *iv*, and in later Latin *Atrida* &c.

iii. Troiad : *Troia* (abl.).

iv. Aenea : *Aeneas* : so *Anchisa* in *ii.*

vi. concinnat : 'concinnare est apte componere', *Festus.*

viii. mavolunt : *malunt* (*mage-uolunt*).

9. *iii.* cedo : *dic, da* (the demonstrative particle *-ce* + old imperative of *dare*).

v. promicando : 'promicare est extendere et longe iacere', *Nonius.*

12. nouentium : *nuentium* (*annuentium*) : cf. the spelling *souo = suo* in **44.** So regularly in the oldest Latin. *ou* for *u.*

　duonum : *donum* (cf. Umbrian *dunu*, Oscan *dunum* : old Latin *duo = do*).

　negumate : *negate* (*nec autumate*).

13. endostaurata facito : *fac ut instaurentur.*

15. quam mox : 'quam mox significat quam cito', *Festus.*

17. indu : Greek ἔνδον ; as **21.** *viii*, and **32** (*endo*) : later the word became confused with, and then entirely supplanted by, *in.*

　uolup, 'pleasantly' : neut. of an extinct *volupis*, used adverbially : cf. *facul, difficul.*

　suaset : (i.e. *suasset*), *suasisset.*

　uerbum paucum : *uerborum paucorum.*

21. *viii.* imbricitor : *qui imbres ciet.*

23. euitari : *uita priuari.*

24. melior mulierum : like *melios recum* in **1.** *iii.*

25. postilla : *postea.*

29. accedisset : *accidisset.*

34. faxit : *fecerit.*

41. perproquinquam: *perpropinquam* (cf. πέντε (πέμπε)= quinque, ἵππος=*equus, Pontius=Quintius*).
uerruncent : *uertant.*

42. dum .. dum : τότε μὲν .. τότε δέ : cf. the use of *dum* in *primumdum, agedum, adesdum.*

44. souo : *suo.*

45. clueor : *uocor* (cf. κλυτός).

51. *iii.* cresti : *(de)creuisti.*

54. fuat : *sit.*
fatust : *fatus est.*

INDEX

OF

AUTHORS AND PASSAGES

T.R. = Ribbeck, *Tragicorum Romanorum Fragmenta*
C.R. = Ribbeck, *Comicorum Romanorum Fragmenta*
P.L.M. = Baehrens, *Poetae Latini Minores*
F.P.R. = Baehrens, *Fragmenta Poetarum Romanorum*
A.L. = Riese, *Anthologia Latina*, Ed. ii
C.E. = Buecheler, *Carmina Epigraphica*

The numerals in large type indicate the number of the *piece* (not the *page*, save where *p.* is prefixed).

(In the early fragments the numerals indicate the number of the *line* as given in the principal editions.)

INDEX OF AUTHORS AND PASSAGES

INDEX OF AUTHORS AND PASSAGES

INDEX OF FIRST LINES

INDEX OF FIRST LINES

INDEX OF FIRST LINES

INDEX OF FIRST LINES

INDEX OF FIRST LINES

INDEX OF FIRST LINES

INDEX OF FIRST LINES

INDEX OF FIRST LINES

INDEX OF FIRST LINES

PRINTED IN
GREAT BRITAIN
AT THE
UNIVERSITY PRESS
OXFORD
BY
CHARLES BATEY
PRINTER
TO THE
UNIVERSITY